Ally Condie

Promise

Traduction de
Vanessa Rubio-Barreau

GALLIMARD JEUNESSE

Titre original : *Matched*
ion originale publiée aux États-Unis par Dutton Books,
une filiale de Penguin Group (É.-U.) Inc.,
375 Hudson Street, New York,
New York, 10014, États-Unis.

Pour Scott, qui y croit toujours.

1

Maintenant que j'ai découvert comment voler, dans quelle direction dois-je m'élancer ? Mes ailes ne sont pas blanches, elles n'ont pas de plumes. Ce sont des ailes de soie verte, qui frémissent sous le vent, ondulent au moindre mouvement. Dans la nuit, elles dessinent un cercle, une ligne, puis prennent une forme de mon invention. L'obscurité qui se referme derrière moi ne m'effraie pas, pas plus que les étoiles qui brillent au loin.

Je souris. Il n'y a que moi pour imaginer de telles bêtises.

Personne ne peut voler. Cependant, avant la Société, des mythes mettaient en scène des personnages ailés, j'en ai déjà vu en peinture. Ailes immaculées, ciel bleu, cercle d'or flottant au-dessus de la tête, les yeux ronds de surprise, ils étaient stupéfaits de ce que l'artiste osait leur faire faire, abasourdis que leurs pieds ne touchent plus le sol.

Ce n'étaient que des légendes, pas la réalité. Je le sais. Mais ce soir, je pourrais facilement l'oublier. L'aérotrain glisse avec une telle aisance dans la nuit étoilée, mon cœur bat si vite, j'ai l'impression que je vais m'envoler à tout instant.

– Qu'est-ce qui te fait sourire ? me demande Xander, alors que je lisse du plat de la main ma robe de soie verte.

– Tout.

Et c'est vrai. J'attends ce jour depuis si longtemps : mon Banquet de couplage. Où, pour la première fois, je verrai le visage de mon Promis. Où, pour la première fois, j'entendrai son nom.

J'ai tellement hâte. L'aérotrain, pourtant rapide, ne va pas assez vite pour moi. Il file dans la nuit, et son bruissement se fond avec le doux murmure de nos parents, ponctué par les battements précipités de mon cœur.

Xander a dû l'entendre tambouriner car il me questionne :

– Tu es stressée ?

À côté de lui, son frère aîné, tourné vers ma mère, se lance dans le récit de son propre banquet. Bientôt, Xander et moi, nous aurons aussi une histoire à raconter.

– Non…

C'est mon meilleur ami. Il me connaît trop bien.

– Menteuse, me taquine-t-il. Tu es stressée.

– Pas toi ?

– Non. Je suis prêt, affirme-t-il sans une once d'hésitation.

Je le crois. Xander sait ce qu'il veut.

D'une voix plus douce, il reprend :

– C'est normal, Cassia. Jusqu'à quatre-vingt-treize pour cent des gens qui se rendent à leur Banquet de couplage montrent des signes de nervosité.

– Tu as appris le *Guide du Programme de couplage* par cœur ?

– Presque, répond-il en souriant.

Il écarte les mains, l'air de dire : « Qu'est-ce que tu crois ? »

Ça me fait rire. Moi aussi, je pourrais le réciter pratiquement mot pour mot. Quoi de plus normal après l'avoir lu et relu si souvent, c'est une décision tellement importante.

– Alors tu fais partie de la minorité. Des sept pour cent qui n'éprouvent pas la moindre nervosité.

– Évidemment, confirme-t-il.

– À quoi vois-tu que je suis stressée ?

– Tu n'arrêtes pas d'ouvrir et de refermer ça, dit-il en désignant l'objet doré que j'ai entre les mains. J'ignorais que tu avais une relique.

Quelques trésors du passé circulent parmi la population. Les citoyens de la Société ont le droit d'en posséder un chacun, mais ils sont extrêmement rares. À moins d'avoir eu des ancêtres soucieux de transmettre ce patrimoine de génération en génération.

– C'est tout récent. Mon grand-père me l'a offert pour mon anniversaire. Il appartenait à sa mère.

– Qu'est-ce que c'est ? veut savoir Xander.

– Un poudrier compact.

J'aime beaucoup ce mot, « compact ». Ça veut dire petit, comme moi. J'aime sa sonorité : com-pact. On entend presque le bruit sec que fait le poudrier quand il se referme.

– À quoi correspondent les inscriptions ?

– Je ne sais pas.

J'effleure du bout du doigt les lettres ACM et le chiffre 1940, gravés dans le métal doré.

– Mais regarde…

J'ouvre le poudrier pour lui montrer l'intérieur : il y a un petit miroir et un compartiment où l'on mettait de la poudre pour le visage, d'après mon grand-père. Je m'en sers pour transporter les trois pilules d'urgence que chacun doit avoir sur soi en permanence – une verte, une bleue, une rouge.

– Pratique, commente Xander.

Il tend les bras et je remarque qu'il a également une relique : des boutons de manchette en platine.

– C'est mon père qui me les a prêtés. On ne peut rien ranger à l'intérieur. C'est complètement inutile.

– Oui, mais c'est joli.

Je le dévisage : ses yeux bleus pétillants, ses cheveux blonds, contrastant avec son costume sombre et sa chemise blanche. Il a toujours été mignon, même quand nous étions petits, mais je ne l'avais jamais vu habillé ainsi. Les garçons n'ont pas autant de latitude que les filles pour leur tenue de banquet. Leurs costumes se ressemblent tous plus ou moins. Ils peuvent cependant choisir la couleur de leur chemise et de leur cravate. Et le tissu est beaucoup plus fin que celui des tenues de tous les jours.

– Tu es très élégant.

Sa Promise sera sûrement ravie.

– Élégant ? répète-t-il en haussant un sourcil. C'est tout ?

– Xander, intervient sa mère, d'un ton de reproche amusé.

– Toi, tu es ravissante, me dit-il.

Je rougis malgré moi. Je me sens belle dans cette robe vert d'eau, aérienne, dansante. La douceur inhabituelle de la soie contre ma peau me procure une sensation de grâce et de souplesse.

Mon père et ma mère retiennent leur souffle en voyant apparaître le Dôme municipal, paré pour l'occasion de lumières bleues et blanches.

Je ne distingue pas encore l'escalier de marbre, mais je sais qu'il sera étincelant. J'attends depuis toujours de monter les marches immaculées et de passer la porte de ce bâtiment que je voyais au loin, sans jamais pénétrer à l'intérieur.

J'aimerais ouvrir mon poudrier pour me regarder dans le miroir, mais je n'ose pas. Je me contente de jeter un coup d'œil à mon reflet sur sa surface.

Le couvercle bombé déforme un peu mes traits, mais c'est bien moi. Mes yeux verts. Mes cheveux châtain cuivré, qui paraissent plus dorés qu'ils ne le sont en réalité. Mon petit nez droit. Mon menton avec la fossette héritée de mon grand-père. Toutes ces caractéristiques physiques qui font de moi Cassia Maria Reyes, dix-sept ans aujourd'hui.

J'admire le poudrier, ses deux moitiés qui s'assemblent parfaitement. Comme deux Promis, un couple parfait. Déjà, ça commence bien. Puisque je suis née le 15, date à laquelle se tient le banquet chaque mois, j'ai toujours espéré être conviée au mien le jour de mes dix-sept ans. Mais cela aurait pu être le mois prochain, ou celui d'après, ou l'un des dix mois suivants. Alors quand, il y a deux semaines, j'ai reçu sur notre port de communication la convocation pour le jour même de mon anniversaire, c'était parfait. Comme dans mes rêves.

Je n'ai même pas eu à attendre vingt-quatre heures, et pourtant, d'une certaine manière, j'attends depuis toujours.

– Cassia, fait ma mère d'une voix douce.

Je me redresse, surprise. Mes parents sont debout, prêts à descendre du train. Xander se lève également, rajustant ses boutons de manchette. Il prend une profonde inspiration, je souris intérieurement. En fin de compte, il doit être un peu nerveux, lui aussi.

– C'est parti, me glisse-t-il avec un grand sourire.

Je suis heureuse que nous ayons été convoqués le même mois. Nous avons passé toute notre enfance ensemble, il est normal que nous soyons également ensemble le jour où elle s'achève.

Je lui rends son sourire en lui adressant la formule consacrée dans notre Société :

– Je te souhaite un résultat optimal, Xander.

– Moi de même, Cassia.

En descendant du train, mes parents me prennent chacun par un bras. Depuis toujours, ils m'entourent de leur amour.

Nous ne sommes que tous les trois ce soir. Mon frère, Bram, n'a pas pu venir, l'entrée est interdite aux moins de dix-sept ans. Le premier banquet auquel on assiste est toujours le sien. En revanche, moi, je pourrai être à ses côtés, en tant que sœur aînée. Je me demande à quoi ressemblera sa Promise. Je le saurai dans sept ans.

Mais ce soir, il s'agit de moi.

Ceux qui viennent pour être présentés à leur Promis sont aisément reconnaissables. Non seulement nous sommes plus jeunes, mais nous portons de belles robes ou d'élégants costumes alors que nos parents sont en tenue de tous les jours, pour nous laisser la vedette. Les Officiels de la Ville nous accueillent avec les honneurs. En pénétrant dans la rotonde, mon cœur s'emballe.

Xander m'adresse un petit signe avant de se diriger vers sa place, mais j'aperçois une fille que je connais, Léa. Elle a pris la robe rouge vif. Un choix judicieux, car elle est assez belle pour se mettre en avant. Elle a pourtant l'air inquiète et ne cesse de triturer sa relique, un bracelet serti de pierres rouges. Je suis un peu surprise de la croiser. Je l'aurais plutôt crue Célibataire.

– Tu as vu les assiettes ? s'extasie mon père tandis que nous cherchons notre table. Ça me rappelle la porcelaine de Limoges qu'on a trouvée l'an dernier…

Ma mère lève les yeux au ciel.

Même le jour de mon banquet, il ne peut s'empêcher de remarquer ce genre de détails. Il travaille à la transformation d'anciens secteurs en nouveaux quartiers d'accueil de la population. Il passe ses journées à examiner les vestiges d'un passé moins lointain qu'il n'y paraît. En ce moment, par exemple, il est sur un chantier passionnant : une vieille bibliothèque. Il trie les objets qui présentent un intérêt pour la Société et ceux qui sont inutiles.

Le plus drôle, c'est que ma mère ne peut s'empêcher de faire un commentaire sur les fleurs, son domaine d'expertise en tant qu'employée de l'arboretum.

– Oh, Cassia ! s'exclame-t-elle en serrant ma main dans la sienne. Regarde ces bouquets de lys !

– Merci de bien vouloir vous asseoir, ordonne un Officiel depuis l'estrade. Le dîner va être servi.

Nous nous installons aussitôt avec une précipitation presque comique. D'accord, nous avons pris le temps d'admirer la porcelaine et les fleurs, d'accord, nous sommes là pour découvrir nos Promis, mais nous avons aussi hâte de déguster ce repas.

– Il paraît que c'est un vrai gâchis, raconte un homme jovial, en face de nous. Les Promis sont tellement stressés qu'ils ne peuvent rien avaler.

Et c'est vrai, une fille en rose, assise un peu plus loin à notre table, fixe son assiette sans y toucher.

Moi, je n'ai pas ce problème. Je ne me gave pas, mais je goûte un peu de tout : les légumes poêlés, la viande juteuse, la salade croquante et le fromage crémeux. Le pain chaud et léger.

C'est un véritable ballet : les serveurs glissent les assiettes devant nous avec grâce ; les plats, décorés et parsemés d'herbes aromatiques, sont aussi élégants que nous. Nous levons en rythme nos serviettes blanches, nos couverts d'argent, nos verres en cristal étincelant, suivant la cadence d'une musique inaudible.

Mon père contemple d'un œil satisfait la part de gâteau au chocolat nappée de crème que le serveur pose devant lui à la fin du repas.

– Succulent, murmure-t-il si bas que seules ma mère et moi pouvons l'entendre.

Elle laisse échapper un petit rire en le taquinant un peu. Il lui prend la main.

Je comprends son enthousiasme lorsque la première bouchée de gâteau fond dans ma bouche. Il est savoureux, mais pas trop lourd. Moelleux, exquis, très parfumé. Je n'ai rien mangé d'aussi bon depuis le Dîner festif d'hiver, il y a des mois. Dommage que Bram ne puisse pas y goûter. Un instant, j'envisage de lui en garder un morceau, mais comment le lui rapporter ? Ça ne tiendrait pas dans mon poudrier. Et impossible de le cacher dans le sac de ma mère, même si elle était d'accord. De toute façon, elle ne voudrait pas. Elle n'enfreint jamais les règles.

Je ne peux pas le garder pour plus tard. C'est maintenant ou jamais.

Je viens juste de glisser les dernières miettes entre mes lèvres quand l'Officiel annonce :

– Nous allons révéler les Promis.

Sous le coup de la surprise, j'avale tout rond et, durant une seconde, j'éprouve une rancœur soudaine : à cause de lui, je n'ai pas savouré mon ultime bouchée de gâteau.

– Léa Abbey.

Triturant frénétiquement son bracelet, l'intéressée se lève pour voir le visage qui va apparaître sur l'écran. Elle garde les bras le long du corps afin que le garçon qui la découvre dans une autre salle de cérémonie n'aperçoive qu'une jolie fille blonde et non ses mains torturant anxieusement le bijou.

C'est étrange, ce besoin de se cramponner au passé lorsque notre avenir est en jeu.

La Cérémonie de couplage suit un processus très précis, bien entendu. Dans toutes les salles du pays, on appelle les filles par ordre alphabétique afin de leur annoncer le nom de leur Promis. C'est un peu injuste pour les garçons, qui n'ont aucune idée du moment où ils vont devoir se lever. Mon nom de famille est Reyes, je passerai donc plutôt vers la fin. Le début de la fin.

Un garçon blond, très beau, apparaît sur l'écran. Il sourit en découvrant le visage de Léa et elle lui rend son sourire.

– Léa Abbey, votre Promis est Joseph Peterson, déclare l'Officiel.

La même chose se produit au même moment sur l'écran et dans la salle : une hôtesse apporte à Joseph et à Léa un petit écrin argenté.

Léa se rassoit en le fixant avec envie, elle aimerait sans doute l'ouvrir immédiatement. Je la comprends. La microcarte qui s'y trouve contient toutes les informations nécessaires sur son Promis. Plus tard, il servira à ranger les anneaux du contrat de mariage.

Sur l'écran s'affiche l'image générique : un garçon et une fille qui se sourient au milieu d'un halo de lumière avec un Officiel en blouse blanche en arrière-plan. La Société a beau s'efforcer d'enchaîner les présentations avec autant d'efficacité que possible, il y a tout de même des temps morts. C'est tellement compliqué, ce système, ça me rappelle les pas de danse sophistiqués que les couples exécutaient autrefois. Désormais, la Société seule orchestre le bal.

Le présentateur appelle un autre nom, une autre fille se lève.

Dans la salle, de plus en plus de jeunes gens ont leur petit écrin argenté. Certains le posent sur la nappe blanche, devant eux. Mais la plupart le gardent précieusement, heureux de tenir enfin leur futur entre leurs mains.

Je n'ai pas vu d'autre fille en robe verte. Ça ne me dérange pas. Au contraire, pour une fois, je suis unique.

J'attends, serrant mon poudrier d'un côté et la main de ma mère de l'autre. Sa paume est moite. Je réalise alors que mes parents sont aussi tendus que moi.

– Cassia Maria Reyes.

C'est mon tour.

Lâchant ma mère, je me lève pour me tourner vers l'écran. Mon cœur bat à tout rompre. Résistant à l'envie de me tordre les mains comme Léa, je reste droite, la tête haute, les yeux rivés sur l'écran.

J'attends, déterminée à ce que mon Promis, quelque part dans une autre salle de cérémonie de la Société, découvre une fille calme et sereine, la meilleure image que je puisse donner de Cassia Maria Reyes.

Mais rien ne se produit.

Je fixe l'écran, immobile, tandis que les secondes s'écoulent. Je continue à sourire, les yeux rivés sur l'écran ; que puis-je faire d'autre ?

Des murmures s'élèvent autour de moi. Du coin de l'œil, j'aperçois ma mère esquisser le geste de me prendre la main puis se raviser.

Une fille en robe verte attend, immobile, le cœur battant.

C'est moi.

L'écran reste noir. Vide.

Ça ne peut signifier qu'une seule chose.

2

Des murmures s'élèvent petit à petit dans la salle de cérémonie, comme des oiseaux battant des ailes sous le Dôme municipal.

– Votre Promis se trouve parmi nous ce soir, m'annonce l'hôtesse en souriant.

Autour de moi, les autres sourient également. Les murmures s'amplifient. Notre Société est si vaste, nos villes si nombreuses… La probabilité que deux Promis formant un couple optimal vivent au même endroit est extrêmement faible. Cela fait des années que ce genre de chose ne s'est pas produit ici.

Ces pensées se bousculent dans mon esprit. Je dois fermer les yeux pour réaliser ce que cela signifie réellement, pour moi, la fille en robe verte, et non de façon abstraite. « Je connais peut-être mon Promis. » Si ça se trouve, il s'agit d'un élève qui fréquente la même école secondaire que moi, quelqu'un que je croise tous les jours, quelqu'un qui…

– Xander Thomas Carrow.

À sa table, Xander se lève. Un océan de regards curieux, de nappes blanches, de verres en cristal scintillant et d'écrins en argent étincelant s'étend entre nous.

J'ai du mal à y croire.

C'est comme dans un rêve. Les gens dévisagent l'élégant jeune homme en costume sombre et cravate bleue, la ravissante jeune fille en robe de soie verte. Il faut que Xander me sourie pour que je revienne à la réalité. Je me dis : « Je connais ce sourire. » Alors je souris aussi. Le tonnerre d'applaudissements, le parfum des lys achèvent de me convaincre que tout cela est bien réel. Dans les rêves, les bruits et les odeurs ne sont pas si forts. Je romps le protocole pour adresser un petit signe de la main à Xander. Son sourire s'élargit.

L'hôtesse reprend :

– Vous pouvez vous rasseoir.

Elle semble soulagée que nous soyons aussi contents ; comment pourrait-il en être autrement ? Nous formons les deux moitiés parfaitement compatibles d'un couple optimal.

Lorsqu'elle me tend mon écrin en argent, je le saisis avec précaution. Pourtant, je sais déjà presque tout ce qu'il contient. Non seulement Xander et moi, nous fréquentons le même établissement, mais nous habitons également dans la même rue. Il a toujours été mon meilleur ami. Je n'ai pas besoin de consulter la microcarte pour voir des images de lui quand il était petit, ma mémoire en est pleine. Je n'ai pas besoin de découvrir ses goûts, je les connais déjà. Couleur favorite : vert. Activité sportive préférée : nager. Loisir de prédilection : jouer.

– Félicitations, Cassia, me glisse mon père à l'oreille, soudain plus détendu.

Ma mère ne dit rien mais elle paraît ravie et me serre fort dans ses bras. Derrière elle, une autre fille se lève, fixant l'écran.

L'homme assis à côté de mon père murmure :

– Quelle chance pour votre famille ! Vous ne confierez pas son avenir à quelqu'un dont vous ignorez tout.

Son ton amer me surprend. Son commentaire est à la limite de l'insubordination. Sa fille, celle qui paraît toute stressée dans sa robe rose, l'a entendu également. Elle s'agite sur sa chaise, mal à l'aise.

Je ne la reconnais pas. Elle doit fréquenter un autre établissement d'enseignement secondaire de la Ville.

Je jette un nouveau coup d'œil vers Xander, mais il y a trop de monde entre nous. Je ne le vois pas. D'autres filles se lèvent, tour à tour. Chaque fois, l'écran s'allume. Il ne reste noir pour personne. À part pour moi.

Avant que l'on s'en aille, l'hôtesse du Banquet de couplage nous attire à l'écart, Xander et moi, ainsi que nos parents.

– Il s'agit d'une situation inhabituelle, commence-t-elle – mais elle se reprend immédiatement. Non, pas inhabituelle, excusez-moi, une situation peu commune, disons.

Elle nous sourit.

– Puisque vous vous connaissez déjà, le processus va se dérouler un peu différemment pour vous. Vous possédez déjà la plupart des informations de base l'un sur l'autre.

Elle désigne nos écrins en argent.

– Nous avons cependant ajouté quelques conseils relationnels sur les microcartes. Je vous invite à les consulter dès que vous en aurez l'opportunité.

– Je les lirai ce soir, promet Xander.

Je me retiens de lever les yeux au ciel, car il prend exactement la même intonation lorsqu'un professeur nous donne un devoir à faire. Il va lire les conseils et les apprendre par cœur, comme il l'a fait pour le *Guide du Programme de couplage*.

Je rougis subitement en me rappelant l'un des paragraphes du guide :

Si vous choisissez d'être couplé, votre contrat de mariage prendra effet le jour de vos vingt et un ans. Des études ont en effet montré que la fertilité masculine et féminine atteint son apogée à cet âge. Le Programme de couplage permet ainsi aux couples d'avoir des enfants à cette période optimale, leur assurant la meilleure probabilité d'avoir une descendance en bonne santé.

Xander et moi, nous conclurons un contrat de mariage. Nous aurons des enfants ensemble. Mais, en attendant, je n'ai pas besoin de le découvrir, puisque je le connais presque mieux que moi-même.

Le léger sentiment de déception qui s'insinue dans mon cœur me surprend. Mes amies vont passer les prochains jours à rêvasser devant la photo de leur Promis, en discuter à la cantine, avides d'apprendre de nouveaux détails. Imaginer le jour de leur première rencontre, attendre avec impatience la deuxième et ainsi de suite.

Entre nous, pas de mystère.

C'est alors que Xander me demande :

– Tu penses à quoi ?

– Je me dis qu'on a beaucoup de chance.

Et je le pense vraiment.

Nous avons encore tant à découvrir. Jusqu'à présent, Xander était mon ami ; désormais, il est mon Promis.

L'hôtesse me corrige avec douceur :

– Non, Cassia. Il n'y a pas de place pour la chance dans la Société.

Je hoche la tête. Évidemment. Quelle bêtise d'avoir employé un terme aussi inapproprié et archaïque ! Aujourd'hui, seule la probabilité a sa place. Chaque événement possède une probabilité plus ou moins grande de se produire, c'est tout.

L'hôtesse reprend la parole :

– Vous avez eu une soirée chargée et il se fait tard. Vous pourrez lire les conseils relationnels un autre jour. Vous avez tout le temps devant vous.

Elle a raison. Voilà ce que la Société nous a offert : du temps. Nous vivons plus longtemps et dans de meilleures conditions que tous les précédents citoyens de l'histoire du monde. Ceci en grande partie grâce au Programme de couplage, qui nous assure une descendance en pleine santé physique et mentale.

Et j'y participe.

Mes parents et ceux de Xander ne cessent de s'exclamer que c'est merveilleux et, tandis que nous descendons ensemble les marches de la salle de cérémonie, Xander se penche vers moi pour murmurer :

– À les entendre, on pourrait s'imaginer que c'est grâce à eux !

– Je n'arrive pas à réaliser.

Je me sens tellement comblée, un peu grisée. J'ai du mal à croire que c'est bien moi, dans cette belle robe verte, de l'or dans une main, de l'argent dans l'autre, qui marche à côté de mon meilleur ami. Mon Promis.

– Moi, ça va, répond-il d'un ton taquin. En fait, je le savais depuis le début. C'est pour ça que j'étais détendu.

Je plaisante également :

– Moi aussi, je le savais, c'est pour ça que j'étais stressée.

Nous rions tellement que nous n'entendons pas l'aérotrain arriver. Nous nous retrouvons un peu bêtes, lorsque Xander me tend la main pour m'aider à monter à bord.

– Viens, me dit-il, tout à fait sérieux.

L'espace d'un instant, je ne sais pas quoi faire. Ça me fait drôle de le toucher, maintenant. Et en plus, je suis encombrée.

Alors il me prend la main et m'entraîne derrière lui.

– Merci, dis-je alors que les portes se referment derrière nous.

– De rien.

Il garde ma main dans la sienne. Le petit écrin d'argent que j'ai au creux de la paume crée une barrière entre nous alors qu'une autre vient de tomber. Nous ne nous sommes pas donné la main depuis le jardin d'enfants. Avec ce geste, nous franchissons ce soir la limite invisible qui sépare l'amitié d'une autre relation. Un frisson monte le long de mon bras. Pouvoir toucher mon Promis, c'est un luxe dont ne bénéficient pas les autres participants du banquet de ce soir.

À bord de l'aérotrain, nous laissons derrière nous l'éclairage étincelant, blanc éclatant du Dôme municipal pour rejoindre les lueurs jaunes, plus tamisées, des lampadaires des quartiers. Tandis que les rues défilent, je jette un regard à Xander. Ses cheveux sont dorés comme les lampes qui brillent dans la nuit. Son visage aux traits réguliers arbore une expression ouverte, sympathique, assurée. Et assez familière, je dois dire. C'est étrange de soudain regarder d'un autre œil quelqu'un qu'on connaît depuis si longtemps. J'ai toujours considéré que Xander n'était pas pour moi. Et pareil dans l'autre sens. Tout a changé désormais.

Mon frère de dix ans, Bram, nous attend sur le perron. Lorsque nous lui racontons ce qui s'est passé au banquet, il n'en revient pas.

– Ton Promis, c'est Xander ? Je connais déjà la personne que tu vas épouser ? Ça fait trop bizarre.

– C'est toi qui es bizarre.

Il m'esquive alors que je tente de le plaquer au sol.

– Qui sait, si ça se trouve, ta Promise vit un peu plus loin dans la rue. C'est peut-être…

Bram se bouche les oreilles.

– Arrête, arrête !

– L'abominable Serena ?

Il détourne la tête comme s'il n'avait rien entendu. Serena est la fille de nos voisins. Avec Bram, ils n'arrêtent pas de chahuter.

– Cassia ! fait ma mère d'un ton de reproche, en jetant un regard autour d'elle pour vérifier que personne ne m'a entendue.

Nous ne sommes pas censés dénigrer d'autres membres de notre communauté. Notre quartier très soudé en est un bon exemple. « Pas grâce à Bram, en tout cas. » Je me contente de le penser, en disant tout haut :

– Je plaisante, maman.

Je sais qu'elle ne m'en veut jamais bien longtemps. Surtout pas le soir de mon Banquet de couplage, alors qu'elle vient de réaliser brutalement à quel point je grandis.

– Rentrez, ordonne mon père. C'est presque l'heure du couvre-feu. On reparlera de tout ça demain.

Tandis qu'il ouvre la porte, mon frère demande :

– Il y avait du gâteau ?

Ils se tournent tous vers moi.

Je ne bouge pas. Je n'ai pas envie d'entrer tout de suite.

Parce que ça signera la fin de la soirée, et je ne veux pas, pas déjà. Je n'ai pas envie d'ôter ma robe et de remettre ma tenue de tous les jours ; je n'ai pas envie de reprendre le traintrain quotidien, agréable, mais tellement banal.

– J'arrive. Je reste juste cinq minutes.

– Ne t'attarde pas, insiste mon père.

Il tient à ce que je respecte le couvre-feu. C'est la Ville qui l'a instauré, pas lui. Je comprends.

– J'arrive, promis.

Je m'assieds sur les marches du perron, en prenant garde à ne pas abîmer la robe que j'ai empruntée. Je contemple les plis soyeux du tissu. Ce n'est pas ma robe, mais c'est ma soirée, à la fois nuit et lumière, inattendue et familière. Je lève les yeux vers le ciel printanier étoilé.

Je ne reste pas trop longtemps dehors parce que, demain, samedi, une journée chargée m'attend. Il faut que je me présente dès la première heure à mon stage professionnel au Centre de classement. Puis j'aurai quartier libre pour la soirée, les quelques rares heures où je peux fréquenter mes amis en dehors des cours.

Xander sera là.

Une fois dans ma chambre, je sors mes pilules de mon poudrier compact. Je les compte – un, deux, trois ; bleu, vert, rouge – avant de les ranger dans leur habituel étui en métal.

Je sais à quoi servent la bleue et la verte. Mais personne de mon entourage ne connaît vraiment les effets du comprimé rouge, bien que de nombreuses rumeurs circulent à ce sujet.

Je me glisse dans mon lit en chassant ces questions de mon esprit. Pour la première fois de ma vie, j'ai le droit de rêver de Xander.

3

Je me suis toujours demandé à quoi ressemblaient mes rêves transcrits sur le papier, transformés en suite de chiffres. Quelqu'un quelque part le sait, mais pas moi. J'ôte mes capteurs de sommeil, en faisant attention à ne pas tirer trop fort sur celui qui est collé derrière mon oreille. La peau est fine à cet endroit, et ça fait mal quand on l'arrache, surtout si une ou deux mèches de cheveux se sont prises dedans. Je range l'appareil dans son étui, satisfaite. C'est au tour de Bram de le porter ce soir.

Je n'ai pas rêvé de Xander. J'ignore pourquoi.

Mais j'ai dormi tard et je vais être en retard au travail si je ne me presse pas. Lorsque j'entre dans la cuisine avec ma robe de la veille sur un cintre, je constate que ma mère a déjà sorti les plateaux qui nous ont été livrés pour le petit déjeuner. Des flocons d'avoine, brun grisâtre, comme d'habitude. Nous mangeons pour être en bonne santé et avoir de l'énergie, pas pour le plaisir. Sauf les jours fériés et pour les cérémonies. Puisque notre apport calorique avait été limité durant toute la semaine, nous avons pu déguster tout ce qu'on nous servait hier soir, sans conséquence significative sur notre équilibre alimentaire.

Encore en tenue de nuit, Bram me sourit d'un air malicieux.

– Alors, fait-il en enfournant sa dernière cuillerée de céréales, tu t'es réveillée tard parce que tu as rêvé de Xander ?

Je ne veux pas lui montrer qu'il n'est pas si loin de la vérité, que même si je n'ai pas rêvé de Xander, j'en avais très envie.

– Non, et toi ? je réplique. Tu ne devrais pas plutôt t'inquiéter d'être à l'heure à l'école ?

Vu son âge, Bram a cours le samedi, il ne travaille pas encore. Et s'il ne se dépêche pas, il va être en retard. Une fois de plus. J'espère qu'il ne sera pas cité.

– Bram, va t'habiller, s'il te plaît.

Ma mère sera soulagée lorsqu'il passera dans le secondaire, où l'on commence une demi-heure plus tard.

Tandis qu'il s'éloigne en traînant des pieds, elle me prend la robe des mains.

– Tu étais tellement belle, hier soir. Ça me fend le cœur de devoir la rendre.

Nous l'admirons un instant. La soie brillante capte la lumière et la reflète, comme si elle était dotée de vie.

Comme nous soupirons en chœur, ma mère éclate de rire. Elle m'embrasse sur la joue.

– Ils t'enverront un échantillon, tu sais, me rappelle-t-elle.

Je hoche la tête.

À l'intérieur de chaque robe se trouve une bande de tissu prévue pour être découpée. Chacune des filles qui l'a portée en reçoit ainsi un morceau. Je pourrai ensuite garder l'échantillon ainsi que l'écrin en argent qui contenait ma microcarte en souvenir de mon Banquet de couplage.

Mais plus jamais je ne reverrai cette robe, ma robe verte.

J'ai su dès le premier coup d'œil que c'était celle-ci que je voulais. Quand je lui ai communiqué ma décision, l'employée du centre de distribution de vêtements a souri en tapant le numéro correspondant – soixante-treize – sur son ordinateur.

– C'est bien celle que vous étiez censée sélectionner d'après vos données personnelles et votre profil psychologique. Vous avez déjà fait des choix légèrement hors norme par le passé. De plus, toutes les filles aiment mettre leurs yeux en valeur.

Elle a envoyé son assistante la chercher dans la réserve. Lorsque je l'ai essayée, j'ai vu qu'elle avait raison. Cette robe était faite pour moi. L'ourlet tombait au bon endroit, les pinces à la taille suivaient parfaitement mes courbes. J'ai tourné sur moi-même pour m'admirer.

La dame a repris :

– Pour le moment, vous êtes la seule à porter ce modèle au banquet de ce mois-ci. La plus populaire est l'une des roses, le numéro vingt-deux.

– Très bien, ai-je fait.

Ça ne me dérange pas de sortir un peu du lot.

Bram réapparaît sur le seuil de la cuisine, en tenue de jour froissée, les cheveux ébouriffés. Je devine le dilemme qui se présente à ma mère : vaut-il mieux prendre le temps de le peigner et risquer qu'il soit en retard, ou le laisser partir ainsi ?

Bram décide pour elle.

– À ce soir ! lance-t-il en filant sans se retourner.

– Il ne l'aura jamais, soupire ma mère en voyant l'aérotrain approcher de l'arrêt par la fenêtre.

– Mais si, fais-je alors que mon frère enfreint une autre règle – celle qui nous interdit de courir en public.

Il fonce, tête baissée, son cartable battant dans le dos ; j'entends presque ses pas sur le trottoir.

Arrivé à la station, il ralentit, se recoiffe d'une main et monte calmement dans la rame. Avec un peu de chance, personne ne l'aura vu courir.

Une minute plus tard, l'aérotrain démarre avec mon frère à son bord.

– Cet enfant aura raison de mes nerfs, gémit ma mère. J'aurais dû le réveiller plus tôt. On a tous dormi tard. Quelle bonne soirée hier !

– Oui, c'était bien.

– Bon, il faut que je prenne le prochain aérotrain pour le centre-ville, dit-elle, prenant sa sacoche sur son épaule. Qu'est-ce que tu fais de tes heures de quartier libre, ce soir ?

– Je suis sûre que Xander et les autres voudront aller à la salle de jeux. On a déjà vu toutes les projections ; quant à la musique…

Je hausse les épaules.

Avec un petit rire, ma mère complète ma phrase :

– C'est pour les vieux comme moi !

– Et j'emploierai ma dernière heure pour rendre visite à grand-père.

Les Officiels tolèrent rarement qu'on fasse une entorse au programme habituel, mais la veille du Banquet final de quelqu'un, au contraire, les visites sont autorisées, et même encouragées.

Le regard de ma mère s'adoucit.

– Ça lui fera plaisir.

– Papa lui a raconté mon Banquet de couplage ?

Ma mère sourit.

– Il avait l'intention de passer le voir en allant au travail.

– Parfait.

Je préfère qu'il sache le plus tôt possible. Je sais qu'il a autant pensé à mon banquet que j'ai pensé au sien, ces derniers temps.

Après avoir avalé mon petit déjeuner en vitesse, j'attrape mon train de justesse et je me laisse tomber sur un siège. Je n'ai peut-être pas rêvé de Xander durant mon sommeil, mais rien ne m'empêche de penser à lui maintenant. Le front collé à la vitre, je le revois hier dans son beau costume, tout en regardant les rues défiler. La verdure des quartiers n'a pas encore cédé la place à la pierre et au béton de la Ville quand j'aperçois des flocons blancs flottant dans le ciel.

Les autres les remarquent aussi.

– De la neige ? En juin ? s'étonne ma voisine.

– C'est impossible, murmure un homme de l'autre côté de l'allée.

– Mais si, regardez, insiste-t-elle.

– Impossible.

Les gens se retournent, scrutent le ciel par la fenêtre, perturbés. C'est inhabituel, mais est-ce, pour autant, impossible ?

Bien réels, les petits flocons blancs virevoltent jusqu'au sol en dansant. C'est étrange, cette neige, mais je ne saurais dire exactement pourquoi. Je retiens un sourire face aux visages inquiets qui m'entourent. Devrais-je également paniquer ? Peut-être. Mais c'est tellement joli, tellement inattendu et, pour le moment, tellement inexplicable.

L'aérotrain s'arrête. Lorsque la porte s'ouvre, quelques flocons pénètrent à l'intérieur. J'en prends un dans ma paume, il ne fond pas. En revanche, le mystère, oui, puisque je découvre une petite graine marron au milieu.

Avec assurance, j'affirme :

– Il s'agit d'une graine de peuplier, ce n'est pas de la neige.

– Bien sûr, fait l'homme, soulagé par cette explication. De la neige en juin, ce serait hors norme. Alors que des graines de peuplier, c'est normal.

– Mais pourquoi y en a-t-il autant ? demande la femme, toujours pas rassurée.

La réponse ne tarde pas à venir. L'un des passagers qui viennent de monter à bord s'assied en époussetant ses cheveux et ses vêtements.

– Nous sommes en train d'abattre la peupleraie qui borde la rivière, nous informe-t-il. La Société veut y planter des arbres plus intéressants.

Les autres sont obligés de le croire sur parole. Les arbres, ils n'y connaissent rien. Ils murmurent, se réjouissent que ça ne soit pas le signe d'un nouveau Réchauffement. Heureusement que la Société s'occupe de tout. Moi, grâce à ma mère, qui ne peut pas s'empêcher de nous parler de son travail à l’arboretum, je sais qu’il dit vrai. Les peupliers ne produisent ni fruits ni énergie. Et leurs graines qui volettent causent des nuisances. Le vent les emporte au loin, elles s’accrochent à n’importe quoi, tentent de pousser partout. Comme des mauvaises herbes, dit ma mère. Pourtant, elle les aime, ces petites graines marron, ornées d’un plumeau blanc duveteux – un parachute qui les aide à voler, se laisser porter par les courants d’air, flotter jusqu’à une terre accueillante.

J’examine celle qui est au creux de ma main. Finalement, cette minuscule coque dure recèle bien un mystère. Comme je ne sais pas trop quoi en faire, je la glisse dans ma poche, avec mon étui à pilules.

Cette histoire de neige me rappelle un poème que nous avons étudié l’an dernier en cours de texte et langage : _Pause à la lisière des bois un soir de neige_*. C’est l’un de mes préférés, parmi les Cent Poèmes, ceux que notre Société a choisi de conserver, à l’époque où ils ont décidé que notre culture était trop éparse, encombrée. Ils ont formé des commissions chargées de sélectionner les cent meilleures chansons, les cent meilleurs tableaux, les cent meilleurs romans, les cent meilleurs

* NdT : _Stopping by the Woods on a Snowy Evening_, Robert Frost, traduction Jean Prévost, Nouvelle Revue Française.

poèmes. Et ils ont éliminé le reste. Effacé à jamais. C'était nécessaire, selon la Société, et tout le monde a approuvé, cela semblait sensé. « Comment apprécier pleinement un art quand les chefs-d'œuvre sont noyés dans la masse ? »

Mon arrière-grand-mère, qui était historienne, a participé à la Commission des Cent Poèmes, il y a près de soixante-dix ans. Grand-père m'a raconté des dizaines de fois la difficulté de choisir ceux qu'on allait garder et ceux qui tomberaient dans l'oubli éternel. Elle lui chantait certaines strophes en guise de berceuse. « Elle les murmurait, les chantonnait et j'essayais de m'en souvenir, une fois qu'elle était partie. »

Demain, mon grand-père partira également. Pour toujours.

Tandis que l'aérotrain laisse derrière lui le nuage de graines de peuplier, je me remémore ce poème que j'adore. Les mots « *profond*, *longue* et *sombre* », qui vont si bien ensemble. Ça ferait une bonne berceuse, mais il ne faudrait écouter que la musique, pas les paroles. Parce que le dernier vers n'invite pas franchement au sommeil : *Ma route est longue avant d'aller dormir*.

– Aujourd'hui, c'est un classement de nombres, m'informe ma responsable, Norah.

Je laisse échapper un petit soupir qu'elle ignore. Elle scanne ma carte avant de me la rendre. Elle ne me pose aucune question sur mon banquet. Elle a pourtant dû voir dans la mise à jour de mon dossier qu'il a eu lieu hier. Mais ça n'a rien d'étonnant. Norah ne me parle presque pas, parce que je suis l'une des meilleures en classement. Cela fait presque trois mois que je n'ai pas commis d'erreur, et donc que nous n'avons pas eu de véritable conversation.

– Attends, me dit-elle alors que je me dirige vers mon poste. Ta carte indique que ton examen final approche.

Je hoche la tête. J'y pense depuis des mois, pas autant qu'à mon banquet, mais souvent, quand même. Classer des nombres ne présente pas grand intérêt en soi, mais la pratique du classement permet d'accéder à des carrières assez passionnantes. Je pourrais peut-être devenir responsable des restaurations, comme mon père. Quand il avait mon âge, il était aussi affecté au classement. Tout comme mon grand-père, et mon arrière-grand-mère qui a participé au plus grand classement de tous les temps au sein de la Commission des cent.

Ceux qui gèrent le Programme de couplage sont aussi issus de la filière classement, mais ça ne m'intéresse pas. Je préfère rester un peu en retrait, je ne veux pas avoir la vie des autres entre les mains.

– Prépare-toi bien, me recommande Norah.
Nous savons cependant toutes les deux que je suis déjà prête.

Une lumière jaune filtre par les fenêtres du Centre de classement. En passant, je jette une ombre sur les postes de travail, mais personne ne lève les yeux.

Je me glisse dans mon box, juste assez large pour une table, une chaise et un écran de classement. Les deux fines cloisons grises (de chaque côté) m'empêchent de voir les autres. Comme les microcartes du centre de documentation de l'école secondaire, nous sommes chacun rangés dans notre petite case. Le gouvernement possède des ordinateurs qui procèdent aux classements bien plus rapidement que nous, mais notre travail est tout de même important. La technologie n'est pas sans faille.

C'est ce qui est arrivé à la société qui a précédé la nôtre. Tout le monde avait librement accès à la technologie, de façon vraiment excessive, et les conséquences en ont été désastreuses. Maintenant, nous disposons de l'équipement de base nécessaire – ports de communication, lecteurs, écrans – et notre accès à l'information est limité. Les nutritionnistes n'ont pas besoin de connaître les subtilités de la programmation des aérotrains, par exemple, et, à l'inverse, les programmateurs n'ont pas à savoir comment on prépare la nourriture. Une certaine spécialisation nous permet de ne pas être submergés d'informations. Inutile de tout comprendre. De plus, comme la Société nous le rappelle, il y a une différence entre le savoir et la technologie. Le savoir ne nous fera jamais défaut.

Je glisse ma carte dans la fente et le classement débute. Même si je préfère les classements de mots, d'images ou de phrases, je me défends bien quand il s'agit de nombres. L'écran m'indique quel schéma je suis censée retrouver, puis les nombres commencent à défiler sur l'écran, petits soldats blancs sur un champ noir, attendant que je les fauche. Je les trie, les déplace, les range dans différentes cases. Mes doigts sur le clavier font un bruit mat, doux, presque inaudible comme la neige qui tombe.

Et je crée une tempête. Les nombres volent jusqu'à leur case, tels des flocons emportés par le vent.

Au bout d'un moment, on nous demande de repérer un nouveau schéma. Le système note le temps qu'on met à remarquer le changement et à s'y adapter. On ne sait jamais quand ça va se produire. Deux minutes plus tard, le schéma change à nouveau et, une fois de plus, je réagis dès la première ligne de chiffres. Je ne sais pas comment je fais, mais j'arrive à anticiper les changements avant qu'ils ne se produisent.

Lorsque j'effectue un classement, je ne peux penser à rien d'autre. Enfermée dans mon petit box gris, je n'ai pas une pensée pour Xander. Je ne regrette plus la caresse de la robe verte sur ma peau ni la saveur du gâteau au chocolat sur ma langue. J'oublie mon grand-père qui va prendre son dernier repas demain soir pour son Banquet final. Je ne m'interroge plus sur la neige en juin ou d'autres choses improbables et pourtant bien réelles. Je ne m'imagine pas le soleil éblouissant, la lune apaisante ni l'érable de notre jardin passant du vert au doré puis au rouge. J'y penserai plus tard, mais pas pendant que je classe.

Je classe, je trie, jusqu'à ce qu'il n'y ait plus une seule donnée sur l'écran. Il est vide. Et c'est moi qui l'ai vidé.

Lorsque l'aérotrain me ramène au quartier des Érables, les graines de peuplier ont disparu. J'aimerais en parler à ma mère, mais toute la famille est déjà partie profiter de son temps libre. Ils m'ont laissé un message sur le port de communication : « Désolés de t'avoir manquée, Cassia. Bonne soirée. »

Un bip retentit dans la cuisine : mon repas est arrivé. Le plateau surgit par la fente de livraison. Alors que je m'en saisis, j'entends la camionnette du service nutrition s'éloigner pour continuer sa tournée.

Sous le papier alu, mon dîner est fumant. Nous devons avoir un nouveau responsable nutritionnel. Avant, les plateaux-repas arrivaient toujours tièdes ; désormais, ils sont bien chauds. Je mange en vitesse, en me brûlant un peu la langue, parce que j'ai envie de profiter d'un des rares moments où la maison est vide. Enfin, je ne suis jamais vraiment seule. En bruit de fond, le port de communication ronronne, toujours à l'affût. Mais ça ne me dérange pas, car j'en ai justement besoin.

Je veux consulter la microcarte sans avoir Bram ou mes parents sur le dos. J'ai envie d'en apprendre davantage au sujet de Xander avant de le voir ce soir.

Lorsque je glisse la carte dans la fente, le ronronnement se change en bourdonnement plus déterminé. L'écran s'allume et mon cœur bat plus vite. J'ai beau très bien connaître Xander, je me demande ce que la Société veut que je sache sur lui, la personne avec laquelle je vais passer presque toute ma vie.

– Cassia Reyes, la Société a l'honneur de vous présenter votre Promis.

Je souris en voyant le visage de mon ami apparaître. La photo est réussie. Son sourire est franc, éclatant, et son regard doux. Je le dévisage attentivement comme si je ne l'avais jamais vu, comme si je l'avais juste entr'aperçu la veille au soir, au banquet. J'étudie ses traits, la forme de ses lèvres. Il est beau. Je n'avais jamais envisagé qu'il puisse être mon Promis, mais maintenant que je le sais, je suis curieuse. Intriguée. Un peu inquiète de voir notre amitié bouleversée, mais majoritairement heureuse.

Je tends le doigt pour toucher les mots « conseils relationnels », quand soudain le visage de Xander s'assombrit avant de disparaître tout à fait. Le port se met à biper, puis la voix répète :

– Cassia Reyes, la Société a l'honneur de vous présenter votre Promis.

Mon cœur s'arrête. Je n'en reviens pas. Un visage s'affiche à nouveau sur l'écran.

Mais ce n'est pas Xander.

4

– Quoi ?

Stupéfaite, je touche l'écran. Le visage se dissout sous mes doigts, décomposé en pixels pas plus gros que des grains de poussière. Des mots apparaissent mais je n'ai pas le temps de les lire, car l'écran devient noir. Encore.

– Qu'est-ce qui se passe ?

L'écran reste vide. Je me sens complètement vidée également. C'est mille fois pire que l'écran noir d'hier soir. Parce que, hier, je savais ce que ça voulait dire. Mais là, je n'ai aucune idée de ce que ça signifie. Je n'ai jamais entendu parler de ce genre d'incident.

« Je ne comprends pas. La Société ne commet jamais d'erreur. »

Que se passe-t-il ? Personne n'a deux Promis.

– Cassia ?

Xander m'appelle, il est devant chez moi.

– J'arrive !

Je sors la microcarte du port de communication

pour la glisser dans ma poche. Puis j'inspire profondément avant d'ouvrir la porte.

– Alors, comme ça, j'ai appris par ta microcarte que tu appréciais le cyclisme, fait Xander d'un ton guindé en me voyant sortir de chez moi.

Je ne peux m'empêcher de rire malgré ce qui vient de se produire. J'ai horreur de ce sport et il le sait très bien. On se dispute souvent à ce sujet. Je trouve complètement idiot de pédaler sur place sans aller nulle part. Il me répond généralement que, pourtant, j'aime bien courir sur un pisteur d'entraînement, ce qui revient au même. Je réplique que ce n'est pas pareil sans parvenir à expliquer pourquoi.

– Tu as passé toute la journée à admirer ma photo ? me demande-t-il.

Il plaisante, mais j'ai du mal à respirer. Il a dû consulter ma microcarte. Est-ce mon visage qu'il a vu apparaître ou un autre ? Ça me fait bizarre d'avoir quelque chose à cacher, surtout à Xander.

– Bien sûr que non, qu'est-ce que tu crois ? je réplique en me forçant à sourire. On est samedi, je travaillais.

– Moi aussi, mais ça n'empêche. J'ai consulté toutes tes données et appris par cœur les conseils relationnels.

Sans le savoir, il me lance une bouée de secours. Je ne me noie plus dans l'incertitude.

Je suis plongée dedans jusqu'au cou et je reçois les vaguelettes glacées en pleine figure mais, au moins, je peux respirer. Visiblement, Xander pense toujours que je suis sa Promise. Il n'a pas dû rencontrer de problème en visionnant ma microcarte. C'est déjà ça.

– Tu as lu tous les conseils ?

– Évidemment. Pas toi ?

– Pas encore.

Je me sens un peu bête, mais ça le fait rire.

– Je n'ai pas appris grand-chose, à part un truc intéressant…

Il m'adresse un clin d'œil complice.

– Ah bon…, fais-je, distraite.

J'aperçois dans la rue d'autres filles et garçons de notre âge qui se rendent à la même salle de jeux. Ils se font signe, s'interpellent, vêtus exactement comme nous. Mais ce soir, un détail a changé. Xander et moi, nous sommes l'objet de tous les regards.

Les autres nous jettent un coup d'œil, détournent la tête, puis nous observent à nouveau.

Je n'ai pas l'habitude. Xander et moi, nous sommes des citoyens ordinaires, en bonne santé, intégrés au groupe. Pas des parias.

Pourtant, j'ai soudain l'impression d'être à part, comme si une paroi transparente se dressait entre ceux qui m'épient et moi. On se voit, mais on ne peut pas se rejoindre.

– Ça va ? s'inquiète Xander.

Je réalise trop tard que j'aurais dû lui répondre et lui demander ce qu'il avait bien pu apprendre de si intéressant dans les conseils relationnels. Si je ne me reprends pas, il va sentir que quelque chose cloche. On se connaît trop bien.

Xander me prend par le coude alors que nous tournons au coin de la rue, quittant le quartier des Érables. Quelques mètres plus loin, il glisse sa main dans la mienne, puis me murmure à l'oreille :

– L'un des paragraphes indique que nous avons le droit d'exprimer notre affection. Si nous en avons envie.

J'en ai envie. Malgré l'angoisse qui m'étreint, j'ai plaisir à sentir sa paume contre la mienne. Une sensation nouvelle. Agréable. Ça paraît tellement naturel pour lui, je n'en reviens pas. Tandis que nous marchons main dans la main, j'identifie l'expression que je lis sur le visage de certaines filles. De la jalousie, pure et simple. Je me détends un peu, car je les comprends. Aucune de nous n'imaginait pouvoir avoir le merveilleux Xander, si beau, si intelligent, plein de charme. Nous nous étions toujours figuré que sa Promise habitait une autre Ville, une autre Province.

Finalement non. Sa Promise, c'est moi.

Je serre ses doigts dans les miens tandis que

nous nous dirigeons vers la salle de jeux. Peut-être que si je ne le lâche pas, ça prouvera que nous sommes bien promis. Que l'autre visage que j'ai entr'aperçu sur l'écran ne signifie rien, que c'était un simple dysfonctionnement transitoire de la microcarte.

Sauf que ce visage, cet autre garçon, je le connais également.

5

– Il y a une place là-bas, m'informe Xander en s'arrêtant à l'une des tables de jeu, au milieu de la pièce.

Apparemment, les autres jeunes du quartier ont fait le même choix que nous pour leurs loisirs du samedi, la salle de jeux est bondée. La plupart de nos amis sont là.

– Tu veux jouer, Cassia ?

– Non merci, je vais regarder la partie.

– Et toi, Em ? demande-t-il à ma meilleure amie.

– Vas-y, toi, l'encourage-t-elle.

Nous éclatons de rire en le voyant tendre aussitôt sa carte à l'Officiel qui dirige les jeux. Xander adore jouer, il y met toute son énergie, tout son enthousiasme. Je me rappelle quand je jouais avec lui, plus petite, on prenait ça très au sérieux, aucun de nous deux ne voulait laisser gagner l'autre.

J'ignore quand j'ai perdu le goût du jeu. J'ai du mal à m'en souvenir.

Xander s'installe à la table en disant quelque chose qui fait rire tout le monde. Je souris. En fait, je trouve plus drôle de le regarder. En plus, c'est son jeu favori, le Check, un jeu de stratégie, ce qu'il préfère.

– Alors, chuchote Em tout bas pour que moi seule puisse l'entendre malgré les éclats de rire et de voix, ça fait quoi de connaître son Promis ?

Je me doutais qu'elle allait me le demander. C'est la question que tout le monde se pose. Et je vais lui répondre franchement. Lui dire la vérité.

– C'est Xander… c'est génial.

Em hoche la tête.

– Pendant tout ce temps, personne de notre groupe ne pensait qu'il pourrait finir avec l'un de nous. Et pourtant, c'est arrivé.

– Mm, je sais.

– En plus, Xander… tu ne pouvais pas tomber mieux, affirme-t-elle.

Quelqu'un l'appelle et elle se dirige vers une autre table.

Xander prend les pions gris pour les déposer sur les cases noires et grises du plateau de jeu. Il n'y a pas beaucoup de couleurs vives dans la salle : murs gris, tenues marron pour les élèves, bleu marine pour ceux qui ont déjà reçu leur affectation à leur poste de travail définitif. Le seul éclat vient de nous :

des reflets de nos cheveux, de nos rires. En plaçant son dernier pion, Xander me fixe pardessus le plateau de jeu et déclare, devant ses adversaires :

– Je vais gagner cette partie pour ma Promise.

Les autres se tournent vers moi tandis qu'il sourit d'un air malicieux.

Je fais la grimace, mais je suis encore toute rougissante lorsque, cinq minutes plus tard, quelqu'un me tape sur l'épaule. Je me retourne.

Une Officielle se tient derrière moi.

– Cassia Reyes ?

– Oui, fais-je en lançant un coup d'œil à Xander.

Concentré sur sa partie, il n'a pas vu ce qui se passait.

– Pouvez-vous me suivre dehors un instant ? Ça ne prendra pas longtemps. Ne vous inquiétez pas, simple procédure de routine.

Sait-elle ce qui m'est arrivé quand j'ai voulu consulter la microcarte ?

– Bien sûr. Je hoche la tête.

De toute façon, quand un Officiel vous demande quelque chose, il n'y a pas d'autre choix que d'obéir.

Je jette un regard à mes amis. Ils sont tournés vers le jeu, les yeux rivés sur les pions. Personne ne remarque mon départ. Pas même Xander. Je m'engouffre dans la foule pour retrouver l'Officielle dans son uniforme blanc à l'extérieur de la salle.

– Tout d'abord, je tiens à vous assurer que vous n'avez pas à vous inquiéter, me dit-elle en souriant.

Elle a une voix sympathique. Elle me conduit jusqu'au petit espace vert aménagé devant la salle de jeux. Le fait de me retrouver en compagnie d'un Officiel ne fait qu'ajouter à mon angoisse, mais j'apprécie tout de même l'air frais après la foule compacte de l'intérieur.

Nous traversons la pelouse impeccable en direction d'un banc métallique, placé sous un réverbère. Il n'y a personne aux alentours.

– Vous n'avez même pas besoin de m'expliquer ce qui s'est passé, reprend l'Officielle. Je le sais. Le visage qui est apparu sur la microcarte n'était pas le bon, n'est-ce pas ?

Elle est vraiment gentille : elle ne m'oblige pas à raconter. J'acquiesce.

– Vous devez être très inquiète. En avez-vous parlé à quelqu'un ?

– Non.

Elle me fait signe de m'asseoir.

– Très bien. Alors je vais vous rassurer.

Elle me regarde droit dans les yeux.

– Cassia, rien n'a changé, absolument rien. Vous êtes toujours la Promise de Xander Carrow.

– Merci.

Je suis tellement reconnaissante que je répète :
– Merci.
Tout redevient limpide. Je peux enfin me détendre. Je pousse un soupir de soulagement qui la fait rire.
– Puis-je vous présenter mes félicitations ? Votre couplage a causé un certain émoi. On en parle dans toute la Province. Peut-être même dans la Société tout entière. Cela ne s'était pas produit depuis de nombreuses années.
Elle s'interrompt brièvement avant de reprendre :
– Je suppose que vous n'avez pas votre microcarte sur vous ?
– Si, si.
Je la tire de ma poche en expliquant :
– J'avais peur que quelqu'un…
Elle tend la main, je dépose la carte dans sa paume.
– Parfait. Je vais m'en charger.
Lorsqu'elle la range dans sa petite mallette d'Officielle, j'aperçois son étui à pilules. Il est plus grand que la normale. Remarquant mon regard, elle précise :
– Les Officiels de haut rang possèdent des pilules de réserve. En cas d'urgence.
Tandis que je hoche la tête, elle poursuit :
– Mais ça ne vous concerne pas. Alors, voilà pour vous.
Elle sort une nouvelle microcarte.

– Je l'ai vérifiée moi-même. Tout est en ordre.

– Merci.

Je la glisse dans ma poche et, durant quelques minutes, le silence s'installe. Je contemple la pelouse, les bancs métalliques, la petite fontaine en béton au centre de l'espace vert, qui lance un jet d'eau argenté à intervalles réguliers. Puis je risque un coup d'œil vers la femme qui se tient à côté de moi, tentant de distinguer l'insigne brodé sur la poche de sa chemise. Je sais qu'il s'agit d'une Officielle parce qu'elle est vêtue de blanc, mais j'ignore de quel service elle dépend.

– Je travaille pour le Département de couplage, au Service des dysfonctionnements, m'explique-t-elle, remarquant mon regard. Par chance, nous ne sommes pas submergés de dossiers. Le couplage est tellement capital pour la Société qu'il est très bien géré.

Ses mots me rappellent un paragraphe du *Guide du Programme de couplage* : « Le but du couplage est double : assurer la meilleure santé possible aux futurs citoyens de la Société et procurer à ceux que cela intéresse les meilleures chances de réussir une vie familiale harmonieuse. Il est d'une importance capitale pour la Société d'assurer des couplages optimaux. »

– Je n'avais jamais entendu parler d'une erreur de ce genre.

– Je crains que cela n'arrive de temps à autre. Très rarement.

Elle se tait un instant avant de me poser la question que je redoutais :

– Avez-vous identifié l'autre personne que vous avez aperçue ?

Brusquement, de façon tout à fait irrationnelle, je suis tentée de mentir. J'ai envie de prétendre que non, je n'ai jamais croisé ce visage. Je fixe à nouveau le jet d'eau, avant de comprendre que mon hésitation m'a trahie. Je réponds donc :

– Oui.

– Vous connaissez son nom ?

Elle sait déjà tout, je n'ai pas d'autre choix que de dire la vérité.

– Oui, Ky Markham. C'est ça le plus étrange. La probabilité d'une erreur et, en plus, avec quelqu'un de ma connaissance…

– … est pratiquement inexistante, complète-t-elle. C'est vrai. Voilà pourquoi nous pensons que cette erreur est intentionnelle, une sorte de plaisanterie. Si nous retrouvons son auteur, il sera sévèrement puni. Il s'agit d'un acte d'une grande cruauté. Non seulement parce que cela vous a bouleversée et perturbée, mais également à cause de Ky…

– Il est au courant ?

– Non, absolument pas. Si j'estime qu'il est cruel de l'avoir impliqué dans cette mascarade, c'est en raison de ce qu'il est.

– Comment ça ? fais-je sans comprendre.

Ky Markham a emménagé dans notre quartier lorsque nous avions dix ans. C'est un beau garçon, assez réservé. Très calme. Discret. Je ne le vois plus très souvent car, l'an dernier, il a été affecté prématurément à son poste de travail définitif. Il ne fréquente donc plus l'école secondaire.

L'Officielle se rapproche de moi, bien qu'il n'y ait personne autour de nous. Au-dessus de nous, la chaleur du réverbère est cuisante, je me déplace légèrement.

– Il s'agit d'une information confidentielle, mais Ky Markham ne pourrait en aucun cas être votre Promis. Il ne pourra jamais être couplé à personne.

– Il a choisi d'être Célibataire ?

Je ne vois pas en quoi cette information est confidentielle. De nombreux élèves de notre établissement ont décidé d'être Célibataires. Il y a même un paragraphe à ce sujet dans le *Guide du Programme de couplage* : « Nous vous recommandons de bien réfléchir avant de décider si vous désirez être couplés. N'oubliez pas que les Célibataires ont une place aussi importante que les Couples dans la Société. Les citoyens célibataires mènent une existence aussi satisfaisante que les citoyens couplés. Cependant seuls ceux qui ont choisi d'être couplés sont autorisés à avoir des enfants. »

Elle frôle presque mon oreille pour me confier :

– Non, ce n'est pas un Célibataire. Ky Markham est classé Aberration.

– *Ky Markham est classé Aberration* ?

Les Aberrations vivent parmi nous. Ils ne sont pas dangereux, contrairement aux Anomalies, qui doivent être mis au ban de la Société. Bien que les Aberrations acquièrent généralement ce statut à la suite d'une Infraction, ils sont protégés. Leur identité n'est en principe pas révélée publiquement. Seuls les Officiels du Département de classification sociétale et les services connexes ont accès à ce genre d'information.

Je ne pose aucune question, mais elle devine ce que je pense.

– J'en ai bien peur. Mais pas par sa faute, c'est son père qui a commis une Infraction. La Société ne pouvait passer outre un tel facteur. Même quand il a été adopté par les Markham, il a conservé son statut d'Aberration. Il n'a donc pas été autorisé à intégrer le Programme de couplage.

Elle soupire.

– Les microcartes ne sont enregistrées que quelques heures avant le banquet. L'erreur s'est sûrement produite à ce moment-là. Nous sommes en train de chercher qui a pu avoir accès à votre microcarte pour y ajouter Ky juste avant le banquet.

– J'espère que vous trouverez le responsable, dis-je. Vous avez raison, c'est cruel.

– Nous le trouverons, affirme-t-elle en souriant. Je vous le promets.

Puis elle consulte sa montre.

– Je dois vous laisser. J'espère que j'ai réussi à apaiser vos craintes.

– Oui, merci.

J'essaie de chasser de mon esprit ce garçon, cette Aberration. Au lieu de me réjouir que tout soit rentré dans l'ordre, je pense à Ky. Je le plains, j'aurais préféré ne pas savoir et croire qu'il avait simplement choisi d'être Célibataire.

– Je n'ai pas besoin de vous rappeler que le statut de Ky Markham doit rester confidentiel, bien sûr ? me demande-t-elle doucement mais avec une certaine froideur. Je vous en ai informée uniquement pour vous convaincre qu'il n'aurait en aucun cas pu être votre Promis.

– Évidemment. Je ne dirai rien à personne.

– Parfait. Il vaut sans doute mieux que vous gardiez tout cet épisode pour vous. Bien entendu, nous pouvons organiser une réunion si vous le souhaitez. Je pourrais expliquer à Xander ainsi qu'à vos parents et aux siens ce qui s'est prod…

– Non, non !

Je la coupe avec véhémence.

– Je veux que personne ne soit au courant, à part…

– À part qui ?

Je ne réponds rien. Sa main se pose soudain sur mon bras. Elle ne m'agrippe pas, mais je sens qu'elle attend ma réponse.

– Qui ?

– Mon grand-père. Il a presque quatre-vingts ans.

Elle me lâche le bras.

– Quand tombe son anniversaire ?

– Demain.

Elle réfléchit un instant avant d'acquiescer.

– Si vous ressentez le besoin d'en parler à quelqu'un, effectivement, c'est sans doute l'interlocuteur optimal. Bien. Est-ce le seul ?

– Oui, je ne veux le dire à personne d'autre. Grand-père, c'est différent, parce que…

Je laisse ma phrase en suspens.

Elle sait pourquoi. Enfin, en partie, tout au moins.

– Je suis contente que vous voyiez les choses comme ça, dit-elle en hochant la tête. Je dois admettre que cela me facilite la tâche. Bien sûr, vous prendrez soin de préciser à votre grand-père que, s'il répète ceci à quiconque, il sera cité. Ce qu'il ne souhaite certainement pas. Il pourrait perdre son droit à la conservation.

– Je comprends.

L'Officielle sourit. Se lève.

– Puis-je faire autre chose pour vous ? me demande-t-elle.

Je suis contente que l'entretien soit terminé. Maintenant que tout est rentré dans l'ordre dans ma vie, j'ai envie de reprendre ma place dans cette salle bondée. Je me sens un peu seule dehors.

– Non, merci.

Elle désigne du menton l'allée qui mène à la salle de jeux.

– Bonne continuation, Cassia. Je suis ravie d'avoir pu vous aider.

Je la remercie une dernière fois avant de m'éloigner. Je sens ses yeux dans mon dos. Je sais que c'est ridicule, mais j'ai l'impression qu'elle me suit du regard même quand j'ai passé la porte, à l'intérieur, dans le couloir, dans la salle, jusqu'à la table où Xander est en train de jouer.

Il lève la tête. Il a remarqué mon absence. « Tout va bien ? » me demande-t-il sans avoir besoin de parler. Je hoche la tête. Oui, ça va maintenant.

Tout est redevenu normal. Je peux à nouveau me réjouir d'avoir été promise à Xander.

Pourtant, j'aurais préféré qu'elle ne me parle pas de Ky. Je ne le verrai plus jamais de la même façon, j'en sais trop à son sujet.

Il y a tellement de monde dans la salle de jeux qu'il fait humide et chaud – ça me fait penser à la simulation de science qu'on a eue sur l'océan tropical, avec cette magnifique barrière de corail qui abritait des poissons colorés avant que le Réchauffement ne les tue tous.

Ça sent la transpiration, l'air est chargé d'eau.

On me bouscule juste au moment où un Officiel fait une annonce au micro. La foule se tait pour écouter :

– Quelqu'un a perdu son étui à pilules. Nous vous prions de ne pas vous déplacer ni de parler tant que nous ne l'avons pas retrouvé.

Tout le monde se fige instantanément. J'entends un bruit de dés, un choc étouffé. Un joueur, peut-être Xander, repose ses pions. Puis le silence. Personne ne bouge. Égarer son étui, c'est grave. Je regarde la fille qui est à côté de moi, elle me fixe également, les yeux écarquillés, la bouche ouverte, pétrifiée sur place. Je repense à cette simulation sur l'océan. Le professeur l'avait mise sur pause pour nous expliquer quelque chose, et les poissons projetés sur les murs de la pièce nous regardaient avec les yeux ronds, immobiles.

Nous attendons que l'instructeur nous dise quoi faire. Mon esprit vagabonde. Y a-t-il des Aberrations dont j'ignore le statut dans cette pièce ? Qui a perdu son étui ? Ça me rappelle une anecdote qui s'est produite quand nous avions dix ans, Xander et moi.

À l'époque nous avions davantage de temps libre et, l'été, nous le passions majoritairement à la piscine. Xander adorait nager dans le bassin bleu plein de chlore ; moi, j'aimais rester assise sur le bord et me tremper les pieds longuement avant de me jeter à l'eau. C'est justement ce que j'étais en train de faire lorsqu'il a surgi à mes côtés, l'air inquiet.

– J'ai perdu mon étui à pilules, m'a-t-il glissé tout bas.

J'ai vérifié d'un coup d'œil que le mien était bien accroché à mon maillot de bain. Oui, le mousqueton en métal était passé à ma bretelle gauche. On nous avait confié nos étuis quelques semaines auparavant seulement et ils ne contenaient encore qu'une seule pilule. La première. La bleue. Celle de secours. Qui contient les nutriments essentiels pour survivre plusieurs jours, si on a de l'eau également.

Il y avait plein d'eau dans la piscine, et c'était bien le problème. Comment Xander allait-il pouvoir retrouver son étui ?

– Il doit être dans le fond. Demande au maître nageur de vider la piscine.

– Non, a-t-il répliqué, les dents serrées. Je ne veux pas que ça se sache. Je risque d'être cité sinon. Ne dis rien, je vais le retrouver.

Le fait d'avoir nos pilules sur nous est un pas vers l'autonomie. Les perdre, c'est prouver qu'on n'est pas prêt à assumer cette responsabilité. Nos parents sont chargés de garder nos pilules jusqu'à ce qu'on soit en âge de le faire. D'abord la bleue, à dix ans. Puis la verte, à treize ans. Celle qui permet de se calmer quand on en a besoin.

Et enfin, à seize ans, la rouge, celle qu'on a le droit de prendre uniquement sur ordre d'un Officiel de haut rang.

Au début, j'essaie d'aider Xander mais je supporte mal le chlore. Je plonge, je replonge et, au bout d'un moment, les yeux me brûlent tellement que je n'y vois plus rien. Je suis obligée de me hisser sur le bord pour scruter la surface éblouissante de l'eau depuis l'extérieur.

Les jeunes enfants ne portent pas de montre car on leur dit ce qu'ils doivent faire et quand. Mais je sais quand même que Xander est resté sous l'eau bien plus longtemps qu'il n'aurait dû. Mes battements de cœur, le clapotis de l'eau à chaque plongeon scandent le temps qui passe.

Et s'il s'était noyé ? Je reste un moment paralysée par la peur, éblouie par le soleil qui se reflète sur l'eau. Brusquement, je me lève et prends une profonde inspiration pour hurler : « Xander est sous l'eau, vite, sauvez-le ! » Mais avant que le cri ait le temps de sortir de ma gorge, une voix inconnue me demande :

– Il est en train de se noyer ?

Quittant un instant la surface de l'eau des yeux, je réponds :

– Je ne sais pas.

Un garçon se tient à côté de moi, la peau mate, les cheveux bruns. Un nouveau. C'est tout ce que j'ai le temps de remarquer avant qu'il plonge prestement.

Encore quelques clapotis et la tête de Xander émerge de l'eau. Il me sourit triomphalement en brandissant son étui étanche.

– Je l'ai !

– Xander, ça va ?

– Évidemment, pourquoi ? réplique-t-il d'un ton assuré, une étincelle dans ses yeux bleus.

D'une petite voix, j'avoue :

– Tu es resté sous l'eau tellement longtemps... j'ai cru que tu t'étais noyé. Et l'autre garçon aussi.

Soudain, je panique. « Où est-il passé ? » Il n'est pas remonté pour respirer.

– Quel garçon ? s'étonne Xander.

– Il a plongé à ta recherche.

Soudain, je l'aperçois, ombre foncée dans le bleu de la piscine.

– Il est là. Tu crois qu'il est en train de se noyer ?

Juste à ce moment-là, il refait surface en toussant, les cheveux luisants. Il a une égratignure, presque cicatrisée mais encore visible, sur la joue. Je m'efforce de ne pas le fixer. Non seulement parce qu'il est rare de croiser quelqu'un de blessé dans notre cadre sécurisé, où tout le monde est en bonne santé, mais aussi parce que je ne le connais pas. C'est un étranger.

Le garçon met quelques instants à reprendre son souffle.

Puis il me regarde tout en s'adressant à Xander :

– Tu ne t'es pas noyé, finalement ?

– Non, mais toi, tu as bien failli.

– Je sais. Je voulais te sauver. Enfin, se corrige-t-il, t'aider.

Je m'étonne :

– Tu ne sais pas nager ?

– Si, je le croyais pourtant.

Nous rions. Le garçon me regarde dans les yeux en souriant, comme malgré lui. La chaleur de son sourire me surprend.

Il se tourne à nouveau vers Xander.

– Elle s'inquiétait de ne pas te voir remonter.

– Je suis rassurée, dis-je, soulagée que tout le monde soit sain et sauf. Tu es en visite ?

J'espère qu'il est là pour longtemps. Il me plaît déjà parce qu'il s'est jeté au secours de Xander.

– Non, répond-il.

Il sourit toujours mais sa voix est sourde, comme si soudain l'eau de la piscine nous séparait.

Il plonge ses yeux dans les miens.

– J'habite ici.

Dans la chaleur de la salle de jeux, en reconnaissant dans la foule un visage familier, je ressens le même soulagement qu'en retrouvant quelqu'un que j'avais peur de ne jamais revoir. Quelqu'un qui aurait pu se noyer, disparaître pour toujours.

Ky Markham est là et il me regarde droit dans les yeux.

Sans réfléchir, je m'avance vers lui. C'est alors que je sens quelque chose sous mon pied.

L'étui à pilules ! Je l'ai écrasé. Les trois pilules sont réduites en poudre. Bleuverouge.

Je me fige. Trop tard. L'Officiel a repéré le mouvement. Il fond sur moi, les gens s'écartent en criant :

– Par ici ! Il est cassé !

– Que s'est-il passé ? demande-t-il en me prenant par le coude.

Je jette un coup d'œil vers l'endroit où se tenait Ky un instant plus tôt, mais il a disparu. Comme ce jour-là, à la piscine. Comme tout à l'heure sur l'écran.

6

– Il y avait un nouveau à la piscine aujourd'hui, ai-je annoncé à mes parents, le soir, en rentrant à la maison.

Je leur ai raconté l'épisode en prenant soin de ne pas dire que Xander avait perdu son étui à pilules. Ce mensonge par omission me restait en travers de la gorge. Chaque fois que j'avalais ma salive, j'avais l'impression que j'allais m'étouffer.

Pourtant, je n'ai rien dit.

Mes parents ont échangé un regard.

– Un nouveau ? Tu es sûre ? s'est étonné mon père.

– Oui, il s'appelle Ky Markham. Xander et moi, on a nagé avec lui.

– Alors il habite chez les Markham, a-t-il conclu.

J'ai hoché la tête.

– Ils l'ont adopté. Il appelle Aida maman et Patrick papa, je l'ai entendu.

Les parents se sont regardés à nouveau. Les

adoptions n'étaient et ne sont toujours pas choses courantes dans notre Province d'Oria.

On a frappé à la porte.

– Attends, Cassia, m'a dit mon père. On va voir qui c'est.

De la cuisine, j'ai entendu la grosse voix du père de Xander, M. Carrow, résonner dans l'entrée. Nous n'avons pas le droit d'aller les uns chez les autres, mais il devait être sur le perron, un Xander en version adulte. Mêmes cheveux blonds, mêmes yeux bleus rieurs.

– J'ai croisé Patrick et Aida Markham, a-t-il expliqué. Ils ont adopté un orphelin des Provinces lointaines. J'ai pensé que ça vous intéresserait.

– Il vient de là-bas ? a fait ma mère d'un ton préoccupé.

Les Provinces lointaines sont situées à la périphérie de la Société, la vie y est plus rude, le cadre plus sauvage. Parfois, les gens les appellent les Provinces arriérées ou les Provinces sous-développées, à cause du désordre et du manque de culture qui y règnent. On y trouve une plus grande proportion d'Aberrations et également d'Anomalies, d'après certains. Pourtant, personne ne sait vraiment où vivent les Anomalies. Autrefois, on les enfermait dans des maisons de Sûreté mais, de nos jours, la plupart sont vides.

– Cela s'est fait avec l'approbation de la Société, a poursuivi M. Carrow. Patrick m'a montré les papiers. Il m'a dit de le répéter à tous ceux qui pourraient se poser des questions. Je savais que cela vous inquiéterait tous les deux, Molly et Abran.

– Tout est pour le mieux, alors, a déclaré ma mère.

J'ai longé le mur afin de jeter un coup d'œil dans l'entrée, où j'ai aperçu mes parents de dos et le père de Xander sur le seuil, sur fond de ciel nocturne.

Puis M. Carrow a baissé la voix et j'ai dû tendre l'oreille pour entendre ce qu'il disait malgré le bourdonnement du port de communication.

– Molly, si tu voyais Aida et Patrick… ça leur a redonné goût à la vie. Il s'agit du neveu d'Aida, le fils de sa sœur.

Ma mère a passé la main dans ses cheveux – un tic quand elle est mal à l'aise. Nous avions encore tous en mémoire ce qui était arrivé aux Markham.

L'un des rares échecs de la Société. Un individu classé Anomalie de rang A n'aurait jamais dû errer librement dans les rues et encore moins pénétrer dans les bâtiments du Gouvernement, où travaillait M. Markham et où son fils était justement venu lui rendre visite ce jour-là.

Nous n'en parlions jamais, mais nous étions tous au courant.

Le fils des Markham était mort, assassiné, alors qu'il attendait que son père sorte de réunion. Et Patrick avait été blessé, l'Anomalie s'était cachée dans son bureau, l'avait guetté et s'était jetée sur lui.

– Son neveu…, a répété ma mère, tout émue. C'est tout naturel qu'Aida souhaite l'élever.

– Le Gouvernement a dû estimer qu'ayant une dette envers eux, il pouvait faire une exception.

– Abran, a fait ma mère d'un ton de reproche.

Mais le père de Xander était d'accord.

– C'est logique. Une exception pour compenser l'incident. Un fils pour remplacer celui qu'ils n'auraient pas dû perdre. Du point de vue des Officiels, ça se tient.

Plus tard, ma mère est venue dans ma chambre me border. D'une voix aussi douce que la couverture dont elle m'enveloppait, elle m'a demandé :

– Tu nous as entendus discuter ?

– Oui, ai-je avoué.

– Le neveu… le fils des Markham commence l'école demain.

– Ky, ai-je précisé, il s'appelle Ky.

Elle s'est penchée vers moi, ses longs cheveux blonds ramassés sur une épaule, le visage constellé de taches de rousseur, et elle m'a souri.

– Tu seras gentille avec lui, hein ? Tu vas l'aider à s'adapter ? Ça doit être dur d'arriver en cours d'année sans connaître personne.

– Promis, ai-je répondu.

En fait, ça n'a pas été nécessaire. Le lendemain, à l'école, Ky a dit bonjour à tout le monde. Il a fait le tour de l'établissement en se présentant, comme ça, personne ne lui a posé de questions. Quand la sonnerie a retenti, il s'est fondu parmi les élèves. C'était fou, sa faculté de disparaître. Il venait d'arriver, le nouveau, l'étranger et, en une matinée, il s'est intégré, il faisait partie de la bande comme s'il avait toujours vécu parmi nous.

Ky a toujours été comme ça. Je m'en rends compte, maintenant. Il se contente de nager à la surface. Il n'y a que le premier jour, à la piscine, où je l'ai vu plonger plus profond.

– J'ai quelque chose à te raconter, grand-père, dis-je en approchant une chaise.

Les Officiels ne m'ont pas retenue trop longtemps à la salle de jeux après l'incident des pilules. J'ai quand même eu le temps de venir lui rendre visite.

Heureusement, parce que c'est l'avant-dernière fois que je le vois. J'ai un vide dans la poitrine rien que d'y penser.

– Ah, fait-il, une bonne nouvelle ?

Il est assis devant la fenêtre, comme souvent le soir. Il regarde le soleil se coucher et les étoiles apparaître. Je me demande s'il reste là pour voir le soleil se lever. Ça doit être dur de dormir lorsqu'on arrive presque à la fin. On ne doit pas vouloir gâcher un seul instant de ce qui nous reste à vivre, même le plus banal.

Dehors, les couleurs s'estompent, remplacées par un camaïeu de gris et de noirs. De temps à autre, un petit point lumineux surgit dans la nuit, un réverbère qui s'allume. La piste d'aérotrain, sans intérêt le jour, luit comme un sentier lumineux suspendu au-dessus du sol. Une rame passe à toute vitesse, transportant des gens dans ses wagons blancs bien éclairés.

– Une histoire bizarre qui m'est arrivée…

Mon grand-père pose sa fourchette.

Il est en train de manger ce qu'on appelle une tourte. Je n'ai jamais goûté, mais ça a l'air délicieux. Dommage que la Société nous interdise de partager nos repas.

– Tout va bien, je suis promise à Xander, dis-je.

On m'a appris à présenter les nouvelles de cette façon, en prenant soin de rassurer mon interlocuteur dans un premier temps.

– Mais il y a eu une erreur sur ma microcarte. Quand j'ai voulu la consulter, la photo de Xander s'est effacée et j'ai vu quelqu'un d'autre.

– Tu as vu quelqu'un d'autre ? s'étonne mon grand-père.

Je hoche la tête, évitant de regarder son plateau.

La croûte glacée de sucre me rappelle les cristaux de neige. Les fruits rouges s'étalent dans l'assiette, sans doute délicieusement parfumés. Les mots que j'ai prononcés résonnent dans ma tête comme la lourde fourchette en argent dans l'assiette. « J'ai vu quelqu'un d'autre. »

– Et qu'est-ce que tu as ressenti ? me demande-t-il gentiment en posant sa main sur la mienne. Tu as dû être inquiète.

– Un peu. Et surtout perplexe. Car je connais l'autre garçon.

Mon grand-père hausse les sourcils, stupéfait.

– Ah, bon ?

– C'est Ky Markham. Le fils de Patrick et Aida, nos voisins.

– Et comment les Officiels ont-ils expliqué cette erreur ?

– Ce n'est pas une erreur de leur part. La Société ne commet jamais d'erreur.

– Bien sûr que non, fait mon grand-père d'un ton mesuré. Mais les gens oui, parfois.

– C'est ce qui a dû se produire, d'après eux. Selon l'Officielle, quelqu'un a dû modifier ma microcarte et y enregistrer la photo de Ky.

– Mais pourquoi ?

– Elle pense que c'est une mauvaise blague. Surtout que…

Je baisse encore la voix pour ajouter :

– … Ky est classé Aberration.

Grand-père bondit de sa chaise, renversant son plateau par terre. Je suis surprise par sa maigreur, mais il se tient droit comme un I.

– La photo d'une Aberration t'est apparue comme ton Promis ?

– Juste un instant, fais-je pour le rassurer. Mais il s'agissait d'une erreur. Je suis promise à Xander. Ky ne fait même pas partie du panel de couplage.

– Ils t'ont expliqué pourquoi il avait ce statut ?

– Ce n'est pas sa faute. C'est son père qui a commis une Infraction.

De toute façon, si Ky avait présenté une menace, jamais la Société n'aurait autorisé son adoption.

Grand-père regarde son assiette qui gît sur le sol. Je veux la ramasser, mais il m'en empêche.

– Non, fait-il en se penchant.

Ses articulations grincent comme un vieil arbre noueux aux branches raides. Il remet les derniers morceaux de nourriture dans l'assiette avant de me fixer de ses yeux clairs. Rien de vieux dans ce regard, ses yeux sont vifs, pleins de lumière.

– Je n'aime pas ça, déclare-t-il. Pourquoi quelqu'un voudrait-il modifier ta microcarte ?

– Grand-père, rassieds-toi, s'il te plaît. C'est une mauvaise blague. Ils vont découvrir qui est derrière tout ça et s'en occuper. Une Officielle du Département de couplage me l'a assuré.

Je regrette de lui en avoir parlé. Pourquoi ai-je cru que cela me ferait du bien ?

Maintenant, c'est trop tard.

– Pauvre garçon, soupire mon grand-père, attristé. Exclu alors qu'il n'y est pour rien. Tu le connais bien ?

– Nous sommes copains, mais pas très proches. Je le croise parfois durant le temps libre du samedi. Il a été affecté à son poste de travail définitif l'an dernier ; depuis, on le voit moins souvent.

– Et il travaille à quel poste ?

J'hésite à le lui dire, car il est vraiment au bas de l'échelle. Nous avons tous été extrêmement surpris en apprenant qu'on lui avait assigné une tâche si peu qualifiée alors que Patrick et Aida sont très respectés.

– Il travaille au Centre de préparation nutritionnelle.

Mon grand-père fait la grimace.

– C'est un travail ingrat et difficile.

– Je sais.

J'ai remarqué que, malgré les gants qu'il doit porter, Ky a toujours les mains rouges, à cause de l'eau brûlante des machines. Mais il ne se plaint pas.

– Et l'Officielle a accepté que tu me racontes tout ça ?

– Oui, je lui ai demandé l'autorisation de me confier à une seule personne, toi. Et elle a bien voulu.

Ses yeux pétillent malicieusement.

– Parce que les morts ne peuvent plus rien dire, hein ?

– Non.

J'apprécie l'humour de mon grand-père, mais pas sur ce sujet précis. Ça approche tellement vite. Il va tellement me manquer.

– Je voulais t'en parler à toi, parce que je savais que tu comprendrais.

Il hausse les sourcils d'un air ironique.

– Ah, bon ? Et je ne t'ai pas déçue ?

Je laisse échapper un petit rire.

– Un peu. Tu as réagi comme papa et maman si je leur avais dit.

– Évidemment, je veux te protéger.

Cette fois, c'est moi qui hausse les sourcils en pensant : « Pas toujours. » C'est lui qui m'a aidée à me jeter à l'eau, au lieu de rester toujours au bord de la piscine.

Il nous a accompagnés, un jour, et s'est étonné :

– Mais qu'est-ce qu'elle fabrique ?

– Elle passe l'après-midi là, a répondu Xander.

– Elle ne sait pas nager ?

Je leur ai lancé un regard noir parce qu'ils parlaient de moi comme si je n'étais pas là.

– Si, si, mais elle n'aime pas ça.

– J'ai du mal à sauter dans l'eau, ai-je précisé.

– Je vois, a fait mon grand-père. Et si tu grimpais sur le plongeoir ?

– C'est pire.

– OK.

Il s'est assis à côté de moi sur le rebord en ciment. Même à l'époque, quand il était plus jeune, plus fort, je me rappelle qu'il avait l'air âgé par rapport aux autres grands-parents. Mon grand-père et ma grand-mère ont été l'un des derniers couples à pouvoir choisir le moment de leur couplage. Ils avaient trente-cinq ans. Mon père, leur fils unique, est né quatre ans plus tard. Aujourd'hui, on n'a plus le droit d'avoir un enfant passé trente et un ans.

Le soleil faisait étinceler ses cheveux argentés alors que je n'avais pas envie de les voir. Ça me rendait triste. Pourtant qu'est-ce qu'il m'énervait !

– C'est chouette de se tremper les pieds dans l'eau, a-t-il dit en m'imitant. Je comprends pourquoi tu n'as pas envie de faire autre chose.

Son ton moqueur m'a agacée, j'ai détourné la tête.

Il s'est levé et s'est dirigé vers le plongeoir.

– Monsieur ? l'a hélé le maître nageur qui surveillait la piscine. Monsieur ?

– J'ai un permis loisir, lui a-t-il répondu sans s'arrêter. Je suis en excellente santé.

Puis il a grimpé à l'échelle. Plus il montait, plus il me semblait costaud.

Il ne m'a même pas jeté un regard avant de plonger. Il a sauté direct. Et avant même qu'il ait touché la surface de l'eau, j'étais debout, je traversais le ciment brûlant pour rejoindre l'échelle, les pieds et l'honneur en feu.

Et j'ai plongé.

– Tu repenses à la piscine, c'est ça ?

Je ris en confirmant :

– Oui, à l'époque, tu ne pensais pas à me protéger. Ce jour-là, j'ai frôlé la mort !

Je me mords les lèvres. Je ne voulais pas prononcer ce mot. Je ne sais pas pourquoi, mais il me terrorise. Pourtant mon grand-père n'en a pas peur. La Société n'en a pas peur. Ça ne devrait pas m'effrayer.

Grand-Père n'a pas l'air de remarquer mon trouble.

– Tu étais prête à te jeter à l'eau. Il fallait juste quelqu'un pour te rassurer.

Nous restons un moment silencieux, perdus dans nos souvenirs. J'évite de regarder la pendule. Je vais bientôt devoir partir si je veux rentrer avant le couvre-feu, mais je ne veux pas qu'il pense que je compte les minutes. Les minutes qu'il me reste avant de partir. Les minutes qu'il lui reste à vivre.

En fait, si on y réfléchit, quand on est avec

quelqu'un, on lui prend de son temps et, en échange, on lui donne du sien.

Il me demande à quoi je pense. Je lui explique, parce que je n'aurai pas d'autre occasion de le lui dire. Il me prend la main.

– Je suis très heureux de te donner une partie de ma vie.

C'est tellement touchant que je lui réponds que moi aussi. Malgré ses quatre-vingts ans, malgré son apparence fragile, il a encore de la poigne. Et ça me rend triste.

– Je voulais te dire autre chose, grand-père. Je me suis inscrite à l'activité randonnée cet été.

Il a l'air content.

– Ça existe toujours ?

Il pratiquait la randonnée autrefois, et il m'en a toujours beaucoup parlé.

– Ils l'ont remise au programme cette année.

– Je me demande qui tu auras comme instructeur, dit-il en se tournant pensivement vers la fenêtre. Je me demande où ils vous emmèneront.

Je suis son regard. La nature n'est pas très présente dans le paysage, mais nous disposons de nombreux espaces verts.

– Peut-être dans une grande aire de loisirs.

– Ou sur la Colline, suggère-t-il, les yeux brillants.

La Colline est le dernier espace sauvage et boisé de la Ville. J'aperçois ses flancs vert foncé dominer l'arboretum où travaille ma mère. Autrefois, on l'utilisait surtout comme champ d'entraînement militaire, mais maintenant l'armée a été transférée dans les Provinces lointaines, alors elle ne sert plus beaucoup.

– Tu crois ? Ce serait bien ! Je n'y suis jamais allée. Évidemment, je connais l'arboretum, mais je n'ai jamais eu le droit de grimper sur la Colline.

– Ça te plairait, j'en suis sûr, affirme mon grand-père, tout excité. C'est formidable de grimper au sommet, sans simulateur, sans personne pour te guider. Une expérience naturelle, réelle…

Je suis gagnée par son enthousiasme.

– Tu crois vraiment qu'ils nous laisseraient grimper là-haut ?

– J'espère.

Son regard se perd au loin, en direction de l'arboretum.

Peut-être que, s'il aime tant regarder par la fenêtre, c'est parce que ça lui permet de se remémorer le passé.

Comme s'il avait lu dans mes pensées, il remarque :

– Je ne suis plus qu'un vieux bonhomme assis là à ressasser ses souvenirs, pas vrai ?

Je souris.

– Il n'y a pas de mal à ça.

En fin de vie, c'est même recommandé.

– En réalité, ce n'est pas exactement ce que je suis en train de faire, dit-il.

– Ah bon ?

– Non, je réfléchis. Ce n'est pas tout à fait pareil.

– Et à quoi tu penses ?

– À beaucoup de choses. Un poème. Une idée. Ta grand-mère.

Ma grand-mère est morte prématurément d'une des dernières formes de cancer, à l'âge de soixante-deux ans. Je ne l'ai jamais connue. Le poudrier était à elle, un cadeau de sa belle-mère, la mère de grand-père.

– À ton avis, comment aurait-elle réagi en apprenant ce qui m'est arrivé aujourd'hui ? Cette histoire de microcarte ?

Il ne répond pas tout de suite. J'attends.

– Je pense, finit-il par dire, qu'elle t'aurait demandé si ça te posait question.

J'aimerais lui demander ce qu'il veut dire par là, mais j'entends la sonnerie annonçant le dernier aérotrain pour les quartiers. Il faut que j'y aille.

– Cassia ? fait mon grand-père lorsque je me lève. Tu as toujours le poudrier que je t'avais donné ?

– Oui, bien sûr.

Sa question me surprend. C'est l'objet le plus précieux que je possède. Et que je posséderai jamais, sans doute.

– Tu veux bien l'apporter à mon Banquet final demain ?

Les larmes me montent aux yeux. Il doit vouloir le revoir une dernière fois en souvenir de sa femme et de sa mère.

– Oui, bien sûr, grand-père.

– Merci.

Mes larmes menacent de goutter sur ses joues lorsque je me penche pour l'embrasser. Je les ravale. Je ne pleure pas. Je me demande quand je pourrai laisser libre cours à ma peine. Certainement pas demain au Banquet final. Il y aura tant de gens autour de nous. Qui veulent voir comment grand-père prend son départ, comment nous réagissons.

Dans le couloir, j'entends d'autres résidents qui parlent tout seuls ou discutent avec leurs visiteurs, derrière les portes closes. Et le bourdonnement des ports de communication au volume maximum parce qu'ils sont durs d'oreille. Dans certaines chambres le silence règne. Peut-être que leurs occupants, comme mon grand-père, sont devant leur fenêtre à penser à ceux qui ne sont plus là.

« Elle t'aurait demandé si ça te posait question. »

J'entre dans l'ascenseur, à la fois triste et perplexe. Qu'a-t-il voulu dire ?

Je sais que le temps de grand-père est compté. Je le sais depuis longtemps. Mais pourquoi, lorsque les portes de l'ascenseur se referment, ai-je soudain l'impression que le mien aussi ?

Ma grand-mère aurait voulu savoir si ça me posait question. « Quelle question ? Si c'était vraiment une erreur ? Si Ky était bien mon Promis après tout ? »

Oui, c'est ce que je me suis demandé un instant. Quand j'ai vu son visage apparaître si brièvement que je distinguais à peine la couleur de ses yeux, juste deux ronds noirs qui me fixaient, je me suis demandé : « Et si c'était lui ? »

7

Aujourd'hui, c'est dimanche. Grand-père fête ses quatre-vingts ans. Il mourra donc ce soir.

Autrefois, les gens se réveillaient en se demandant : « Est-ce mon dernier jour ? » ou se couchaient sans savoir s'ils verraient le soleil se lever. Maintenant, nous savons tous quel jour sera le dernier et quelle nuit sera sans fin. Le Banquet final est un luxe. Un véritable succès de la Société dans l'amélioration de notre qualité de vie.

Toutes les études montrent que le meilleur âge pour mourir est quatre-vingts ans. C'est assez long pour avoir vécu une existence riche et complète, mais pas trop pour ne pas terminer en se sentant inutile. C'est l'un des pires sentiments que peuvent éprouver les personnes âgées. Dans les sociétés qui ont précédé la nôtre, elles souffraient de terribles maladies, comme la dépression, parce qu'elles avaient l'impression que plus personne n'avait besoin d'elles. De plus, le potentiel d'action de la

Société a ses limites. Passé quatre-vingts ans, il devient difficile d'éviter les effets du vieillissement. Même la recherche du meilleur patrimoine génétique par le biais du Programme de couplage ne peut guère assurer la santé au-delà de cet âge.

Jadis, ce n'était pas aussi juste. Tout le monde ne mourait pas au même âge, ce qui causait d'innombrables problèmes, une incertitude pesante. On pouvait mourir n'importe où – dans la rue, à l'hôpital, comme ma grand-mère, ou même dans un aérotrain. On pouvait mourir seul.

Personne ne devrait mourir seul.

Le ciel est encore pâle et rosé lorsque nous arrivons à bord d'un aérotrain presque vide sur l'allée cimentée qui mène au bâtiment de grand-père. J'ai envie de quitter le sentier et d'ôter mes chaussures pour marcher pieds nus dans l'herbe piquante et fraîche. Mais ce n'est pas le moment de dévier du programme. Mes parents, Bram et moi, nous sommes silencieux, plongés dans nos pensées. Aujourd'hui, nous n'avons ni école, ni travail, ni quartier libre. La journée est consacrée à grand-père. Demain, la vie reprendra son cours habituel, nous passerons à autre chose et il ne sera plus là.

C'est normal. C'est juste. C'est ce que je me répète en montant dans l'ascenseur.

– Tu peux appuyer sur le bouton, si tu veux, Bram, dis-je pour le faire rire.

Quand nous étions petits, à chaque visite, nous nous battions pour appuyer dessus.

En souriant, mon frère enfonce le numéro dix. Et dans ma tête, je pense : « Pour la dernière fois. »

Demain, nous n'aurons plus de grand-père. Aucune raison de revenir ici.

La plupart des jeunes ne connaissent pas aussi bien leurs grands-parents. D'habitude, les relations se réduisent à celles que j'ai avec les parents de ma mère, qui vivent dans les Campagnes. Nous leur donnons des nouvelles une fois par mois *via* le port de communication et nous leur rendons visite tous les deux ou trois ans. De nombreux petits-enfants assistent également au Banquet final par écran interposé, ce qui leur donne un certain détachement. J'ai toujours trouvé que c'était dommage, et même aujourd'hui, je ne les envie pas.

– Combien de temps nous reste-t-il avant l'arrivée du Comité ? demande Bram.

– Environ une demi-heure, répond mon père. Vous avez tous vos cadeaux ?

Nous acquiesçons. Chacun de nous a apporté quelque chose pour grand-père. J'ignore ce que mes parents ont choisi, mais je sais que mon frère s'est rendu à l'arboretum pour ramasser un caillou tout près de la Colline.

En croisant mon regard, Bram ouvre la paume. Il est rond, marron, un peu sale. On dirait un œuf. En rentrant hier soir, il m'a dit qu'il l'avait trouvé sous un arbre, au milieu d'un tas d'aiguilles de pin qui ressemblait à un nid.

– Il va adorer.

– Il aimera aussi ton cadeau, m'assure-t-il.

Bram referme la main. Les portes coulissent et nous sortons dans le couloir.

Mon cadeau, c'est une lettre que j'ai écrite à mon grand-père. Je me suis levée aux aurores pour copier, couper, coller des phrases sur le logiciel de rédaction du port. J'ai trouvé un poème datant de l'époque où il est né et je l'ai imprimé aussi. Peu de gens s'intéressent à la poésie, une fois leurs études finies, mais grand-père a continué à lire et relire les Cent Poèmes.

Une porte s'ouvre dans le couloir. Une vieille dame passe la tête dans l'entrebâillement.

– Vous venez pour le banquet de M. Reyes ? demande-t-elle, et sans même attendre notre réponse, elle ajoute : C'est privé, non ?

– Oui, confirme poliment mon père en s'arrêtant pour lui parler.

Il est impatient de retrouver grand-père, je le vois jeter des coups d'œil vers sa porte.

La dame grommelle :

– Dommage, j'aurais bien aimé y assister pour me rendre compte. Le mien a lieu dans moins de deux mois et il sera public.

Elle laisse échapper un petit rire rauque.

– Vous pourrez passer me raconter après ?

Ma mère vient au secours de mon père. Ils s'entraident et se soutiennent mutuellement, comme toujours.

– Peut-être, répond-elle en souriant.

Et sur ces mots, elle prend la main de mon père et tourne le dos à la dame.

Avec un soupir déçu, celle-ci referme sa porte. Je lis son nom sur l'étiquette : Mme Nash. Grand-père m'en a déjà parlé. D'après lui, c'est une fouineuse.

– Elle ne pourrait pas attendre son tour, au lieu de nous déranger un jour pareil ? râle mon frère en ouvrant la porte de mon grand-père.

À l'intérieur, l'ambiance a changé. Plus calme. Déjà un peu vide. Sans doute parce que aujourd'hui, grand-père n'est pas assis devant la fenêtre. Il est couché dans le salon, ses forces le quittent. Juste au bon moment.

– Vous pourriez m'approcher de la fenêtre ? demande-t-il après nous avoir dit bonjour.

– Bien sûr.

Mon père pousse le lit vers la baie vitrée.

– Tu te rappelles, tu faisais ça pour moi, quand j'avais eu mes vaccins tout petit ?

Grand-père sourit.

– Ce n'était pas la même maison.

– Ni la même vue. Par ma fenêtre, je ne voyais que la cour des voisins et une piste d'aérotrain en me hissant sur la pointe des pieds.

– Oui, mais derrière, tu voyais le ciel. On peut presque toujours voir le ciel. Je me demande bien ce qu'il y a derrière… et après ça, qu'est-ce qu'il y a ? interroge grand-père d'une voix douce.

J'échange un regard avec mon frère. Il doit avoir l'esprit un peu confus aujourd'hui. C'est normal. Le jour où l'on atteint ses quatre-vingts ans, le déclin s'accélère. Tout le monde ne meurt pas exactement au même moment, mais cela se produit forcément avant minuit.

– J'ai proposé à mes amis de me rendre visite après la visite du Comité. Et une fois qu'ils seront partis, j'aimerais passer un peu de temps en tête à tête avec chacun de vous. En commençant par toi, Abran.

Mon père hoche la tête.

– D'accord.

Le Comité ne reste pas longtemps. Ils arrivent, trois hommes et trois femmes en blouse blanche, avec leur équipement. La tenue de banquet de grand-père. Le matériel pour la préservation des tissus. Une microcarte retraçant l'histoire de sa vie à visionner sur le port de communication.

Cette carte l'intéressera peut-être, mais je suppose qu'il appréciera davantage nos cadeaux.

Au bout d'un moment, il réapparaît vêtu de sa tenue de banquet. Ce sont des vêtements ordinaires – pantalon, chemise, chaussettes –

mais dans un tissu plus soyeux et il a eu le droit d'en choisir la couleur.

Ma gorge se serre. La couleur qu'il a choisie est vert pâle. Nous nous ressemblons tellement. Je me demande si, quand je suis née, il a pensé que nos deux banquets auraient lieu à si peu d'intervalle, puisque nous sommes nés presque à la même date.

Nous nous asseyons tous posément, grand-père dans son lit et nous sur des chaises, tandis que le Comité poursuit son cérémonial.

– Monsieur Reyes, nous avons le plaisir de vous remettre cette microcarte retraçant votre vie. Images et enregistrements ont été compilés par nos historiens en votre honneur.

– Merci, fait grand-père en tendant la main.

La carte est dans un écrin semblable à celui que reçoivent les Promis lors du Banquet de couplage, sauf qu'elle est dorée. Elle contient des photos de grand-père bébé, enfant, adolescent, jeune homme. Il n'a pas dû les voir depuis des années, il doit avoir hâte. L'un des historiens fait également le récit de sa vie. Grand-père tourne et retourne l'écrin, comme je l'ai fait avec le mien il y a quelques jours. Il tient sa vie entre ses mains. Comme moi.

Puis l'une des femmes prend la parole. Elle paraît plus douce que les autres, mais peut-être est-ce simplement parce qu'elle est plus petite et plus jeune.

– Monsieur Reyes, avez-vous choisi la personne à qui nous remettrons cette microcarte ensuite ?

– Mon fils, Abran.

Elle lui tend le matériel de prélèvement pour la conservation des tissus qui a lieu au sein du cercle familial, dernière faveur accordée par la Société à ses aînés.

– Nous sommes heureux de vous annoncer que vos données informatiques indiquent que vous êtes qualifié pour accéder au protocole de conservation. Ce n'est pas le cas de tout le monde, comme vous le savez, et c'est un honneur que vous pouvez ajouter à la longue liste de vos réussites.

Grand-père prend le matériel en la remerciant à nouveau. Avant qu'elle ait pu lui poser la question, il l'informe :

– Je souhaite que l'échantillon soit également confié à mon fils, Abran.

Je suis contente que grand-père puisse faire congeler un échantillon de ses tissus. Cela veut dire que, pour lui, la mort n'est peut-être pas la fin de tout. Dans le futur, la Société pourrait trouver un moyen de nous ranimer. Ils ne nous ont rien promis, mais nous pensons tous que cela arrivera forcément un jour. La Société n'atteint-elle pas toujours les buts qu'elle s'est fixés ?

Un des hommes du Comité prend la parole :

– Votre ultime repas ainsi que celui de vos invités devrait arriver d'ici une heure.

Il tend à grand-père une carte du menu imprimée.

– Souhaitez-vous y apporter quelque changement de dernière minute ?

Grand-père secoue la tête après un bref coup d'œil au menu.

– Non, c'est parfait.

– Il ne me reste donc qu'à vous souhaiter un bon Banquet final.

– Merci.

Je lis sur son visage une expression étrange, comme s'il savait quelque chose qu'ils ignorent.

En partant, chacun des membres du Comité lui serre la main en disant :

– Sincères félicitations.

Il soutient leur regard de ses yeux brillants et je devine ce qu'il pense : « Me félicitez-vous pour ma vie ou pour ma mort ? »

– Bon, finissons-en avec ça ! annonce-t-il en regardant le matériel de prélèvement.

Son ton léger nous fait rire.

Grand-père se pique la joue, puis glisse l'échantillon dans l'éprouvette avant de la fermer hermétiquement.

La solennité de la cérémonie s'est envolée avec le départ du Comité.

– Et voilà ! fait-il en tendant le tube de verre

à mon père. Tout se passe bien, pour l'instant, ma mort est parfaite.

Papa serre les dents, heurté par ce mot. Nous préférerions tous que grand-père évite de l'employer, mais personne n'ose le reprendre. Avec ce visage triste, mon père a presque l'air d'un enfant soudainement. Peut-être repense-t-il à la mort de sa mère – si pénible, si douloureuse, comparée à un Banquet final tel que celui-ci.

Demain, il ne sera plus l'enfant de personne.

Malgré moi, je pense au fils des Markham, mort assassiné. Sans cérémonie, sans adieux. Sans préservation des tissus. « Ça n'arrive jamais. La probabilité que cela se reproduise est presque nulle. »

– On t'a apporté des cadeaux, grand-père, annonce mon frère. On peut te les donner maintenant ?

– Bram, fait papa d'un ton de reproche. Il veut peut-être visionner sa microcarte. En plus, il attend de la visite.

– Oui, j'ai hâte de la regarder, confirme-t-il. De voir ma vie défiler sous mes yeux. Et aussi de déguster mon dernier repas.

– Tu as pris quoi ? demande Bram.

Nous aurons le même menu que lui, mais chacun doit manger ce qu'il a sur son plateau. Il est interdit de partager.

– Que des desserts, répond grand-père en souriant. Cake. Riz au lait. Cookies. Et encore un autre. Mais avant tout ça, je veux voir ton cadeau, Bram.

Mon frère rayonne.

– Ferme-les yeux, ordonne-t-il.

Grand-père obéit et tend la main. Bram dépose avec précaution le caillou dans sa paume. Quelques grains de terre tombent sur la couverture. Ma mère se précipite pour les épousseter, puis se ravise au dernier moment et sourit. Grand-père se moque bien que sa couverture soit sale.

– Un caillou ! s'exclame-t-il en ouvrant les yeux. Je crois deviner où tu l'as ramassé.

Bram baisse la tête, ravi. Grand-père serre le caillou au creux de sa main.

– Alors à qui le tour ? demande-t-il d'un ton joyeux.

– Je préférerais t'offrir mon cadeau plus tard, quand nous te ferons nos adieux, répond mon père.

– Ça ne me laissera pas beaucoup de temps pour en profiter, le taquine-t-il.

Subitement, j'ai un peu honte de ma lettre – je n'ai pas envie de la lire devant tout le monde –, alors j'ajoute :

– Moi aussi.

On frappe à la porte, ce sont les amis de grand-père. Il en arrive encore quelques minutes plus tard. Et d'autres encore. Puis c'est au tour du personnel de service qui apporte son dernier repas – composé exclusivement de desserts – et les plateaux séparés pour ses invités.

Lorsque grand-père soulève le couvercle de son assiette, une délicieuse odeur de fruits chauds emplit la pièce.

– J'ai pensé que tu aimerais goûter une tourte aux fruits, me dit-il.

Il a bien vu que j'en avais l'eau à la bouche hier. Je lui souris. Nous nous installons autour de lui pour manger. Je sers tout le monde, avant de prendre ma part de tourte croustillante, tiède et fourrée aux pommes. En portant une fourchette de pâte à mes lèvres, je me demande si la mort a toujours cette saveur-là.

Lorsque tous les invités ont reposé leurs couverts avec un soupir satisfait, ils discutent avec grand-père, adossé à une montagne d'oreillers blancs. Bram continue à manger, goûtant absolument à tout. Grand-père le regarde de l'autre bout de la pièce, amusé.

– C'est tellement bon, se justifie mon frère, la bouche pleine de tourte.

Grand-père éclate de rire. Un rire si franc et familier qu'il est contagieux. J'allais dire à Bram d'arrêter de bâfrer, mais je me ravise. Si ça ne dérange pas grand-père…

Mon père, lui, ne mange rien. La part de tourte qu'il a posée dans son assiette blanche est en train de se vider de son jus, mais il ne s'en aperçoit pas. Une petite goutte tombe par terre lorsqu'il se lève pour saluer les invités de grand-père, après le visionnage de la microcarte.

– Merci d'être venu, répète-t-il à chacun tandis que maman se baisse pour essuyer le sol avec sa serviette.

Quelqu'un d'autre emménagera ici après le départ de grand-père. Mieux vaut ne pas laisser de trace de son Banquet final. Mais ce n'est pas à ça que pense ma mère, elle veut juste éviter à mon père de se soucier des petits détails.

Alors que la porte se referme sur le dernier invité, elle lui prend son assiette des mains.

– Maintenant, nous sommes en famille, déclare-t-elle, et mon grand-père acquiesce.

– Il était temps, car j'ai des choses à vous dire, à chacun.

Jusqu'à présent, à part au moment où il s'est demandé tout haut ce qu'il y avait après la vie, il s'est comporté tout à fait comme d'habitude. J'ai déjà entendu dire que certaines personnes âgées surprenaient leur entourage dans leurs derniers instants. Qu'elles se mettent à pleurer, à crier, perdent toute dignité. Elles ne peuvent pas s'en empêcher. C'est comme ça.

D'un accord tacite, maman, Bram et moi, nous passons dans la cuisine pour laisser papa s'entretenir avec grand-père en premier. Mon frère, repu, pose sa tête sur la table et s'endort. J'imagine qu'il rêve de desserts, d'assiettes chargées de gâteaux. J'ai les paupières lourdes, cependant je ne veux pas rater un instant de la dernière journée de grand-père.

Après mon père, c'est au tour de Bram, puis de ma mère d'aller discuter avec lui. Elle lui a apporté une feuille de son arbre préféré. Elle l'a cueillie hier à l'arboretum, les bords ont légèrement séché et jauni, mais sinon elle est encore bien verte. Elle m'a confié, pendant que Bram dormait, que grand-père avait demandé à ce que son Banquet final se tienne en plein air, à l'arboretum. Bien sûr, sa requête a été refusée.

Mon tour arrive enfin. En entrant dans la pièce, je remarque que les fenêtres sont ouvertes. Une brise chaude souffle dans l'appartement.

Bientôt, la nuit tombera et la fraîcheur avec.

– J'avais envie de sentir l'air sur ma peau, m'explique grand-père lorsque je m'assieds à son chevet.

Je lui tends mon cadeau. Il me remercie avant de lire la lettre en entier.

– Ce sont de jolies phrases, de bien belles citations, déclare-t-il.

Je devrais être contente, mais je sens qu'il n'a pas fini.

– Mais ce ne sont pas tes propres mots, Cassia, complète-t-il avec douceur.

Les larmes aux yeux, je fixe mes mains. Ces mains qui, comme celles de la plupart des citoyens de la Société, ne savent pas écrire et doivent se contenter de recopier les mots des autres. Des mots qui ont déçu mon grand-père. J'aurais dû apporter un caillou, comme Bram. Ou rien du tout. Je l'aurais moins déçu en venant les mains vides.

– Tu sais t'exprimer avec tes propres mots, Cassia. Je t'ai déjà entendue, tu parles très bien. Et tu m'as déjà offert un beau cadeau en me rendant visite si souvent. Cette lettre me fait plaisir, parce qu'elle vient de toi. Je ne veux pas te blesser, j'aimerais juste que tu aies davantage confiance en toi, en tes mots, en ta voix. Tu comprends ?

En redressant la tête, je croise son regard et j'acquiesce, parce que c'est ce qu'il attend. Je peux lui faire ce cadeau, même si ma lettre est ratée. Puis soudain, j'ai une idée. Depuis l'autre jour, j'ai gardé la graine de peuplier que j'avais ramassée dans l'aérotrain. Je la sors de ma poche pour la lui donner.

– Ah ! fait-il en la levant pour mieux la voir. Merci, ma chérie. Regarde, elle a toujours ses filaments de gloire.

Je ne comprends pas ce qu'il veut dire. Peut-être qu'il commence à dérailler. Je jette un coup d'œil à la porte. Dois-je appeler mes parents ?

– Je suis un vieux casse-pieds, reprend-il avec une étincelle de malice dans les yeux. Je te conseille de t'exprimer avec tes mots, et je vais te faire lire ceux d'un autre. Donne-moi ton poudrier.

Surprise, je le lui tends. Il le secoue en le tapotant contre sa paume. La base coulisse et, sous mes yeux ébahis, un papier en tombe. Un vieux papier jauni, épais, lourd et non blanc, léger et lisse comme les bandes que crachent les ports de communication et les scripteurs.

Grand-père le déplie avec précaution. Je ne le fixe pas, par discrétion ; cependant, au premier coup d'œil, je vois que le texte date également. Nous n'utilisons plus cette écriture, avec ses petites lettres noires et serrées.

Je remarque que ses mains tremblent ; est-ce la fin qui approche ou l'émotion de tenir cette feuille entre ses doigts, je l'ignore. J'aimerais l'aider, mais je sens qu'il préfère se débrouiller seul.

Après avoir relu le texte, il ferme les yeux. Je n'arrive pas à interpréter son expression. Il est profondément ému, en tout cas.

Lorsqu'il rouvre les paupières, il me regarde droit dans les yeux en repliant la feuille.

– C'est pour toi, Cassia. C'est encore plus précieux que le poudrier.

– Mais c'est…

Je m'interromps avant d'avoir prononcé le mot « dangereux ». Pas le temps. J'entends mon père, ma mère et mon frère discuter dans le couloir.

Grand-père me couve d'un regard chaleureux en me confiant le papier. Un défi, une offrande, un cadeau. Je mets quelques instants à m'en saisir. Mes doigts se posent sur le papier, il le lâche.

Il me rend également mon poudrier, la feuille pliée tient juste à l'intérieur. Tandis que je clos ma relique d'un coup sec, il se penche vers moi.

– Cassia, murmure-t-il, je te donne quelque chose qui t'échappe encore. Mais, un jour, tu comprendras. Toi, plus que tout autre. Surtout, n'oublie pas. C'est bien de se poser des questions.

Grand-père tient encore longtemps. Environ une heure avant minuit, alors qu'il fait déjà nuit noire, il nous regarde en prononçant les meilleurs mots qui soient pour clore une vie :

– Je vous aime. Je vous aime. Je vous aime.

Nous aussi, nous l'aimons et nous le lui disons. Du fond du cœur. Il pose sa tête sur son oreiller et ferme les yeux.

Tout s'est bien déroulé. Il a eu une belle vie. Elle s'achève comme elle est censée s'achever, exactement au bon moment. Je tiens sa main quand il meurt.

8

– Il n'y a que de vieilles projections, se plaint notre amie Sera. Ça fait deux mois qu'ils n'ont pas changé le programme.

Encore un samedi soir. Toujours la même discussion.

– C'est mieux que les deux autres options, fait valoir Em. Tu ne trouves pas ?

Elle me consulte du regard. Je hoche la tête. On a toujours le même choix : salle de jeux, projection, musique.

Grand-père est mort depuis une semaine à peine et ça me fait bizarre. Il est parti, mais restent ces mots clandestins cachés dans mon poudrier. C'est bizarre de savoir quelque chose que les autres ignorent, de posséder un objet interdit.

– Cassia vote donc pour la projection, annonce Em.

En enroulant une mèche de cheveux bruns sur son doigt, elle se tourne vers Xander.

– Et toi ?

Je suis sûre qu'il a envie de retourner à la salle de jeux, mais pas moi. Je n'ai pas un très bon souvenir de la dernière fois, entre mon entrevue avec l'Officielle et les pilules écrasées.

Xander lit dans mes pensées.

– Ce n'était pas ta faute. Ce n'est pas toi qui les avais fait tomber. Tu n'as pas été citée ni rien.

– Je sais. Mais quand même.

Nous n'envisageons pas un instant d'aller à la diffusion de musique. En général, les jeunes n'apprécient guère de s'asseoir dans une salle pour écouter les Cent Chansons jouées dans une autre Ville – peut-être même à une autre époque. Je n'ai jamais entendu parler d'un poste de travail dans le secteur de la musique. C'est sans doute normal. On joue un morceau une fois, on l'enregistre, puis on peut le diffuser à volonté.

– Allons à la projection, propose Xander. Tu sais, celle à propos de la Société ? Avec toutes les vues aériennes ?

– Je ne l'ai pas encore vue, dit Ky Markham dans mon dos.

Ky. Je me retourne et nos regards se croisent pour la première fois depuis le jour où j'ai écrasé les pilules. Je ne l'ai pas revu depuis. Enfin, pas en personne, car son visage a hanté mes pensées toute la semaine, surprenant de netteté, avant de s'effacer subitement comme sur l'écran. Me laissant avec mes doutes. Je devrais passer à autre chose ; pourquoi y penser encore ?

Peut-être à cause de ce que grand-père m'a dit à la fin. Que c'était bien de se poser des questions. Je n'ai pourtant pas l'impression qu'il faisait référence à Ky. Il me semble que ça allait au-delà de ça. Quelque chose en rapport avec la poésie.

– Bon, alors c'est réglé. On y va, soupire Sera.

– Comment as-tu pu rater cette projection, Ky ? s'interroge Piper.

On ne rate jamais une nouvelle projection. Celle-ci est diffusée depuis des mois, Ky a sûrement eu de nombreuses opportunités de la voir.

– Tu n'es pas venu avec nous la première fois ?

– Non, je travaillais tard ce soir-là, je crois.

Il parle d'un ton posé, mais il a une voix profonde, vibrante. Un timbre légèrement différent des autres. Le genre de détail qu'on oublie, puis qu'on se rappelle en l'entendant. « Ah, oui, cette voix musicale, c'est bien lui. »

Le silence se fait comme chaque fois qu'il est question du travail de Ky. Nous ne savons pas quoi dire. Je sais maintenant qu'il n'a pas dû être surpris par son affectation au Centre de préparation nutritionnelle, sachant qu'il est classé Aberration. Il a sans doute plus l'habitude des secrets que moi.

Mais la Société l'oblige à garder ses secrets. En revanche, je ne sais pas comment ils réagiraient s'ils découvraient le mien.

Le regard de Ky se pose à nouveau sur moi. Je me rends soudain compte que je me suis trompée : ses yeux ne sont pas marron mais bleu foncé, mis en valeur par sa tenue de jour.

C'est une couleur très commune dans la Province d'Oria, pourtant son regard a quelque chose de particulier. Je n'arrive pas à définir quoi. Plus de profondeur, peut-être ? Je me demande ce qu'il voit lorsqu'il me regarde. Est-ce que, par contraste, je lui semble creuse, transparente ?

« Dommage que je n'aie pas de microcarte à son sujet. Puisque je n'en ai pas vraiment besoin pour découvrir Xander, je pourrais peut-être en réclamer une autre. »

Quelle drôle d'idée. Ça me fait sourire.

Ky me fixe encore. Va-t-il me demander à quoi je pense ? Non, bien évidemment. Il n'est pas du genre à apprendre en posant des questions. En tant qu'Aberration issue des Provinces lointaines, il sait sc fondre dans la masse. Il apprend en observant.

Je vais l'imiter. Je ne pose pas de questions, je garde mes secrets.

Dans la salle de projection, Piper s'installe d'abord, puis Sera, Em, Xander, moi et enfin Ky. Le grand écran n'est pas encore déroulé, les lumières sont toujours allumées, nous avons donc quelques minutes pour discuter.

– Ça va ? me demande Xander à l'oreille. Ce n'est pas l'histoire des pilules qui te tracasse, n'est-ce pas ? C'est ton grand-père ?

Il me connaît tellement bien.

– Oui.

Il me prend la main et la serre dans la sienne.

Bizarrement, les gestes que nous avions enfants reviennent, ceux que nous avions abandonnés en grandissant. Quand il me tient la main, c'est encore mon ami, mon ami de toujours, mais il y a quelque chose de plus, de différent, et cela prend une autre dimension. Maintenant, ça signifie qu'il est mon Promis.

Xander attend que je dise autre chose, mais je me tais. « Je ne peux pas lui parler de Ky, parce qu'il est juste à côté de moi. Je ne peux pas lui parler du papier dans mon poudrier au milieu de tout ce monde. » Voilà les prétextes que je me donne pour ne pas me confier à Xander comme d'habitude.

Ça ne sonne pas aussi sincère que d'habitude.

Em lui parle et il se tourne pour lui répondre. Je fixe mon regard dans le vide, perdue dans mes pensées. C'est étrange, j'ai commencé à lui cacher des choses depuis que nous sommes couplés.

– Ça fait des semaines que je n'ai pas pu passer un samedi soir avec vous tous, dit Ky.

Je lui lance un regard alors que la salle s'assombrit progressivement, adoucissant les contours de son visage et resserrant l'espace qui nous sépare. Il y a une note d'amertume dans sa voix, très légère, mais cela m'étonne venant de lui.

– Mon travail me prend beaucoup de temps. Heureusement que vous ne m'en voulez pas.

Je réponds :

– C'est normal, nous sommes amis.

Mais en prononçant ces mots, je m'interroge. Je ne le connais pas aussi bien que les autres.

– Amis, répète-t-il doucement.

Pense-t-il à ceux qu'il a dû laisser dans les Provinces lointaines ?

Les lumières s'éteignent. Je sais sans avoir besoin de regarder que Ky fait face à l'écran alors que Xander s'est tourné vers moi. Je fixe l'obscurité, droit devant.

J'adore les quelques minutes qui précèdent une projection, quand on attend dans le noir. Ma gorge se serre toujours un peu. Et si, quand les lumières se rallumeront, j'étais seule dans la salle ? Et si elles ne se rallumaient pas ? J'ai toujours un doute. Bizarrement, ça me plaît.

Évidemment, l'écran s'allume, la projection commence et je ne suis pas seule. J'ai Xander d'un côté, Ky de l'autre, et face à moi défilent les débuts de la Société.

C'est très bien filmé : la caméra frôle le

bleu de l'océan, le vert de la côte, les sommets couronnés de neige et les champs dorés des Campagnes avant de survoler notre Dôme municipal. (Dans la salle, les spectateurs applaudissent.) Ensuite défilent d'autres carrés verts, puis dorés, d'autres Villes. Dans chaque Province, le public s'extasie en reconnaissant sa Ville, même si ce n'est pas la première fois qu'il assiste à ce spectacle. Vu ainsi, difficile de ne pas se sentir fier de notre Société. C'est, bien sûr, le but de cette projection.

En entendant Ky respirer bruyamment, je lui jette un regard. Et ce que je vois me surprend. Il écarquille les yeux, son masque habituel, calme et posé, a disparu. L'émerveillement transforme ses traits. Comme s'il volait vraiment. Il ne remarque même pas que je le fixe.

Après cette entrée en matière intense, la projection est assez banale. On nous raconte comment les choses se passaient avant la Société, avant que tout soit encadré par des statistiques et des calculs de probabilités. Ky reprend son air habituel. Je l'observe régulièrement pendant tout le film, guettant ses réactions, mais il ne laisse plus transparaître aucune émotion.

Lorsque vient le passage sur la mise en place du Programme de couplage, Xander se tourne vers moi. Dans la pâle lueur de l'écran, je devine son sourire et je le lui rends. Il serre ma main dans la sienne, j'oublie complètement Ky.

Jusqu'à la fin.

À la fin, on revient sur la situation d'avant la Société en imaginant ce qui se produirait si elle venait à disparaître. Le décor qu'ils ont utilisé est tellement mélodramatique qu'il en devient presque risible. Ils n'ont pas lésiné sur les plaines arides, les masures délabrées, avec quelques acteurs maigres et hagards errant dans des rues désertes et mal famées. Soudain, un gros avion noir menaçant surgit de nulle part et les gens s'enfuient en courant. On entend l'hymne de la Société en musique de fond, une mélodie poignante sur un fond de basses puissant qui résonne dans notre cœur à tous.

C'est trop. Surjoué. Ridicule, surtout après la scène pleine de dignité à laquelle j'ai assisté dimanche, lorsque grand-père nous a quittés. La mort ne ressemble pas à ça. L'un des acteurs s'affale tragiquement, une tache rouge foncé s'étale sur ses vêtements. Xander laisse échapper un petit rire, il a la même impression que moi. Un peu gênée d'avoir ignoré Ky pendant si longtemps, je me tourne pour plaisanter avec lui.

Il pleure. Sans bruit.

Une larme roule sur sa joue. Il l'essuie si vite que j'ai à peine le temps de la voir. Puis une autre, aussi vite balayée. Je me demande comment il peut voir à travers ses larmes. Mais il ne quitte pas l'écran des yeux.

Je n'ai pas l'habitude de voir quelqu'un souffrir. Je me détourne.

À la fin de la projection, lorsque défile à nouveau le travelling du début, Ky prend une profonde inspiration. Douloureuse. Je n'ose pas le regarder avant que les lumières se rallument dans la salle. Et à ce moment-là, il s'est recomposé un visage calme, serein. Il est redevenu le Ky que nous connaissons tous. Ou celui que je croyais connaître.

À part moi, personne n'a rien remarqué. Il ignore que je l'ai vu.

Je ne dis rien. Je ne lui pose pas de questions. Je préfère m'éloigner. C'est tout moi. « Pourtant, grand-père espérait mieux de toi. » Cette pensée me traverse malgré moi. J'ai l'impression que Ky me fixe. Qu'il aimerait croiser mon regard.

Mais j'attends trop longtemps avant de me retourner. Et quand j'ose enfin le faire, il ne me regarde plus. Si réellement il me regardait.

9

Deux jours plus tard, je me retrouve avec un groupe de jeunes gens de mon âge devant le bâtiment principal de l'arboretum. Une fine brume matinale flotte autour de nous. Les gens, les arbres semblent surgir de nulle part.

– Tu as déjà participé à ce genre d'activité ? me demande une fille.

Je ne la connais pas. Elle doit habiter un autre quartier, fréquenter une autre école secondaire.

– Pas vraiment.

Je réponds d'un ton vague, distraite par la silhouette qui vient d'émerger du brouillard. Ky Markham. Il avance d'un pas assuré. Prudent. Il me fait signe. Apparemment, il s'est aussi inscrit au stage de randonnée pour cet été. Je lui souris avant d'ajouter à l'adresse de la fille :

– Non, j'ai déjà fait de la marche. Jamais de la randonnée.

– Normal, intervient Lon, un type agaçant qui est dans mon établissement. Ils n'ont pas proposé ce stage depuis des années.

– Mon grand-père adorait la randonnée.

– « Adorait » ? Au passé ? Il est mort ? insiste-t-il.

Je n'ai pas le temps de répondre, car un Officier en tenue militaire se présente devant nous. Il est assez âgé, avec les cheveux blancs coupés ras, la peau mate. Il me rappelle grand-père.

– Bienvenue, lance-t-il d'une voix aussi nette et tranchante que sa coupe de cheveux, qui contredit son propos.

La ressemblance avec grand-père s'arrête là. Il faut que j'arrête de le chercher partout. J'aurai beau penser à lui intensément, il ne va pas apparaître comme par magie au milieu des arbres.

– Je suis votre instructeur. Appelez-moi « monsieur ».

Lon ne peut pas se taire.

– On aura le droit de grimper sur la colline ?

L'Officier le fixe. Lon se ratatine sous son regard glacé.

– Personne ne parle sans ma permission. Compris ?

Nous hochons tous la tête.

– Assez perdu de temps. Allons-y.

Il désigne l'une des collines verdoyantes de l'arboretum. Pas la Colline, la grande, mais une des plus petites dont l'accès est habituellement réservé aux employés de l'arboretum. Elles ne sont pas très hautes mais, d'après ma mère, c'est déjà un bon entraînement de grimper à travers les broussailles et les arbres.

– On se retrouve au sommet, annonce-t-il en tournant les talons.

Il plaisante ? Il ne nous donne aucun conseil ? On ne s'échauffe pas ?

Il s'engouffre dans les buissons sans un mot de plus.

Donc il nc plaisante pas. Je sens un sourire se dessiner sur mes lèvres, que je réprime bien vite. Je suis la première à suivre l'Officier entre les arbustes. J'écarte les branches vertes, ça me rappelle l'odeur de grand-père. Peut-être qu'il est là après tout. Une idée me vient : « Si un jour j'ose déplier ce papier, ce serait l'endroit idéal. »

J'entends les autres se glisser entre les branchages dans mon dos. La forêt, même si elle n'est pas vraiment sauvage, est pleine de bruits, surtout avec une troupe de jeunes gens qui la gravit à grands pas. Craquements, grincements, bruissements. Un juron résonne non loin de moi. C'est sans doute Lon. J'accélère. Malgré les broussailles qui me barrent la route, j'avance bien.

J'aimerais savoir le nom des oiseaux, des plantes, des fleurs qui m'entourent, déformation professionnelle, je veux toujours tout classifier.

Ma mère doit sans doute les connaître, mais je n'aurai accès à ce type de données spécialisées que si je travaille à l'arboretum plus tard.

La pente est de plus en plus raide, ça ne me dérange pas. Cette petite colline fait partie du terrain cultivé de l'arboretum, elle n'est pas sauvage. Mes chaussures sont sales, couvertes de feuilles et d'aiguilles de pin. Je m'arrête un instant, cherchant autour de moi un endroit pour gratter la boue qui me ralentit. Mais branchages et bouts de bois sont ramassés quotidiennement, je dois donc me résoudre à frotter mes semelles contre un tronc d'arbre.

Le pied plus léger, je reprends ma route, pressant le pas. J'aperçois un caillou rond et poli qui ressemble à un œuf, à l'image de celui que Bram a offert à grand-père. Mais je le laisse dans l'herbe, je n'ai pas le temps. J'écarte les broussailles qui me griffent les avant-bras. Même quand une branche de pin me gifle la figure, je ne m'arrête pas.

Je vais être la première arrivée au sommet et ça me réjouit. Devant moi, j'aperçois la lumière filtrer à travers les arbres, le ciel, le soleil. J'arrive à la lisière de la forêt. J'y suis presque.

« Regarde-moi, grand-père. »

Bien sûr, il ne m'entend pas.

« Regarde ! »

Je tourne brusquement et je m'accroupis dans les buissons. Je m'enfonce dans les branchages pour trouver un coin où les feuillages me cachent. Ma tenue de jour marron fait un bon camouflage.

Les mains tremblantes, je tire le papier de mon poudrier. Avais-je tout prévu en le glissant dans ma poche ce matin ? Savais-je inconsciemment que j'allais trouver le bon endroit au milieu des bois ?

Où aurais-je pu le lire, sinon ? À la maison, quelqu'un risquait de me surprendre. Pareil dans l'aérotrain, à l'école ou au travail. Le silence ne règne pourtant pas dans cette forêt épaisse où les insectes bourdonnent, les oiseaux chantent. L'air brumeux et humide du matin me colle à la peau. Mon bras frôle une feuille et quelques gouttelettes d'eau tombent sur le papier, avec le bruit sourd de fruits mûrs roulant au sol.

Que m'a donc donné mon grand-père ?

Je sens le poids du secret au creux de ma paume avant de déplier la feuille.

J'avais raison. Il s'agit d'un document ancien. Même si ce type d'écriture ne m'est pas familier, je reconnais immédiatement la forme du texte.

Grand-père m'a confié un poème.

Évidemment. Mon arrière-grand-mère. Les Cent Poèmes. Je sais sans avoir à le vérifier sur le port que celui-ci ne fait pas partie de la liste. Elle a pris un risque terrible en cachant ce papier, tout comme mon grand-père et ma grand-mère en le conservant. Ils auraient pu tout perdre, juste pour un poème…

Dès la première ligne, je me fige, les larmes me montent aux yeux. J'ignore pourquoi ce vers m'émeut à ce point.

*N'entre pas sans violence dans cette bonne nuit**

Je poursuis ma lecture, bien que je ne saisisse pas tous les mots. Je comprends pourquoi ce poème touchait particulièrement grand-père :

N'entre pas sans violence dans cette bonne nuit,
Le vieil âge devrait brûler et s'emporter
à la chute du jour ;
Rager, s'enrager contre la mort de la lumière.

Puis je comprends pourquoi il me touche, moi aussi :

Bien que les hommes sages à leur fin
sachent que l'obscur est mérité,
Parce que leurs paroles n'ont fourché nul éclair ils
N'entrent pas sans violence dans cette bonne nuit.

Mes paroles n'ont fourché nul éclair. Grand-père me l'a dit lorsque je lui ai remis cette lettre

* NdT : Dylan Thomas, Vision et prière, traduction d'Alain Suied, Poésie Gallimard.

que je n'avais pas écrite moi-même. Rien de ce que j'ai écrit ou fait n'a changé le monde et, soudain, je sais ce que c'est de rager et d'enrager.

Je lis le poème jusqu'à la fin, buvant chacun de ses vers. Il parle de météores, de soleil, de larmes violentes et, même si certains mots trop datés m'échappent, j'en comprends assez. Je comprends pourquoi mon grand-père aimait ce poème, parce que je l'aime également. Dans son entier. La rage et la lumière.

Sous le titre est indiqué « Dylan Thomas, 1914-1953 ».

Il y en a un autre au verso de la feuille.

Il s'intitule *Le Passage de la barre** et son auteur a vécu il y a plus longtemps encore que Dylan Thomas : « Lord Alfred Tennyson, 1809-1892 ».

Il y a si longtemps. Ils ont vécu et ils sont morts il y a si longtemps.

Et, tout comme grand-père, ils ne reviendront jamais.

Je lis le second poème aussi avidement que le premier. Puis je les relis plusieurs fois chacun, jusqu'à ce que le craquement sec d'une brindille me tire de mes pensées. Vite, je replie le papier pour le ranger. J'ai trop traîné. Il faut que je parte, que je rattrape le temps perdu.

* NdT : *Crossing the Bar,* Lord Alfred Tennyson, traduction de Michel Midan in *Voix d'outre-Manche : cent poésies en langue anglaise*, 2002, L'Harmattan.

Il faut que je coure.

Je ne suis pas sur un pisteur d'entraînement, je peux me donner à fond. Je fonce à travers les branchages, remontant la pente. Je me répète silencieusement les vers du poème de Thomas, si sauvages, si beaux. Je n'arrête pas de penser : « N'entre pas sans violence, n'entre pas sans violence, n'entre pas sans violence. »

Ce n'est qu'une fois au sommet de la colline que je comprends subitement pourquoi ils n'ont pas conservé ce poème. Pourquoi il ne fait pas partie de la liste.

Parce qu'il invite à résister, à se battre.

Une branche me cingle le visage alors que je fais irruption dans la clairière, mais je ne m'arrête pas. Je débouche en pleine lumière.

Je cherche l'Officier. Il n'est pas là, mais il y a quelqu'un d'autre. Ky Markham.

À ma grande surprise, nous sommes seuls au sommet de la colline. Pas d'instructeur. Pas d'autres participants.

Je n'ai jamais vu Ky aussi détendu. Allongé, en appui sur les coudes, le visage tourné vers le soleil, les yeux clos. Il a l'air différent, moins méfiant. En fait, c'est son regard qui met de la distance avec les gens qui l'entourent. En m'entendant, il rouvre les yeux, me dévisage et j'entr'aperçois ce qu'il est vraiment avant qu'il ne reprenne l'apparence qu'il veut donner.

L'Officier surgit des arbres juste à côté de moi. Il marche d'un pas tranquille, je me demande ce qu'il a pu voir dans les bois. M'a-t-il remarquée ? Il consulte son infopod avant de relever les yeux vers moi.

– Cassia Reyes ?

Apparemment, il était prévu que j'arriverais deuxième. Je ne me suis peut-être pas arrêtée aussi longtemps que je le croyais.

– Oui.

– Assieds-toi en attendant, ordonne-t-il en désignant l'herbe. Profite de la vue. D'après mes données, nous avons quelques minutes avant que les autres arrivent, dit-il en désignant son appareil avant de disparaître à nouveau entre les arbres.

Je marque un temps d'arrêt puis je rejoins Ky. J'essaie de me calmer. Mon cœur bat à tout rompre parce que j'ai couru. Et aussi parce que j'ai eu peur d'être surprise.

– Salut, fait Ky en me voyant approcher.

– Salut.

Je m'assois dans l'herbe à côté de lui.

– Je ne savais pas que tu étais inscrit à ce stage.

– Ma mère pensait que ce serait bien pour moi, explique-t-il.

Il appelle sa tante Aida « ma mère ». Il s'est complètement adapté à sa nouvelle vie, il est devenu ce que tout le monde attendait de lui dans le quartier des Érables. Malgré ses différences, il s'est vite fondu dans le décor.

En fait, c'est la première fois qu'il arrive en tête quelque part.

Sans prendre le temps de réfléchir avant de parler, je remarque :

– Tu nous as tous battus, aujourd'hui.

Pas besoin de le souligner, c'est évident pourtant.

– Oui, confirme-t-il en me regardant. Comme prévu. Ayant grandi dans les Provinces lointaines, j'ai l'habitude de ce genre d'activités d'extérieur.

Il récite son texte d'un ton qui n'a rien de naturel. Cependant, je note quelques gouttes de sueur qui perlent sur son front. Il a croisé ses longues jambes devant lui. Il a couru vite, très vite. Ont-ils des pisteurs d'entraînement dans les Provinces lointaines ? Et sinon, où a-t-il appris à courir comme ça ? A-t-il dû courir pour fuir quelque chose ? Pour sauver sa peau ?

Une fois de plus, sans réfléchir, je lance une phrase que je ferais mieux de garder pour moi :

– Qu'est-il arrivé à ta mère ?

Une étincelle de surprise brille dans ses yeux. Il sait que je ne veux pas parler d'Aida. Personne n'a jamais dû le lui demander. Je ne sais pas ce qui m'a poussée à le faire. La mort de grand-père et les poèmes que j'ai lus dans les bois ont dû me fragiliser. Ou peut-être est-ce la peur que quelqu'un m'ait vue.

Je vais lui présenter mes excuses, mais je me ravise, pensant qu'il a peut-être envie de me répondre.

Je me trompe.

– Tu n'aurais pas dû me poser cette question, dit-il sans me regarder.

Je ne vois que son profil. Ses cheveux bruns trempés par la brume et la rosée tombée des feuilles. Il a l'odeur de la forêt. Je porte mes mains à mon visage pour voir si les miennes aussi. C'est sans doute mon imagination, mais j'ai l'impression que mes doigts sentent l'encre et le papier.

Ky a raison. Je sais pourtant qu'on ne demande pas ce genre de choses. Mais il me pose à son tour une question qu'il ne devrait pas poser :

– Qui as-tu perdu ?

– Comment ça ?

– Je le sens, c'est tout.

Il me regarde, maintenant. Et ses yeux sont toujours bleus.

Le soleil me chauffe la nuque et le sommet du crâne. Je ferme les yeux et renverse la tête en arrière afin de savourer sa chaleur sur mes paupières et l'arête de mon nez, comme Ky tout à l'heure.

Nous nous taisons. Je n'ai pas gardé les yeux fermés longtemps mais, quand je les rouvre, je suis tout de même éblouie un instant. Et je me confie à Ky :

– Mon grand-père est mort la semaine dernière.

– De façon inattendue ?

– Non…

Pourtant, c'est un peu vrai. Ce n'est pas sa mort qui m'a surprise. C'est ce qu'il m'a dit.

– Non, il avait quatre-vingts ans.

– Ah, oui, c'est vrai, dit-il pensivement. Ici, les gens meurent le jour de leurs quatre-vingts ans.

– Pourquoi ? Ce n'est pas pareil là d'où tu viens ?

Je n'en reviens pas que ces mots m'aient échappé. Il vient juste de me demander de ne pas le questionner sur son passé. Pourtant, cette fois, il me répond :

– C'est… plus rare d'atteindre cet âge-là.

J'espère que ma surprise ne se lit pas sur mon visage. On ne meurt donc pas partout au même âge.

Des cris, des bruits de pas s'élèvent de la lisière de la forêt. L'Officier surgit à nouveau des broussailles et prend les noms des participants au fur et à mesure de leur arrivée.

En voulant me relever, j'entends mon étui à pilules cogner contre mon poudrier dans ma poche. Ky se tourne vers moi, je retiens mon souffle. Se doute-t-il que dans ma tête des mots résonnent, des mots que je m'efforce de mémoriser ? Parce que jamais plus je ne pourrai déplier ce papier. Il faut que je m'en débarrasse. Cette pause au soleil, à côté de Ky, m'a éclairci les idées… Je ne peux pas continuer à le nier. Ce craquement, tout à l'heure dans les bois…

Ça signifie que quelqu'un m'a vue.

Ky prend une profonde inspiration et se penche vers moi.

– Je t'ai vue, dit-il d'une voix douce, comme une rivière qui coule. Dans les bois.

Et là… pour la première fois de ma vie, il me touche. Je sens sa main sur mon bras, chaude, un bref instant.

– Sois prudente. Ce genre de choses…

– Je sais.

J'aimerais le toucher également. Lui poser la main sur le bras, mais je me contente d'ajouter :

– Je vais le détruire.

Il a beau conserver son air calme et posé, sa voix se fait pressante.

– Tu sais comment procéder sans te faire prendre ?

– Je pense.

– Je pourrais t'aider.

Il jette un coup d'œil discret vers l'Officier. Je réalise alors qu'il agit toujours comme si on l'observait. Et, visiblement, il observe également les autres.

– Tu es arrivé au sommet avant moi. Alors, comment as-tu fait pour me voir ?

Ma question a l'air de le surprendre.

– J'ai couru.

– J'ai couru aussi.

– Je dois être plus rapide que toi, affirme-t-il.

Et, durant une seconde, je vois une lueur de malice briller dans ses yeux, un sourire se dessiner sur ses lèvres. Mais il reprend aussitôt son sérieux.

– Tu veux que je t'aide ?

– Non, non, je vais me débrouiller.

Puis, parce que je ne veux pas qu'il me prenne pour une idiote, qui prend des risques inconsidérés, j'en dis trop :

– C'est mon grand-père qui me l'a donné. Je n'aurais pas dû le garder aussi longtemps, mais… c'est tellement beau.

– Tu arriveras à t'en souvenir ?

– Pour l'instant, oui.

Après tout, la pratique du classement exerce la mémoire.

– Mais peut-être pas pour toujours.

– Tu aimerais ?

Il me prend pour une idiote, c'est sûr. Et je réponds bêtement :

– Oui, c'est tellement beau.

L'Officier nous appelle. Les autres arrivent, de plus en plus nombreux. Quelqu'un appelle Ky. Quelqu'un m'appelle. On se sépare, on se dit au revoir, on part chacun à un bout de la clairière.

Nous regardons tous au loin. Ky et son ami font face au Dôme municipal. L'Officier contemple la Colline. Mon petit groupe désigne la cantine de l'arboretum en s'inquiétant pour le déjeuner. On se demande quand on va rentrer à l'école secondaire. Si l'aérotrain sera à l'heure. Quelqu'un rit parce que les aérotrains sont toujours à l'heure.

Un vers du poème me revient à l'esprit : *Ici sur la triste élévation.*

Je penche à nouveau la tête en arrière, pour fixer le soleil à travers mes paupières closes. Il est plus fort que moi. Mon obscurité est d'un rouge cuisant.

Les questions bourdonnent dans mon crâne, comme les insectes dans les bois.

« Que t'est-il arrivé, là-bas, dans les Provinces lointaines ? Quelle Infraction ton père a donc commise pour que tu sois classé Aberration ? Me juges-tu folle de vouloir garder ces poèmes ? Pourquoi, mais pourquoi ai-je tant envie d'entendre ta voix ? Devrais-tu être mon Promis ? »

Plus tard, je réalise que la plus importante de toutes ne m'a même pas effleurée : « Sauras-tu garder mon secret ? »

10

L'atmosphère est différente ce soir dans mon quartier : il y a quelque chose qui cloche. Les passagers qui attendent l'aérotrain sur le quai ont le visage fermé, ils ne se parlent pas. Ils montent sans prodiguer les salutations d'usage à ceux d'entre nous qui descendent. Une petite aérovoiture blanche, un véhicule officiel, est garée devant une maison aux volets bleus dans notre rue. Notre maison.

Je dévale l'escalier métallique de la station et marche en essayant de repérer d'autres modifications. Les trottoirs n'ont pas changé. Ils sont propres et blancs comme d'habitude. Les maisons voisines de la mienne, fermées, ne m'en disent guère plus ; lorsque l'orage gronde, on se barricade.

Le train d'atterrissage de l'aérovoiture est délicatement déployé sur la pelouse. À la fenêtre, je vois des personnes bouger derrière le rideau blanc uni. Je me dépêche de gravir le perron et hésite devant la porte. Dois-je frapper ?

Je m'efforce de garder mon sang-froid. Étrangement, je vois dans ma tête le bleu des yeux de Ky et ça m'aide à réfléchir. Si j'analyse correctement la situation, je serai plus à même de l'affronter. *Ça peut être n'importe quoi. La vérification du système de distribution de la nourriture, par exemple. J'ai entendu dire que c'était déjà arrivé dans un quartier voisin. Cela n'a sans doute rien à voir avec moi.*

Ont-ils révélé à mes parents que la photo de Ky se trouvait sur la microcarte ? Savent-ils ce que grand-père m'a donné ? Je n'ai pas encore eu l'occasion de détruire les poèmes. Le papier se trouve toujours dans ma poche. Quelqu'un d'autre que Ky m'aurait-il vue le lire dans les bois ? Est-ce l'Officier qui a fait ce bruit sec en marchant sur la branche ?

Cela a sans doute tout à voir avec moi.

Je ne sais pas ce qui arrive lorsqu'on enfreint les règles, parce que personne ne désobéit dans le quartier. Parfois, une Citation mineure est publiée, comme lorsque Bram est en retard. Mais ce sont de petites choses, de petites erreurs. Pas des fautes importantes, ou commises intentionnellement. Des Infractions.

Je ne vais pas frapper, c'est chez moi. Je prends une profonde inspiration, tourne la poignée et ouvre la porte.

Quelqu'un m'attend à l'intérieur.

– Ah, te voilà ! s'exclame Bram, soulagé.

Mes doigts se crispent sur le bout de papier dans ma poche, et je jette un coup d'œil vers la cuisine. Je pourrais peut-être atteindre le tuyau d'incinération pour y jeter les poèmes. Mais il enregistrera une substance étrangère : le papier épais est totalement différent de ceux que nous avons le droit d'utiliser dans les habitations, comme les nappes, les impressions du port de communication, les enveloppes de livraison. Ce serait cependant plus sûr que de les conserver. On ne pourra pas reconstituer les mots quand je les aurai brûlés.

J'aperçois un Officiel du Département de biomédecine en longue blouse blanche passer du couloir à la cuisine. Je lâche les poèmes et sors la main de ma poche. Vide. Je demande à Bram :

– Que se passe-t-il ? Où sont papa et maman ?

– Dans leur chambre, répond-il d'une voix tremblante. Les Officiels sont en train de fouiller papa.

Pourquoi ? Mon père n'a pas les poèmes. Il ne connaît même pas leur existence. Mais cela fait-il vraiment une différence ? Ky a été classé Aberration à cause d'une Infraction commise par son père. Ma faute va-t-elle affecter toute la famille ?

Après tout, le poudrier est sans doute la cachette la plus sûre. Mes grands-parents y ont conservé les poèmes pendant des années.

– Je reviens, dis-je à Bram.

Je me faufile dans ma chambre pour prendre le poudrier dans mon placard. Vite. J'ouvre la base et j'y glisse le papier.

– Quelqu'un est rentré ? demande un Officiel, dans le couloir.

– Ma sœur, répond Bram, terrorisé.

– Où s'est-elle rendue ?

J'appuie mais le poudrier ne ferme pas bien. Un coin du papier dépasse.

– Dans sa chambre, elle se change. Elle s'est salie au stage de randonnée.

La voix de Bram paraît plus posée. Il me couvre, sans même savoir pourquoi. Et en plus, il se débrouille bien.

J'entends des pas dans le couloir. Je rouvre le poudrier, je replie le coin. J'appuie et un claquement étouffé se produit. Enfin. D'une main, je dézippe ma tenue pendant que, de l'autre, je remets le poudrier sur l'étagère. Je tourne la tête au moment même où la porte s'ouvre. Je prends l'air surprise et outragée.

– Je me change !

L'Officiel me fait un signe de tête, il regarde mes vêtements tout tachés.

– Veuillez nous rejoindre dans l'entrée quand vous aurez terminé. Vite, ajoute-t-il.

Les mains un peu moites, j'ôte mes vêtements imprégnés de l'odeur de la forêt pour les mettre dans le bac à linge sale. Puis, habillée de ma tenue de rechange, débarrassée de tout ce qui pourrait ressembler ou sentir la poésie, je sors de ma chambre.

– Papa ne leur a pas donné le prélèvement de tissus de grand-père, me chuchote Bram lorsque j'arrive dans le salon. Il l'a perdu. C'est pour ça qu'ils sont là.

L'espace d'un instant, la curiosité l'emporte sur la peur et il me demande :

– Pourquoi étais-tu si pressée de te changer ? Tu n'étais pas si sale.

– Si. Chut, écoute !

Des murmures montent de la chambre de nos parents, puis, soudain, ma mère élève la voix. J'ai du mal à croire ce que Bram vient de m'apprendre. Mon père aurait égaré le prélèvement de grand-père ?

Une vague de tristesse se mêle à l'angoisse qui m'étreint. C'est vraiment grave, il a commis une terrible erreur. Il va avoir de gros ennuis, et nous aussi. Cela signifie que grand-père a disparu à jamais. Sans échantillon de tissus, ils ne pourront pas le ramener.

J'en viens à espérer que les Officiels trouvent finalement quelque chose chez nous.

– Attends-moi ici, Bram.

Je me rends dans la cuisine. Un Officiel du Département de biomédecine passe et repasse un engin devant le conteneur à déchets, de gauche à droite, de haut en bas. Puis il fait un pas et recommence l'opération à un autre endroit. J'aperçois les mots imprimés sur son appareil : détecteur biologique.

Je me détends un peu. Évidemment, ils cherchent à localiser l'éprouvette de grand-père à l'aide de son code-barres. Ils ne vont pas retourner toute la maison. Ils ne trouveront sans doute pas mon papier, mais ils vont peut-être mettre la main sur ce prélèvement.

Comment papa a-t-il pu perdre quelque chose d'aussi important ? Comment a-t-il pu égarer son propre père ?

Ignorant mes ordres, Bram m'a suivie dans la cuisine. Il m'agrippe le bras et nous retournons dans l'entrée.

– Maman a l'air furieuse, dit-il en désignant la chambre de nos parents.

Je lui prends la main et je la serre fort dans la mienne. Les Officiels n'ont pas besoin de fouiller mon père, ils disposent de tout le matériel de détection nécessaire pour leur indiquer où chercher. Mais j'imagine qu'ils doivent également marquer le coup ; mon père aurait dû faire beaucoup plus attention.

– Ils ont aussi fouillé maman ? je demande.

Allons-nous tous devoir subir la même humiliation que notre père ?

– Je ne crois pas, répond Bram. Elle voulait juste rester avec papa.

La porte de la chambre s'ouvre. Mon frère et

moi, nous avons à peine le temps de nous écarter pour laisser passer les Officiels. Leur blouse blanche leur donne l'air purs et élancés. L'un d'eux, remarquant notre expression apeurée, nous adresse un léger sourire pour nous rassurer. Mais ça ne marche pas. Il ne peut nous rendre ni le prélèvement ni la dignité de notre père. Le mal est fait.

Papa sort également de la chambre, pâle, tendu. Par contraste, maman paraît encore plus rouge de colère. Elle les suit dans le salon tandis que Bram et moi, nous demeurons dans le couloir, pour voir ce qui va se passer.

Ils n'ont pas retrouvé l'éprouvette. Mon cœur se serre. Mon père reste planté au milieu de la pièce pendant que l'équipe de biomédecine le sermonne.

– Comment avez-vous pu ?

Il secoue la tête.

– Je l'ignore. C'est inexcusable, répond-il platement comme s'il n'avait plus aucun espoir qu'on le croie.

Il se tient toujours aussi droit que d'habitude, mais il a les traits tirés, il paraît soudain plus vieux.

– Vous réalisez qu'il sera impossible de le ramener ?

Il acquiesce, l'air accablé. J'ai beau lui en vouloir d'avoir égaré le prélèvement, je sais qu'il doit vraiment se sentir mal. Et c'est bien normal. Il s'agissait de grand-père. J'aimerais pouvoir lui prendre la main, mais il y a trop d'Officiels autour de lui.

Quelle hypocrite ! Aujourd'hui, j'ai également enfreint les règles. Intentionnellement, en plus.

– Cet incident risque d'entraîner des sanctions dans le cadre de votre travail, annonce l'une des Officielles à mon père d'un ton si dur qu'elle mériterait une Citation, elle aussi.

Personne n'a le droit de parler ainsi. Même en cas de problème, elle est censée garder du recul.

– Comment vous faire confiance pour gérer la restauration et la conservation des reliques si vous n'êtes pas capable de garder un simple prélèvement ? Surtout connaissant son importance capitale ?

Un de ses collègues enchaîne :

– Vous avez égaré l'échantillon de tissus de votre propre père et vous n'avez pas jugé bon d'en informer nos services.

Mon père se passe la main sur le visage.

– J'ai pris peur.

Il est conscient de la gravité de la situation. Il est inutile de la lui rappeler. La crémation a lieu quelques heures après le décès. Il est donc impossible de réaliser un nouveau prélèvement. C'est fini. Il est parti. Grand-père a disparu à tout jamais.

Ma mère serre les lèvres, ses yeux étincellent, mais ce n'est pas après mon père qu'elle en a. Elle en veut aux Officiels d'insister et de retourner le couteau dans la plaie.

Il n'y a rien à ajouter, pourtant ils ne semblent pas décidés à partir. Un silence glacé s'installe, nous pensons tous que plus rien ne pourra faire revenir grand-père dorénavant.

Un bip retentit dans la cuisine : notre repas est arrivé. Ma mère quitte la pièce. Je l'entends prendre les plateaux pour les poser sur la table. Lorsqu'elle revient dans le salon, ses talons claquent furieusement sur le parquet. Elle a l'air déterminée.

– C'est l'heure du dîner, annonce-t-elle. Et je crains qu'on ne nous ait pas livré de portions supplémentaires.

Les Officiels se raidissent légèrement. Est-elle en train de les congédier ? Ils hésitent. Elle paraît sincèrement désolée, mais son ton est très ferme. Elle est si belle avec ses longs cheveux blonds et ses joues empourprées – ça n'a aucun rapport. Mais quand même…

De plus, les Officiels n'osent pas bousculer les horaires des repas.

– Nous rendrons notre rapport, conclut le plus grand. Vous encourez une Citation de la plus haute gravité et la moindre erreur que vous commettrez par la suite serait classée Infraction.

Mon père opine. Ma mère jette un coup d'œil en direction de la cuisine pour leur rappeler que notre dîner est en train de refroidir, peut-être même de perdre de ses qualités nutritionnelles. Après nous avoir salués d'un signe de tête, les Officiels s'en vont un par un, traversent le vestibule, passent devant le port de communication pour regagner la seule porte de la maison.

Après leur départ, toute la famille soupire de soulagement. Papa se tourne vers nous.

– Je suis désolé, vraiment désolé, répète-t-il.

Il regarde ma mère, guettant sa réaction.

– Ne t'en fais pas, dit-elle.

Elle sait que cette erreur sera enregistrée dans le dossier de mon père au sein de la base de données centrale. Elle sait que grand-père a disparu pour de bon. Mais elle aime mon père. Parfois, je me dis qu'elle l'aime trop. Parce que, si elle ne lui en veut pas, comment pourrais-je lui en vouloir ?

À table, elle lui passe un bras autour du cou et pose sa tête sur son épaule durant un long moment avant de lui tendre son plateau. Il lui passe la main dans les cheveux, sur la joue.

Je me dis qu'un jour, entre Xander et moi, ce sera sans doute pareil. Nos vies seront tellement liées que tout ce que fera l'un de nous affectera l'autre au plus profond. Comme l'arbre que ma mère a replanté à l'arboretum. Il était minuscule, encore un arbuste, et pourtant déjà intimement lié à son milieu de vie. Elle a dû procéder avec d'immenses précautions et, lorsqu'elle l'a sorti de son trou, ses racines restaient cramponnées à des mottes de sa terre natale.

Et Ky ? A-t-il apporté quelque chose avec lui lorsqu'il est venu vivre ici ? Peu probable. Ils ont dû le fouiller soigneusement. Et puis, il a dû s'adapter si vite. Pourtant, c'est impossible qu'il n'ait rien emporté. Quelque chose de secret sans doute, d'impalpable, qu'il garde au fond de lui et qui le nourrit. Quelque chose qui lui rappelle d'où il vient.

Les poings serrés, je cours à pas lourds sur le pisteur d'entraînement.

J'aimerais pouvoir courir dehors, fuir la tristesse et la honte qui accablent la maison. La sueur trempe ma tenue de sport, goutte de mes cheveux, dégouline sur mon visage. D'un revers de main, je m'essuie sans quitter des yeux l'écran de l'appareil.

Je vois une courbe se dessiner : une simulation de colline. Parfait. Je suis au milieu de l'entraînement, la partie la plus éprouvante, la plus rapide. Le pisteur se déroule sous mes pieds. Son nom vient des pistes de course où l'on s'entraînait autrefois. Et aussi parce que cet engin nous « piste » : il enregistre des informations sur celui qui l'utilise. Une personne qui court trop est repérée comme masochiste ou anorexique potentielle et doit aller consulter le Département de psychologie. Si l'Officiel diagnostique qu'elle court simplement parce qu'elle aime ça, il lui délivre un permis sportif. J'en ai un.

J'ai un peu mal aux jambes. Je regarde droit devant moi, en m'efforçant de voir le visage de grand-père dans ma tête pour l'y graver à jamais. S'il n'y a vraiment aucune possibilité qu'il revienne un jour, alors c'est à moi de faire en sorte qu'il reste en vie.

La pente augmente, mais je garde le rythme, espérant retrouver la sensation que j'ai éprouvée ce matin. Dehors. Les branchages, les broussailles, la terre, le soleil, au sommet d'une colline avec un garçon qui en sait plus qu'il ne veut bien l'avouer.

Le pisteur émet un bip. Il me reste cinq minutes d'entraînement. J'aurai alors parcouru la distance et couru le temps qu'il faut pour conserver un rythme cardiaque et une masse corporelle optimaux. Pour être en bonne santé. C'est en grande partie ce qui nous permet d'avoir une telle espérance et une telle qualité de vie.

La Société nous offre tout ce qui, conformément aux études statistiques, est censé accroître la durée de vie – un mariage heureux, un corps sain. On vit longtemps et en forme. On meurt le jour de nos quatre-vingts ans, en famille, avant de connaître la démence sénile. Le cancer, les maladies cardiovasculaires et la plupart des affections débilitantes ont été éradiqués. Jamais civilisation n'a été si proche de la perfection.

Mes parents discutent au premier étage. Mon frère est en train de faire ses devoirs et moi, je cours, je cours sans but. Chacun dans cette maison fait ce qu'il est censé faire. Tout va s'arranger. Mes pieds battent régulièrement le tapis du pisteur. Pas à pas, j'évacue mon angoisse. Pas à pas, pas à pas, pas à pas.

Je suis épuisée, j'ai l'impression de ne plus pouvoir faire un pas de plus quand, soudain, le pisteur émet un bip, avant de ralentir petit à petit. *Timing* parfait, programmé par la Société. Je me penche en avant pour reprendre mon souffle, emplissant mes poumons à fond. Il n'y a rien à voir en haut de cette colline.

Bram est assis sur mon lit, il m'attend. Il a quelque chose dans les mains. Je bondis, croyant avoir aperçu mon poudrier – « Oh, pourvu qu'il n'ait pas trouvé le papier » –, mais non, il s'agit de la montre de grand-père. La relique de Bram.

– Je viens d'envoyer un message aux Officiels par le port de communication, m'annonce-t-il en me fixant de ses yeux ronds, le regard triste et las.

– Pourquoi as-tu fait ça ? je demande, sous le choc.

Comment peut-il avoir envie de parler à un Officiel après ce qui s'est passé aujourd'hui ?

Bram brandit sa montre.

– J'ai pensé qu'ils pourraient peut-être prélever des tissus là-dessus. Grand-père l'a touchée si souvent.

Une vague d'espoir me submerge. Tirant une serviette de mon placard, je m'éponge la figure.

– Qu'est-ce qu'ils ont dit ? Ils t'ont répondu ?

– Ils ont répondu que ce ne serait pas suffisant. Ça ne fonctionnerait pas.

Il frotte la surface brillante de la montre avec sa manche pour effacer ses traces de doigt. Puis il fixe le cadran comme s'il pouvait lui parler.

Mais c'est impossible. Bram ne sait même pas lire l'heure. Et, en plus, la montre de grand-père ne marche plus depuis des années. Ce n'est qu'une belle relique. Un objet lourd, en métal et en verre. Rien à voir avec les fines bandes dc plastique qu'on porte aujourd'hui.

– Tu trouves que je ressemble à grand-père ? me demande mon frère, plein d'cspoir.

Il glisse la montre sur son poignet. Elle est trop grande pour ses os si fins. Mince, les yeux marron, le dos droit, pas très grand – en effet, il lui ressemble un peu.

– Oui, c'est vrai.

Je me demande si j'ai quelque chose de grand-père, moi. J'adore le stage de randonnée.

J'aime lire les Cent Poèmes. C'est un peu de lui qui est en moi.

Je pense à mes autres grands-parents, ceux des Campagnes, à Ky et aux Provinces lointaines, à tout ce que je ne sais pas, à tous ces endroits où je n'irai jamais.

Bram sourit en admirant sa montre, tout fier.

– Tu n'as pas le droit de l'emporter à l'école, hein ? Tu risquerais d'avoir des ennuis.

– Je sais.

– Tu as vu ce qui est arrivé à papa. Tu ne voudrais pas que les Officiels s'en prennent à toi parce que tu as enfreint le règlement concernant les reliques.

– Non, non, je ne suis pas si bête. Je n'ai aucune envie qu'on me la confisque.

Il tend la main vers l'écrin en argent de mon Banquet de couplage.

– Je peux la ranger là-dedans ? C'est un bon endroit, non ? Un endroit spécial.

Il hausse les épaules, un peu gêné.

J'accepte avec une certaine nervosité.

– D'accord.

Il ouvre la boîte pour y déposer avec précaution sa relique, à côté de ma microcarte. Il n'a pas remarqué le poudrier sur mon étagère, tant mieux.

Un peu plus tard dans la soirée, quand il fait nuit et que Bram est couché, je tire le papier de mon poudrier. Sans même le regarder, je le glisse dans la poche de ma tenue de jour. Demain, j'essaierai de trouver un incinérateur sur le chemin de l'école pour le jeter. Je ne veux pas risquer qu'on me surprenne en train de le faire ici. C'est trop dangereux, maintenant.

Je m'allonge, les yeux rivés au plafond, essayant à nouveau de me remémorer le visage de grand-père. Je n'y arrive pas. Agacée, je me tourne dans mon lit, quelque chose de dur me rentre dans les côtes. Mon étui à pilules. J'ai dû le faire tomber en me changeant tout à l'heure. Une négligence surprenante de ma part.

Je m'assois et renverse le contenu de l'étui sur ma couverture. La lueur des réverbères filtrant par la fenêtre me permet de distinguer les comprimés. Le temps que mes yeux s'habituent à la pénombre, ils me semblent tous de la même couleur. Puis j'arrive à les distinguer : la mystérieuse pilule rouge, la bleue qui nous permet de survivre dans les situations d'urgence, parce que même la Société ne peut dompter la nature en permanence.

Et la verte.

La plupart des gens que je connais prennent la pilule verte de temps à autre. Avant un examen important. Le soir du Banquet de couplage. Chaque fois qu'ils ont besoin de se calmer. On a le droit de la prendre une fois par semaine sans que les Officiels s'en inquiètent.

Mais moi, je ne l'ai jamais prise.

À cause de grand-père.

J'étais si fière quand on m'a autorisée à l'avoir sur moi.

– Regarde, lui ai-je dit en ouvrant mon étui. Maintenant, j'ai la bleue et la verte. Il ne me manque plus que la rouge et je serai adulte.

– Ah ! s'est-il exclamé, impressionné comme il se doit. Tu grandis !

Il s'est interrompu un moment. Nous nous promenions dans un espace vert près de chez lui.

– Tu as déjà pris la verte ? m'a-t-il demandé.

– Pas encore. Mais j'en aurai peut-être besoin pour mon exposé sur l'un des Cent Tableaux en cours d'art et culture la semaine prochaine. Je n'aime pas parler devant tout le monde.

– C'est quel tableau ?

– Le numéro dix-neuf.

Il a réfléchi, essayant de se souvenir de quelle œuvre il s'agissait. Il était plus calé sur les Cent Poèmes, mais il s'est tout de même rappelé :

– Une œuvre de Thomas Moran, c'est ça ?

J'ai hoché la tête.

– J'aime beaucoup les couleurs de ce tableau, a-t-il ajouté.

– J'adore le ciel, ai-je enchaîné. Très expressif, avec tous ces gros nuages amoncelés au-dessus de la vallée…

Le paysage était un peu inquiétant – une masse de nuages gris, des rochers ocre déchiquetés –, mais c'était aussi ça qui me plaisait.

– Oui, c'est un beau tableau.

– Comme ce paysage.

L'espace vert est d'une beauté d'un tout autre type. Des fleurs partout, parées de teintes éclatantes que nous n'avons pas le droit de porter : des roses, des jaunes, des rouges presque aveuglants. Elles attiraient l'œil, embaumaient l'atmosphère.

– Espace vert, pilule verte, a commencé mon grand-père avant d'ajouter en souriant : une fille verte aux yeux verts.

J'ai ri.

– On dirait un poème.

– Merci.

Après un instant de silence, il m'a confié :

– Mieux vaut ne pas prendre cette pilule verte, Cassia. Pas pour un exposé. Ni jamais d'ailleurs. Tu es assez forte pour t'en passer.

Et me voilà roulée en boule dans mon lit, avec le comprimé au creux de la main. Je ne pense pas que je vais le prendre. Pas même ce soir.

Grand-père pense que je suis assez forte pour m'en passer.

Je ferme les yeux en me remémorant le vers qu'il avait improvisé.

« Pilule verte. Espace vert. Yeux verts. Fille verte. »

En m'endormant, je rêve que grand-père m'offre un bouquet de roses.

– Prends ça à la place de ce comprimé.

J'effeuille les roses une à une. Et découvre un mot sur chacun des pétales, un mot de l'un des poèmes. Ils ne sont pas dans l'ordre, ça me perturbe, alors je les glisse dans ma bouche pour goûter. C'est amer, comme la pilule verte, j'imagine. Mais je sais que grand-père a raison. Il faut que je laisse les mots entrer en moi si je veux les garder à jamais.

Quand je me réveille le matin, la pilule verte est toujours au creux de ma main et les mots dans ma bouche.

11

Les bruits du petit déjeuner montent jusqu'à ma chambre. Le bip annonçant que les plateaux viennent d'arriver. Un fracas métallique – Bram a dû renverser quelque chose. Des grincements de chaise, des murmures – mes parents discutent avec mon frère. Bientôt, le fumet de la nourriture se glisse sous ma porte. Ou bien traverse-t-il les fines cloisons de notre maison ? C'est une odeur familière de vitamines et de métal, peut-être due au papier d'aluminium qui enveloppe tout.

– Cassia ? appelle ma mère. Tu es en retard pour le petit déjeuner.

Je sais. C'est voulu. Je n'ai pas envie de voir papa ce matin. Je n'ai pas envie de parler de ce qui est arrivé hier. Je n'ai pas envie non plus de devoir éviter le sujet, de me retrouver à table devant mon plateau à faire comme si tout allait bien.

Mais je sors du lit en répondant :

– J'arrive !

En passant dans le couloir, j'entends un

message sur le port de communication, il me semble distinguer le mot « randonnée ».

Lorsque je pénètre dans la cuisine, mon père est déjà parti au travail. Bram enfile sa tenue de pluie, un grand sourire aux lèvres.

A-t-il déjà oublié ce qui s'est produit hier ?

– Il doit pleuvoir aujourd'hui, m'informe-t-il. Ton stage est annulé, ils l'ont annoncé sur le port.

Ma mère lui tend son bonnet qu'il enfonce aussitôt sur sa tête.

– Au revoir ! lance-t-il.

Et il file prendre l'aérotrain, exceptionnellement en avance parce qu'il adore la pluie.

– Bon, tu as une matinée de libre, remarque maman. Qu'est-ce que tu vas faire ?

Je sais. Les autres participants du stage vont sûrement traîner dans la salle commune de l'école ou aller faire leurs devoirs à la bibliothèque. J'ai d'autres projets. Je vais aussi me rendre à la bibliothèque, mais pas la même.

– Je vais passer voir papa.

Le regard de ma mère se radoucit. Elle sourit.

– Ça va lui faire plaisir, surtout que vous vous êtes manqués ce matin. Mais il ne pourra sûrement pas prendre une trop longue pause.

– Je sais, je veux juste lui faire un petit coucou.

Et détruire quelque chose de dangereux, un objet qui n'est pas censé être en ma possession.

Quelque chose qui aurait tout à fait sa place dans une vieille bibliothèque au cas où ils analyseraient en détail la composition de tout ce qui est brûlé dans l'incinérateur.

Je prends l'un des triangles de pain grillé emballé dans mon papier alu en essayant de me remémorer l'aspect des poèmes sur la feuille. Je me souviens de nombreux vers, mais pas de tous, et je ne veux rien oublier. Je veux les savoir par cœur, jusqu'au dernier. Si seulement j'avais un moment pour y jeter un dernier coup d'œil avant de les détruire... Un moyen de faire durer ces mots...

Si seulement je savais écrire au lieu de me contenter de taper des lettres sur un scripteur. J'aurais la possibilité de les noter sur un papier à volonté. De les conserver, même quand je serai vieille.

Par la fenêtre, je vois Bram qui attend l'aérotrain. Il ne pleut pas encore, mais il saute d'une marche à l'autre sur l'escalier métallique menant au quai. J'espère que personne ne va lui dire d'arrêter car je sais ce qu'il a en tête : en attendant l'orage, il fait le bruit du tonnerre.

En allant prendre l'aérotrain, j'aperçois Ky, tout seul. La rame pour l'école secondaire est déjà partie et la prochaine va au centre-ville. Il doit sans doute se rendre au travail puisque son activité de loisir est annulée. Pas question de lui laisser une ou deux heures de temps libre. Tandis que je l'observe marcher devant moi, les épaules carrées, la tête haute, je réalise à quel point il doit se sentir seul. Il a dépensé une telle énergie pour se fondre dans la masse et voilà qu'ils le mettent à l'écart, avec le poste qu'ils lui ont assigné.

Il se retourne en m'entendant arriver.

– Cassia ? fait-il, surpris. Tu as raté le train ?

– Non.

Je m'arrête à quelques pas de lui.

– Je prends le prochain pour aller voir mon père à son travail. Comme le stage a été annulé.

Ky habite dans la même rue que nous, il est donc au courant que les Officiels nous ont rendu visite hier soir. Mais il ne fera aucun commentaire – comme tous les autres, d'ailleurs. Tant que la Société ne leur demande pas de s'y intéresser, cela ne les regarde pas.

Je m'avance vers la station d'aérotrain, vers Ky. Je m'attends à ce qu'il grimpe l'escalier, mais non. Il vient vers moi. J'aperçois la Colline de l'arboretum au loin, derrière lui, et je me demande si, un jour, nous aurons le droit d'y grimper. Le tonnerre gronde, sourd et lourd, à des kilomètres de là.

– Il va pleuvoir, murmure Ky, avant de reporter son attention sur moi. Tu vas le voir à son bureau, au centre-ville ?

– Non, il travaille sur un chantier près du quartier de Brookway.

– Tu auras le temps de faire l'aller-retour sans être en retard en cours ?

Avec ce ciel d'orage en arrière-plan, les yeux de Ky prennent une autre teinte, comme s'ils reflétaient le gris des nuages. Une idée étrange me vient alors : peut-être n'ont-ils pas vraiment de couleur propre. Ils changent en fonction des vêtements qu'il porte, de la fonction que les Officiels lui attribuent. Quand il était en marron, ils semblaient marron. Maintenant qu'il est en bleu, ils paraissent bleus.

– À quoi penses-tu ? me demande-t-il.

Je lui dis la vérité :

– À la couleur de tes yeux.

Ma franchise le prend au dépourvu mais, bien vite, il sourit. J'adore son sourire, car il me permet d'apercevoir le garçon que j'ai connu à la piscine. Avait-il les yeux bleus à l'époque ? Je ne m'en souviens pas. J'aurais dû faire plus attention.

– Et toi, à quoi tu penses ?

Je m'attends à ce qu'il se ferme, comme d'habitude. Il va me donner une réponse stéréotypée, du genre : « Je réfléchissais à ce que je vais faire au travail aujourd'hui » ou : « À l'activité que je vais choisir samedi soir. »

Mais je me trompe.

– À chez moi, dit-il simplement, sans détourner le regard.

Nous restons les yeux dans les yeux un long moment, sans aucune gêne, et j'ai l'impression qu'il sait. Quoi, je l'ignore. Quelque chose sur moi. Qui je suis.

Il n'ajoute pas un mot. Il me dévisage avec ses yeux changeants, que je croyais de la couleur de la terre alors qu'ils sont de la couleur du ciel. Et je le fixe aussi. Nous avons passé davantage de temps à nous regarder durant ces deux derniers jours que depuis que nous nous connaissons.

La voix féminine qui retentit dans les haut-parleurs rompt le silence :

– Aérotrain à l'approche.

Nous montons, sans parler, les marches qui mènent au quai, défiant à la course les nuages qui s'accumulent au loin. Pour cette fois, nous l'emportons, nous débouchons sur le quai au moment même où la rame s'arrête devant nous. Nous grimpons à bord ensemble, rejoignant d'autres passagers en bleu marine avec un Officiel ici et là.

Il n'y a que des places isolées. Je m'assois d'abord, et Ky s'installe de l'autre côté de l'allée. Il se penche vers moi, les coudes sur les genoux. Quelqu'un – un de ses collègues – le salue et il répond. Le train est plein, les gens ne cessent de passer entre nous, mais je l'aperçois de temps à autre. Soudain, je comprends pourquoi j'ai décidé d'aller voir mon père au travail aujourd'hui, non seulement pour détruire ce papier, mais également pour faire le trajet avec Ky.

Lorsque la rame s'arrête à sa station, il descend sans se retourner.

Du haut du quai de l'aérotrain, les décombres de l'ancienne bibliothèque semblent couverts de grosses araignées noires. Telles des pattes d'insecte, les tuyaux noirs des énormes incinérateurs se faufilent partout entre les briques pour s'insinuer jusqu'au sous-sol du bâtiment. Tout le reste a été détruit.

Je descends l'escalier pour pénétrer sur le chantier. Je ne suis pas à ma place ici, bien que l'accès ne soit pas interdit au public. Mieux vaut ne pas se faire remarquer. Je m'approche pour jeter un coup d'œil par une ouverture. Les ouvriers, la plupart en tenue de jour bleue, enfournent des liasses de papier dans les tuyaux d'incinération. Mon père nous a raconté que, alors qu'ils croyaient avoir tout vidé, ils ont retrouvé des caisses métalliques pleines de livres enterrées dans la cave. Comme si quelqu'un avait voulu mettre certains ouvrages à l'abri. Mon père et d'autres spécialistes de la restauration ont passé en revue leur contenu sans rien trouver de particulier, ils vont donc tout brûler.

Il y a un homme en blanc. Un Officiel. Mon père. Comme les autres, il porte un casque ; je ne peux donc pas voir son visage mais, d'après sa démarche, il a retrouvé son assurance. Il est dans son élément, donne des ordres, indique où placer les tuyaux.

Parfois, il m'arrive d'oublier que mon père est un Officiel. Je le vois si rarement en fonction – il n'enfile son uniforme qu'une fois sur son lieu de travail. D'un côté, cela me rassure – il n'a pas été rétrogradé à la suite de ce qui s'est passé hier, tout du moins pas encore – mais, en même temps, cela me perturbe. C'est bizarre de voir quelqu'un que l'on connaît si bien sous un tout autre jour.

Une autre pensée me traverse l'esprit : avant de partir à la retraite, à soixante-dix ans, grand-père était également un Officiel. « Mais eux, ce n'est pas pareil. » Ils ne sont pas – n'ont jamais été – des Officiels de haut rang au Département de couplage ou dans les Services de sécurité, postes qui exigent d'appliquer strictement les lois, de faire respecter les règles. Dans la famille, nous sommes des intellectuels, on préfère réfléchir plutôt qu'agir.

Enfin, en général. Mon arrière-grand-mère, qui était aussi une Officielle, a tout de même volé deux poèmes.

Mon père observe le ciel, guette l'orage qui se prépare. Ils doivent se dépêcher, tout en restant méticuleux.

« On ne se contente pas de brûler tout et n'importe quoi, m'a-t-il expliqué. Nos appareils sont similaires à ceux qui équipent les habitations, ils enregistrent les quantités et les matériaux détruits. »

Suivant ses ordres, les ouvriers vont d'une pile de livres à l'autre. Comme les pages séparées brûlent mieux que les ouvrages entiers, ils les ouvrent en grand en arrachant la reliure pour faciliter l'incinération.

Après un nouveau coup d'œil aux nuages, mon père leur fait signe d'accélérer le mouvement. Il est temps que j'aille en cours, mais je continue à regarder.

Je ne suis pas la seule. En relevant la tête, j'aperçois une autre silhouette en blanc. Un autre Officiel. Qui observe mon père.

L'équipe du chantier oriente un tuyau vers une pile de livres prête à être détruite. Ils sont désossés, le dos cassé, leurs fines pages s'éparpillent. Les ouvriers les jettent vers la bouche de l'incinérateur, les écrasant sans ménagement. Les reliures craquent sous leurs semelles comme des feuilles mortes. Ça me rappelle l'automne, quand les services de la Ville installent les incinérateurs dans le quartier pour que nous jetions de grosses pelletées de feuilles d'érable dans les tuyaux. Selon ma mère, c'est du gâchis car les feuilles pourraient faire un bon engrais ; de même, mon père déplore qu'on brûle le papier au lieu de le recycler. Mais les Officiels de rang supérieur estiment que certaines choses ne méritent pas d'être récupérées. Et que, dans ces cas-là, la destruction est plus rapide et plus efficace.

Une feuille s'échappe. Emportée par une bourrasque, elle s'élève dans les airs et me frôle, au bord du ravin qui, autrefois, fut une bibliothèque. Elle volette, si proche que je peux presque lire le texte imprimé, puis le vent faiblit et elle retombe.

Je lève les yeux. Aucun des Officiels ne me regarde. Ni mon père ni l'autre. Mon père a les yeux rivés sur les livres qu'il est en train de détruire, l'autre a les yeux rivés sur mon père. C'est le moment.

Je glisse la main dans ma poche pour en tirer le papier de grand-père. Et je le lâche.

Il danse un instant dans les airs avant de retomber également. Une forte bourrasque l'emporte mais un ouvrier l'aspire avec l'un des tuyaux d'incinération, il aspire les mots en plein vol.

« Désolée, grand-père. »

Je reste là, à regarder, jusqu'à ce que toutes les pages, toutes les reliures, tous les textes aient été réduits en cendres et qu'il ne reste plus rien.

J'ai traîné trop longtemps sur le chantier, je suis presque en retard en cours. Xander m'attend à l'entrée de l'école secondaire.

Il m'ouvre la porte d'un coup d'épaule.

– Ça va ? demande-t-il en me voyant figée sur le seuil.

– Salut, Xander ! lui lance un copain.

Il lui adresse un vague signe, sans me quitter des yeux.

Un instant, j'hésite à tout lui raconter. Non seulement ce qui s'est passé hier chez moi, qui doit l'inquiéter, mais tout le reste. Le visage de Ky sur l'écran. Ky qui m'a surprise dans les bois en train de lire les poèmes. Le papier de mon grand-père dont j'ai eu tant mal à me séparer. Mais je secoue la tête. Je n'ai pas envie d'en parler.

Xander change alors de sujet, les yeux brillants.

– J'ai failli oublier : ils vont proposer une nouvelle activité samedi soir.

Soulagée qu'il comprenne, qu'il n'insiste pas, je m'exclame :

– C'est vrai ? Une nouvelle projection ?

– Non, encore mieux. On va planter des fleurs devant l'école primaire et manger dehors. Un genre de… comment dit-on ?… de pique-nique. Et on aura des glaces en dessert.

Son enthousiasme me fait sourire.

– Xander, ce n'est qu'un travail bénévole déguisé. Ils ont besoin de nous et ils nous achètent avec des glaces !

– Je sais, mais ça change un peu. Comme ça, la prochaine fois, je serai content de retourner à la salle de jeux. Tu veux participer, hein ? Sachant que ça se remplit vite, je t'ai inscrite aussi.

J'éprouve une pointe d'agacement qu'il ait pris cette initiative sans m'en parler, mais elle s'évanouit aussitôt devant son sourire gêné. Il est conscient qu'il est allé un peu loin – il n'aurait jamais fait ce genre de choses avant le banquet –, mais le fait qu'il s'en rende compte me rassure. Même si c'est du travail déguisé, je me serais inscrite sans hésiter, et Xander le sait. Il me connaît tellement bien.

– Super, dis-je. Merci.

Il lâche la porte et nous entrons dans le hall ensemble. Je me demande ce que va faire Ky samedi soir. Les activités de quartier libre ne sont pas affichées sur les lieux de travail ; lorsqu'il verra ça en rentrant chez lui, il n'y aura sûrement plus de place – c'est nouveau et il y a de la glace à la clé. On pourrait l'inscrire également. Si j'allais sur un des ports de communication de l'école…

C'est l'heure. La sonnerie retentit dans les couloirs.

Avec Xander, nous nous engouffrons dans la salle, filons à nos places et sortons lecteurs et scripteurs. En général, Piper se met à côté de nous en sciences appliquées, mais je ne la vois pas. Je questionne Xander :

– Où est Piper ?

– J'ai oublié de te dire. Elle a reçu son affectation aujourd'hui.

– Ah bon ? Elle va faire quoi ?

La sonnerie retentit à nouveau. Je devrai attendre la fin du cours pour avoir la réponse. Piper sait où elle va travailler ! Quelques rares personnes reçoivent leur affectation définitive très tôt, comme Ky, mais en général, on l'apprend dans l'année de nos dix-sept ans. Nous sommes sélectionnés un par un jusqu'à ce qu'il ne reste plus personne dans la classe.

J'espère que Xander et Em ne seront pas affectés tout de suite. Ce ne serait plus pareil sans eux. Surtout sans Xander. Je lui jette un coup d'œil. Il est concentré sur l'instructeur comme si plus rien au monde ne comptait. Ses doigts pianotent sur le scripteur, il agite une jambe, impatient d'en savoir toujours plus. Difficile de le suivre, il a l'esprit si vif, il apprend si rapidement. Et s'il me laissait tomber pour commencer à travailler bientôt ?

Tout va tellement vite. Jusqu'à mes dix-sept ans, j'avais l'impression d'avancer lentement en prenant le temps de compter le moindre caillou, d'admirer la moindre feuille. C'était ennuyeux, mais l'excitation montait lentement. Maintenant, j'ai l'impression de dévaler la pente à toute allure, hors d'haleine. J'ai l'impression que le moment de conclure le contrat de mariage va arriver en moins de temps qu'il ne faut pour le dire. Quand cette course folle va-t-elle ralentir ?

Je détourne les yeux de Xander. « Même s'il reçoit son affectation avant moi, on est toujours couplés. » Il ne me laissera pas tomber. Il ignore que j'ai vu le visage de Ky sur la microcarte.

Si je lui disais, comprendrait-il ? Je pense que oui. Ça ne mettrait pas en péril notre couplage, ni notre amitié. Ce sont deux choses que je ne voudrais risquer pour rien au monde.

J'essaie de me concentrer sur l'instructrice. Derrière elle, par la fenêtre, j'aperçois de gros nuages bas. Je me demande ce que ça donne vu du sommet de la Colline. Est-ce qu'on est au-dessus des nuages ? Est-ce qu'on voit tomber la pluie tout en étant au soleil ?

L'image de Ky en haut de la colline, le visage tourné vers le ciel me revient. Je ferme les yeux un instant pour rêver que je me trouve là-haut aussi.

L'orage finit par éclater au beau milieu du cours. Je m'imagine l'averse qui s'abat sur l'espace vert où j'ai discuté avec l'Officielle du Département de couplage. L'eau fait déborder la fontaine, cingle le banc où nous étions assises. J'imagine le bruit des gouttes, musical sur le métal, assourdi sur l'herbe et la terre. Dehors, on dirait qu'il fait nuit. La pluie martèle le toit, s'engouffre dans les gouttières. Un rideau de pluie tombe devant les fenêtres si bien qu'on voit à peine à travers.

Un vers du poème de Tennyson me revient en mémoire : *Le flot m'emporte bien loin**.

Si j'avais conservé les poèmes de grand-père, je serais emportée par un courant impossible à arrêter. J'ai fait ce que j'avais à faire. J'ai fait ce qu'il fallait. Mais j'ai l'impression que la pluie s'abat sur moi, noyant mon soulagement et ne me laissant que des regrets : les poèmes ont disparu, je ne pourrai plus jamais les lire.

* NdT : « The flood may bear me far », extrait de *Crossing the Bar*, Lord Alfred Tennyson. Traduction de Michel Midan in Voix d'outre-Manche : *cent poésies en langue anglaise*, 2002, L'Harmattan.

12

Au travail, ce soir-là, on nous propose un classement intéressant pour changer. Même Norah s'enthousiasme en me le présentant.

– Nous cherchons à mettre en évidence différentes caractéristiques physiques pour un panel de couplage : couleur des yeux, des cheveux, taille et poids.

– Le Département de couplage va se servir de notre classement ?

La naïveté de ma question la fait rire.

– Bien sûr que non, il s'agit d'un exercice d'entraînement. C'est pour voir si tu repères les mêmes schémas que les Officiels dans les données des Promis.

Évidemment.

– Et ce n'est pas tout, ajoute-t-elle.

Elle baisse la voix, non par souci de confidentialité mais pour ne pas déranger les autres.

– Les Officiels m'ont dit qu'ils se déplaceraient pour te faire passer ton prochain test.

C'est bon signe. Ils veulent voir par eux-mêmes

comment je réagis sous la pression. Peut-être même envisagent-ils de m'affecter à l'un des postes les plus intéressants réservés aux employés de classement.

– Ce sera quand ?

Elle le sait, je le vois bien, mais elle n'est pas censée m'en informer.

– Bientôt, répond-elle sans plus de précision avant de m'adresser un de ses rares sourires.

Puis elle se retourne vers son écran et je vais m'installer dans mon box.

Parfait. Si j'impressionne les Officiels, j'obtiendrai sans doute une affectation de haut niveau. Tout rentre dans l'ordre. Je ne vais plus penser à grand-père, ni aux poèmes incinérés, ni à l'erreur de mon père. Je vais arrêter de me répéter que Ky n'aura jamais de Promise et travaillera toute sa vie au Centre de préparation nutritionnelle. Je vais oublier tout ça. Il est temps de chasser ces préoccupations de mon esprit pour me concentrer sur ma tâche.

Lorsqu'on classe les gens par couleurs d'yeux, force est de constater que, finalement, il y a assez peu de possibilités : bleu, marron, vert, gris, noir… Malgré les nombreuses ethnies représentées dans la population, le choix se réduit à cela. Autrefois, il existait des mutations génétiques comme l'albinisme, mais elles ont été éradiquées. La couleur des cheveux est tout aussi limitée : noir, châtain, blond, roux.

Si peu de possibilités pour une multitude de variations. Par exemple, la base de données comprend plein de garçons aux cheveux bruns et aux yeux bleus comme Ky, mais je suis convaincue qu'aucun ne lui ressemble. Et même si cela se produisait, s'il avait un sosie ou un jumeau, il ne posséderait pas cet étrange alliage de vivacité et de retenue, de franchise et de discrétion. J'ai toujours son visage présent à l'esprit, mais je sais que ce n'est plus la faute de la Société. C'est ma faute. C'est moi qui pense sans cesse à lui alors que je devrais penser à Xander.

Un bip de mon imprimante me fait sursauter. J'ai commis une erreur que je n'ai pas repérée à temps. Une bandelette de papier sort : « ERREUR LIGNE 3568 ».

Comme ce n'est pas dans mes habitudes, ça ne va pas manquer d'attirer l'attention. Je retourne à la ligne concernée pour la corriger. Si jamais ça m'arrive en présence des Officiels…

Ça n'arrivera pas. Je ferai en sorte que ça ne se reproduise pas. Mais avant de me replonger dans mon classement, je m'autorise à penser un bref instant aux yeux de Ky, à sa main posée sur mon bras.

– Quelqu'un a vu une fille de ton âge sur le chantier ce matin, me dit mon père.

Il est venu me chercher à la station d'aérotrain, ça lui arrive de temps en temps, pour avoir un petit moment en tête à tête avec moi ou avec Bram avant de rentrer à la maison.

– C'était toi ?

J'acquiesce.

– Le stage de randonnée a été annulé pour cause de pluie, alors j'ai voulu passer te dire bonjour à ton travail, comme on s'était manqués au petit déjeuner. Mais tu étais trop occupé et je ne pouvais pas attendre, désolée.

– Tu n'auras qu'à revenir un autre jour, si tu veux. Je serai au bureau la semaine prochaine, c'est plus près.

– D'accord, on verra.

Ma réponse n'est pas très chaleureuse. J'espère qu'il ne sent pas que je lui en veux encore d'avoir perdu le prélèvement. C'est complètement irrationnel, il regrette déjà tellement, mais je n'y peux rien. Mon grand-père me manque. Je me raccrochais à l'espoir qu'un jour il reviendrait, grâce à cette éprouvette.

Mon père se fige et me fait face.

– Cassia, tu as quelque chose à me demander ? Ou à me dire ? C'est pour ça que tu es passée me voir ?

Son visage aux traits si doux, comme celui de son père, est déformé par l'inquiétude. Il faut que je lui dise.

– Grand-père m'a donné un papier.

Il pâlit.

– Il l'a sorti de mon poudrier. Il y avait un vieux texte dessus…

– Chut ! me coupe-t-il. Attends.

Un couple vient vers nous. Nous les saluons en les croisant sur le trottoir. Une fois hors de portée de voix, mon père s'arrête. Nous sommes arrivés devant chez nous, mais je vois bien qu'il n'a pas envie de poursuivre la conversation à l'intérieur. Je comprends. J'ai une question à lui poser et je veux qu'il me réponde avant d'entrer dans la maison, où le port de communication bourdonne sans cesse. L'occasion d'aborder le sujet ne se représentera peut-être pas.

– Qu'est-ce que tu en as fait ? veut-il savoir.

– Je l'ai détruit. Aujourd'hui, sur le chantier. Ça m'a semblé l'endroit le plus sûr.

Une ombre de déception passe dans son regard, mais il hoche la tête.

– Bien. Ça vaut mieux. Surtout en ce moment.

Il fait référence à la visite des Officiels. Tout à coup, la question qui me brûle les lèvres m'échappe :

– Comment as-tu pu perdre ce prélèvement ?

Mon père enfouit son visage dans ses mains, un geste si brusque et désespéré que je recule d'un pas.

– Je ne l'ai pas perdu.

Il prend une profonde inspiration. Je n'ai pas

envie d'entendre la suite, mais je n'arrive pas à l'interrompre.

– Je l'ai détruit. Il me l'a fait promettre, l'autre jour. Il voulait rester maître de sa mort.

Je me raidis en entendant le mot « mort », mais mon père n'a pas terminé.

– Il ne voulait pas qu'ils soient en mesure de le ramener un jour. Il souhaitait pouvoir choisir ce qui lui arrivait.

Je réplique d'un ton amer :

– Mais toi aussi, tu avais le choix. Tu n'étais pas obligé d'obéir. Et maintenant, il a disparu à jamais.

Disparu. Comme le poème de Dylan Thomas. J'ai eu raison de le détruire. Que voulait-il que j'en fasse ? Dans la famille, on n'est pas des rebelles. Quel acte de rébellion a-t-il commis à part le fait minime d'avoir conservé ce texte ? De toute façon, il n'y a aucune raison de se révolter. Regardez ce que la Société nous offre. Une vie heureuse. L'espoir de devenir immortel. Et tout ça, il n'y a que nous qui pouvons le gâcher. C'est ce que mon père a fait, à la demande de mon grand-père.

Alors que je me rue à l'intérieur, les yeux brûlants de larmes, je comprends dans le fond pourquoi il a choisi d'obéir à son père. Je fais pareil lorsque j'essaie de me remémorer les vers du poème ou d'être forte pour résister à l'envie de prendre une pilule verte.

Difficile de savoir où réside la force. Est-ce être faible d'avoir lâché le papier, de l'avoir regardé voler vers la mort en silence, aussi blanc et plein de promesses qu'une graine de peuplier ? Est-ce être faible de laisser ainsi mes pensées vagabonder en pensant à Ky Markham ? De se rappeler exactement où il a posé sa main sur mon bras ?

Quel que soit ce que je ressens pour lui, il faut que ça cesse. Immédiatement. Je suis promise à Xander. Peu importe que Ky connaisse des endroits où je ne suis jamais allée, peu importe qu'il ait pleuré pendant la projection. Ou qu'il sache que j'ai lu de la poésie, cachée dans les bois. Il faut suivre les règles, ne pas prendre de risques. C'est ça l'important. Je dois être forte.

Je dois oublier l'instant où il a dit « chez moi » en me regardant dans les yeux.

13

– Cassia Reyes, dis-je en tendant ma carte.

L'employé enregistre le code-barres de mon plateau métallique avec son infopod avant de me donner mon dîner.

L'appareil bipe à nouveau lorsque Xander prend le sien.

– Tu vois Em quelque part ? Ou Piper ou Ky ?

Un patchwork de couvertures est étalé dans la cour de l'école primaire. C'est un vrai pique-nique : on mange dehors, assis par terre. Les employés s'affairent autour de nous pour remettre à chacun le plateau qui lui est destiné. Ça semble délicat, voilà sans doute pourquoi c'est aussi rare. Il est bien plus facile de livrer les repas chez les gens, dans leur établissement scolaire ou sur leur lieu de travail.

– Piper et Ky n'ont pas dû pouvoir s'inscrire à temps, parce qu'ils travaillaient.

Quelqu'un nous fait signe.

– C'est Em.

Avec Xander, nous nous faufilons entre les couvertures pour la rejoindre, saluant au passage nos camarades de classe et nos amis. Tout le monde est de bonne humeur, enthousiasmé par cette nouvelle activité. Occupée à regarder où je pose les pieds pour ne pas marcher dans l'assiette de quelqu'un, je bouscule Xander qui s'est arrêté. Il se retourne et me sourit par-dessus son épaule.

– J'ai failli lâcher mon plateau.

Je le taquine à mon tour en lui donnant une bourrade. Il se laisse tomber sur la couverture à côté d'Em et se penche pour voir ce que cache son papier alu.

– On a quoi pour le dîner ?

Elle fait la grimace.

– Ragoût viande-légumes.

J'ajoute :

– Et une bonne glace, n'oublie pas !

J'ai presque fini de manger quand quelqu'un hèle Xander de l'autre bout de la cour.

– Je reviens tout de suite, promet-il avant de se lever pour se frayer un chemin dans la foule.

Je le suis des yeux. Les gens se retournent sur son passage, l'interpellent.

Em s'approche pour me murmurer à l'oreille :

– Je ne sais pas ce que j'ai, mais ça ne va pas. J'ai pris la pilule verte ce matin alors que je voulais la garder pour la fin de la semaine.

Je suis sur le point de lui demander pour quelle occasion, mais je me ravise juste à temps. Quelle amie je fais ! Comment ai-je pu oublier ? Son Banquet de couplage ! Elle voulait garder la pilule pour se calmer ce soir-là.

– Oh, Em !

Je lui passe un bras autour du cou. Nous sommes un peu moins proches ces derniers temps, bien malgré nous. Ça arrive quand on commence à avoir nos stages, puis notre affectation définitive. Elle me manque. Surtout dans ce genre d'occasion. Des soirées d'été. Ça me rappelle quand on était petites, qu'on avait tout le temps devant nous. On était inséparables. On faisait toutes les activités ensemble.

Je lui promets :

– Ce sera merveilleux, tu verras. C'est tellement beau. Exactement comme on nous l'a raconté.

– C'est vrai ?

– Oui, je t'assure. Tu as pris quelle robe ?

Ils proposent une nouvelle gamme tous les trois ans, Em a donc dû choisir parmi les mêmes modèles que moi.

– Une jaune, numéro quatorze. Tu t'en souviens ?

Il s'est passé tellement de choses depuis le jour où j'ai essayé les robes dans le bureau du Département de couplage.

– Je ne crois pas, dis-je en fouillant dans ma mémoire.

D'une voix animée, Em me la décrit :

– Elle est jaune très pâle, avec des manches papillon…

Je me rappelle maintenant.

– Ah, oui ! Elle est magnifique. Tu vas être ravissante.

Et je suis sincère. Le jaune lui va très bien, ce sera très joli avec son teint pâle, ses cheveux bruns et ses yeux noirs. Elle sera belle comme un soleil de printemps.

– J'ai tellement peur.

– Je sais. C'est normal.

– Tout a changé depuis que tu es promise à Xander, m'avoue-t-elle. Je me pose des questions…

– Mais tu sais bien que c'est très rare…

– Je sais. On a beau en être tous conscients, n'empêche… ça vous est arrivé.

Em baisse les yeux vers le plateau qu'elle a à peine touché.

Une sonnerie retentit et, machinalement, nous rassemblons nos affaires. Il est temps de se mettre au travail. Em se lève en soupirant, l'air préoccupée. Je n'ai pas oublié comme j'étais stressée avant de connaître mon Promis.

Prise d'un élan soudain, je propose impulsivement :

– Je peux te prêter mon poudrier, si tu veux,

pour ton banquet. Il est doré, ça ira très bien avec ta robe. Je te l'apporterai demain matin.

Em écarquille les yeux.

– Tu as une relique ? Et tu accepterais de me la confier ?

– Bien sûr, tu es une de mes meilleures amies.

De petits plants de néoroses rouges nous attendent dans leurs pots en plastique. L'école primaire est tellement pimpante. Je me rappelle l'intérieur, avec ses murs jaune vif, son carrelage vert et les portes des classes peintes en bleu. C'était rassurant. Quand j'étais petite, je me sentais toujours en sécurité. « Aujourd'hui aussi, je me sens en sécurité. Les poèmes ont disparu. Les problèmes de papa sont derrière nous. Je suis en sécurité ici, et partout ailleurs. »

Sauf peut-être sur cette petite colline où, malgré mes bonnes résolutions, je ne cesse de lancer des regards obliques à Ky. J'aimerais pouvoir discuter avec lui, mais je n'ose pas lui dire autre chose que des banalités.

Je jette un coup d'œil par-dessus mon épaule, mais il n'est pas là.

– C'est quelle espèce de fleurs ? me demande Xander en commençant à creuser.

La terre est épaisse et noire. Elle se brise en grosses mottes quand nous y plantons nos pelles.

– Des néoroses. Tu dois en avoir dans ton jardin, parce qu'on en a, nous.

J'omets de préciser que ma mère ne les apprécie guère. Elle trouve que les plantes qui fleurissent les jardins et les espaces verts de la Ville ont subi trop d'hybridations, qui les ont éloignées de leur aspect naturel. Autrefois, les anciennes roses réclamaient le plus grand soin ; c'était un défi de faire pousser les plus belles. Cette nouvelle génération a été sélectionnée pour sa résistance et sa facilité d'entretien.

– Il n'y a pas de néoroses dans les Campagnes, m'a expliqué ma mère. On a d'autres plantes, des fleurs sauvages.

Quand j'étais enfant, elle me parlait souvent de ces fleurs qui poussaient dans les prés des Campagnes. Il s'agissait plus de descriptions que d'histoires, car il n'y avait pas d'intrigue. Mais c'était beau, et ça m'aidait à m'endormir.

– La carotte sauvage, disait-elle d'une voix douce, dont la racine se mange lorsqu'elle est encore jeune, donne de petites fleurs blanches, étoilées, comme de la dentelle. Imagine toutes ces petites fleurs légères ; il y en a trop, tu ne peux même pas les compter…

Xander me tend un plant que je tire de son petit pot en plastique. Les racines se sont entortillées à l'intérieur car elles n'avaient nulle part où aller. J'essaie de les déployer avant de planter la fleur dans la terre. Ça me rappelle la boue qui colle à nos semelles au stage de randonnée. Ce qui me ramène à Ky. Encore et toujours.

Je me demande où il est. Tout en plantant les fleurs et en bavardant avec Xander, je l'imagine en train de travailler pendant que nous nous amusons. Ou en train d'écouter de la musique dans l'auditorium désert. De se faufiler dans la salle de jeux bondée pour faire une partie qu'il perdra sûrement. Je le vois assis dans la salle de projection, les larmes aux yeux. « Non. » Je chasse ces images de mon esprit. Il faut que j'arrête. Mon choix est fait.

Ce n'est pas vrai. Je n'ai jamais eu le choix.

Xander se rend bien compte que je ne l'écoute pas aussi attentivement que je le devrais. D'un coup d'œil, il vérifie que personne ne peut entendre et murmure :

– Tu t'inquiètes pour ton père ?

Mon père.

– Je ne sais pas.

C'est la stricte vérité. Je ne sais pas ce que je ressens. La colère commence à faiblir, presque malgré moi, remplacée par la compréhension et l'empathie. Si grand-père m'avait demandé de lui rendre un dernier service, les yeux dans les yeux, aurais-je été capable de refuser ?

La nuit tombe, obscurcissant peu à peu le ciel. Il fait à peine jour lorsque la sonnerie retentit à nouveau. Nous nous relevons pour contempler notre travail : les parterres de fleurs flamboyants ondulent sous la brise légère dans la pénombre.

Je déclare :

– Ce serait chouette de pouvoir faire ça tous les samedis.

C'est satisfaisant, cette impression de créer quelque chose de beau. J'ai les mains sales, qui sentent la terre et les néoroses. J'aime cette odeur, bien que ma mère regrette le parfum plus subtil et délicat des vraies roses anciennes. Celles-ci tiennent plus longtemps, et alors ? Où est le mal ? Quel mal y a-t-il à durer ?

En admirant mon œuvre, je réalise soudain que toute ma famille a consacré sa vie au classement. Nous n'avons jamais fait autre chose. Aucune créativité. Mon père trie les reliques, comme le faisait mon grand-père ; mon arrière-grand-mère a trié les poèmes. Mes grands-parents des Campagnes ont planté des graines, cultivé des champs, mais ils faisaient seulement pousser ce que les Officiels leur ordonnaient, tout comme ma mère à l'arboretum.

Comme nous ce soir.

En fin de compte, je n'ai rien créé du tout. Je me suis contentée d'obéir et de suivre les règles et il en a résulté quelque chose de beau. Ce que les Officiels nous avaient promis.

– Voilà les glaces, annonce Xander.

Des employés poussent des chariots réfrigérés sur le trottoir. Xander nous prend par la main, Em et moi, et nous entraîne dans la file la plus proche.

C'est moins compliqué que de nous servir nos plateaux car il n'y a qu'une seule sorte de glace. Chaque repas est personnalisé, contenant la juste quantité de calories et de vitamines nécessaire pour la personne qui va le consommer. Les glaces n'apportent rien.

Em rejoint un ami qui l'appelle, tandis que Xander et moi, nous nous installons un peu à l'écart des autres, adossés aux murs de l'école. Xander croise ses longues jambes, ses chaussures sont en bout de course. Il va sûrement en recevoir une nouvelle paire bientôt.

Attaquant sa boule de glace blanche avec sa cuillère, il soupire :

– Je serais prêt à planter des kilomètres de fleurs pour ça.

Je suis d'accord. Froide et sucrée, la glace glisse avec délice sur ma langue, dans ma gorge, dans mon estomac où je la sens encore longtemps après qu'elle a fondu. Mes doigts ont l'odeur de la terre et mes lèvres, de la vanille. Tous les sens en éveil, je me demande comment je vais arriver à m'endormir ce soir.

Xander me tend sa dernière cuillerée.

Je proteste :

– Non, c'est pour toi !

Mais il insiste. Son sourire est si chaleureux que je n'ose pas le repousser.

J'avale l'ultime morceau de glace. En principe, nous n'avons pas le droit de faire goûter aux autres nos vrais repas mais, ce soir, c'est toléré. Les Officiels qui nous supervisent ne tiqueront pas.

– Merci, je murmure.

La générosité de Xander m'émeut tellement que j'ai envie de pleurer ; alors, à la place, je plaisante :

– J'ai mangé dans ta cuillère. C'est presque comme si on s'était embrassés.

Xander lève les yeux au ciel.

– Alors c'est que tu n'as jamais embrassé personne.

– Bien sûr que si.

Nous sommes quand même des adolescents. Avant le Banquet de couplage, nous avons le droit de flirter, d'avoir des petites histoires d'amour ou de faire des jeux où on s'embrasse. Mais ça ne va pas plus loin, car nous savons qu'un jour on nous présentera notre Promis. Sauf si nous restons Célibataires ; dans ce cas, les jeux pourront durer indéfiniment.

D'un ton taquin, je demande :

– Il y a une règle concernant les baisers dans les conseils relationnels ? Un paragraphe qui m'aurait échappé ?

L'étincelle de malice qui brille dans ses yeux répond à ma question. Il se penche vers moi pour chuchoter :

– Il n'y a pas de règles, Cassia. Nous sommes promis.

Ce n'est pourtant pas la première fois que je vois Xander, mais jamais je ne l'ai dévisagé de si près, dans la pénombre, avec le cœur qui bat la chamade et une drôle de sensation au creux du ventre. Je jette un coup d'œil aux alentours, mais personne ne s'intéresse à nous et, de toute façon, dans la lumière du crépuscule, ils ne distingueraient que deux silhouettes assises côte à côte.

Je me penche aussi vers lui.

Si j'avais besoin d'être rassurée sur le fait que la Société sait ce qu'elle fait, que Xander est bien le partenaire idéal pour moi, le goût de ses baisers achèverait de me convaincre. C'est si bon, si tendre, encore meilleur que je ne l'avais espéré.

Une sonnerie retentit dans la cour de l'école. Xander et moi, nous nous écartons, toujours les yeux dans les yeux.

– Il nous reste une demi-heure de quartier libre, annonce-t-il en consultant sa montre, pas du tout gêné.

– Dommage qu'on ne puisse pas rester ici.

Il fait doux. Et pourtant, l'air du dehors est naturel, ni rafraîchi ni réchauffé mécaniquement. Je serre les lèvres, pour retenir le goût du baiser de Xander, mon premier vrai baiser.

– Ils ne voudront pas, répond-il.

Il a raison. Ils ramassent déjà les pots de glace vides, en nous exhortant à quitter les lieux parce qu'il commence à faire nuit.

Em abandonne son groupe d'amis pour nous rejoindre d'un pas gracieux.

– Ils vont assister à la fin de la projection, mais moi, je l'ai assez vue. Vous faites quoi ?

En posant la question, soudain, elle rougit légèrement. Elle vient de se rappeler que Xander et moi, nous sommes couplés. Elle avait oublié et maintenant elle s'en veut de nous avoir dérangés.

Mais Xander répond gentiment :

– On n'a pas le temps d'aller à la salle de jeux. Mais il y a un auditorium à une station d'ici. On pourrait y passer.

Soulagée, Em me jette un regard. Je lui souris. Il n'y a aucun problème. C'est toujours notre amie.

En marchant jusqu'à la station d'aérotrain, je réfléchis. Avant, nous formions une petite bande. Puis Ky a reçu son affectation, Piper aussi. Je ne sais pas où est Sera ce soir. Em est là, mais un jour viendra où elle aura également autre chose à faire. Et il ne restera plus que Xander et moi.

Cela fait des mois que je n'ai pas mis les pieds dans un auditorium. À ma grande surprise, celui-ci est rempli de gens en tenue bleue. Des employés, jeunes et vieux, qui viennent de finir leur service. J'imagine que c'est normal : avec si peu de temps, c'est le seul endroit où aller. Ils doivent s'arrêter en rentrant du travail. Certains discutent. D'autres se sont même assoupis, je remarque leur tête renversée en arrière, leurs traits fatigués. Mais ça ne dérange personne.

Ky est là.

Je le repère presquc immédiatement dans cet océan de bleu, sans même l'avoir cherché des yeux. Il nous voit également et nous fait signe, mais sans se lever.

Nous nous installons près de l'entrée, Em, Xander et moi. Em questionne Xander sur le banquet. Il lui raconte avec humour qu'il a eu un mal fou à mettre ses boutons de manchette, qu'il n'arrivait pas à nouer sa cravate. J'essaie d'ignorer Ky mais, du coin de l'œil, je le vois qui se lève pour nous rejoindre. Je lui adresse un petit sourire lorsqu'il s'assied à côté de moi.

– Je ne savais pas que tu aimais la musique.

– Je viens souvent, m'explique-t-il. Comme beaucoup d'employés, tu l'as sûrement remarqué.

– Ce n'est pas un peu ennuyeux, à la longue ?

La voix claire de la femme qui chante flotte au-dessus de nous.

– Enfin, je veux dire, les Cent Chansons, on les connaît toutes.

– Non, c'est chaque fois différent, m'explique-t-il.

– Ah, bon ?

– Oui, tu perçois différemment la musique selon ton humeur du jour.

Je ne suis pas sûre de bien le suivre mais, soudain, Xander me tire par le bras en murmurant :

– Tu as vu Em ?

Elle tremble, la respiration haletante. Xander se lève pour lui laisser sa place afin qu'elle soit au centre du groupe.

Je me penche vers elle instinctivement et Ky fait de même. C'est la deuxième fois que nous nous touchons et, malgré la situation, je ne peux m'empêcher de le remarquer. De souhaiter qu'il se penche encore davantage, alors que j'ai encore le goût du baiser de Xander sur les lèvres.

Nous nous resserrons autour d'Em. Mieux vaut que personne ne voie ce qui lui arrive. Pour son bien. Pour le nôtre. Je jette un regard aux alentours. L'Officiel en charge de l'auditorium n'a rien remarqué. Il y a tellement de monde. Nous avons donc un peu de temps.

– Prends ta pilule verte, Em, lui conseille doucement Xander. C'est une crise d'angoisse. J'ai déjà assisté à ça au Centre médical. Il suffit d'une pilule pour se calmer, mais parfois les gens sont tellement paniqués qu'ils oublient de la prendre.

Malgré sa voix assurée, il se mord les lèvres. Il s'inquiète pour Em, mais il n'est pas censé parler de son travail à ceux qui ne suivent pas la même voie.

Je chuchote :

– Impossible, elle l'a déjà prise aujourd'hui. Elle n'a pas pu en remettre une dans son étui.

Je n'ajoute pas qu'elle risque d'avoir des ennuis si elle en prend deux par jour.

Xander et Ky échangent un regard. Je n'ai jamais vu Xander aussi hésitant. Il faut pourtant qu'il fasse quelque chose. Il en est capable. Une fois, un enfant est tombé dans notre rue. Il était en sang. Xander a tout de suite réagi, sans ciller. Il a fait tout ce qu'il fallait en attendant que les ambulanciers arrivent pour l'emmener au Centre médical.

Ky ne bouge pas non plus. Ça commence à m'énerver.

Qu'est-ce que vous faites ? Il faut l'aider !

Sans cesser de fixer Xander, Ky articule sans bruit :

– Donne-lui la tienne.

Xander ne comprend pas tout de suite, puis nous réalisons ce qu'il a voulu dire exactement en même temps.

La différence, c'est qu'il n'hésite pas une seule seconde.

– Bien sûr, murmure-t-il en sortant son étui à pilules.

Maintenant qu'il sait ce qu'il faut faire, il agit vite, bien, efficacement, c'est Xander.

Il glisse sa pilule verte entre les lèvres d'Em. J'ai l'impression qu'elle ne se rend pas compte de ce qui se passe. Elle tremble tellement, elle a l'air terrorisée. Elle avale machinalement. Elle ne doit même pas sentir le goût dans sa bouche.

Presque aussitôt, son corps se détend.

– Merci, nous dit-elle en fermant les yeux. Désolée, je m'inquiète trop pour le banquet. Désolée.

– C'est bon, dis-je en regardant Ky puis Xander.

À eux deux, ils ont géré la situation. Un instant, je me suis demandé pourquoi Ky ne lui avait pas directement donné la sienne, puis je me suis souvenue. Il est classé Aberration. Et les Aberrations n'ont pas d'étui à pilules.

Xander est-il au courant ? Ky vient-il de se démasquer ?

Je ne crois pas. Xander n'a aucune raison de supposer cela. C'est normal qu'il donne sa pilule à Em parce qu'il la connaît depuis plus longtemps que Ky. Il se rassoit pour lui prendre le pouls, les doigts sur son poignet délicat. Puis il lève les yeux vers nous et hoche la tête.

– Elle va mieux.

Je prends Em dans mes bras, fermant également les yeux pour écouter la musique. Le précédent morceau est fini, maintenant c'est l'hymne de la Société, avec ses lourdes basses et le chœur qui se prépare pour le dernier couplet. Sur un ton triomphant, ils chantent d'une seule voix. Comme nous. Nous formons un cercle autour d'Em pour la protéger du regard des Officiels. Cette histoire de pilule verte restera entre nous.

Je suis contente que ça finisse bien, contente de lui prêter mon poudrier pour le banquet. Quel est l'intérêt de posséder un objet aussi beau si on ne peut partager ce plaisir ?

C'est un peu comme avoir un poème, un beau poème violent et fort que personne d'autre ne connaît, et finir par le brûler.

Au bout d'un moment, je rouvre les yeux et jette un regard vers Ky. La musique est douce, lente. Je vois sa poitrine se soulever. Ses cils sont bruns, immensément longs, exactement de la même couleur que ses cheveux.

Il a raison. Dorénavant, lorsque j'entendrai cette chanson, ce ne sera plus jamais pareil.

14

Au travail, le lendemain, l'arrivée des Officiels en uniforme blanc ne passe pas inaperçue. Tel un parcours de dominos, l'un après l'autre, nous tournons la tête vers la porte du Centre de classement. Ils viennent me voir. Tout le monde le sait. Sans attendre, je me lève, les yeux fixés sur eux.

C'est l'heure de mon examen. Ils me font signe de les suivre.

J'obéis, le cœur battant mais la tête haute. J'entre dans une pièce grise exiguë meublée d'une seule chaise devant plusieurs petites tables.

Alors que je m'assieds, Norah apparaît sur le seuil. Un peu tendue, elle me sourit d'un air encourageant avant de demander :

– Vous avez besoin de quelque chose ?

– Non, merci, répond un Officiel aux cheveux gris qui semble bien plus âgé que les deux autres. Nous avons apporté ce qu'il nous faut.

Ils préparent tout en silence. Visiblement, celui qui a pris la parole est le responsable. Les autres, deux femmes, sont efficaces et discrètes. Elles me collent un capteur derrière l'oreille et un autre dans l'encolure de mon T-shirt. Je ne dis rien. Même quand le gel qu'elles utilisent me pique la peau.

Puis elles reculent et le responsable pose un écran devant moi sur la table.

– Prête ?

– Oui, dis-je d'une voix que j'espère posée et claire.

Je me redresse, bien droite sur ma chaise. Il suffit peut-être que je fasse comme si je n'avais pas peur pour qu'ils le croient. Mais les capteurs qui enregistrent mon pouls risquent de leur révéler le contraire.

– Alors vous pouvez y aller.

Ça commence par un classement numéral tout simple, pour m'échauffer. Ils sont honnêtes. Ils me laissent me mettre en condition avant de me proposer des épreuves plus compliquées.

Tandis que je classe les nombres qui apparaissent sur l'écran, repérant des schémas répétitifs au milieu du chaos, mon rythme cardiaque s'apaise. Je fais le vide, j'oublie tout le reste : le baiser de Xander, ce qu'a fait mon père, les questions que je me pose sur Ky, la crise d'Em à l'auditorium, les doutes qui m'assaillent sur qui je suis et qui je suis censée aimer.

Je lâche prise, comme un enfant qui lâche une grappe de ballons pour célébrer sa première rentrée à l'école primaire. Ils s'envolent, taches vives dansant dans la brise, mais je ne les suis pas du regard, je n'essaie pas de les rattraper. Il faut que je fasse le vide pour donner le meilleur de moi-même et répondre à leurs attentes.

– Excellent, commente l'Officiel le plus âgé en consultant mon score. Tout à fait excellent. Merci, Cassia.

Les deux autres m'ôtent les capteurs. Maintenant, elles peuvent sourire quand elles croisent mon regard sans craindre d'être accusées de partialité. L'examen est terminé. Et il semble que je l'aie réussi.

– Ce fut un plaisir, déclare l'Officiel aux cheveux gris en me tendant la main par-dessus la petite table.

Je me lève pour la serrer et saluer également les deux femmes. Je me demande si le soulagement qui me submerge est visible. L'adrénaline qui court dans mes veines me galvanise.

– Une très belle démonstration de classement, commente-t-il.

– Merci, monsieur.

En se dirigeant vers la porte, il se retourne une dernière fois pour dire :

– Nous vous avons à l'œil, jeune fille.

Et il ferme la porte métallique derrière lui. Un bruit lourd, plein, définitif. Dans le silence qui s'ensuit, je réalise soudain pourquoi Ky préfère se fondre dans l'anonymat. C'est assez étrange de savoir que les Officiels me surveillent de près. Comme si le poids de cette porte pesait maintenant sur mes épaules, écrasant.

Le soir du Banquet de couplage de mon amie Em, je me couche tôt et je m'endors immédiatement. C'est à mon tour de porter les capteurs, j'espère qu'ils transmettront des données conformes aux cycles de sommeil d'une fille de dix-sept ans parfaitement normale.

Dans mes rêves, je revis mon examen. Le visage d'Em apparaît sur l'écran et je suis censée la classer dans un panel de couplage. Je me fige. Mes mains se figent. Mon cerveau se fige.

– Un problème ? s'inquiète l'Officiel aux cheveux gris.

– Je ne sais pas comment la classer.

En voyant Em sur l'écran, il sourit.

– Ah, elle ! Ce n'est pas grave. Elle a votre poudrier, non ?

– Oui.

– Elle a mis ses pilules dedans, comme vous. Dites-lui simplement de prendre la rouge et tout se passera bien.

Soudain, je me retrouve au banquet, slalomant entre les filles en robe, les garçons en costume et les parents en tenue de jour ordinaire. Je joue des coudes, je les pousse, je les agrippe pour essayer de voir leur visage, car tout le monde est en jaune, tout se fond, tout est flou. Je ne peux pas classer, je ne vois rien.

J'oblige une fille à se retourner.

Ce n'est pas Em.

Sans faire exprès, je bouscule un serveur et renverse son plateau en essayant d'en rattraper une autre, à la démarche gracieuse. Le gâteau tombe par terre, en miettes, comme une motte de terre qui se détache des racines d'une plante.

Ce n'est pas Em.

La foule est moins dense. J'aperçois une fille en robe jaune, toute seule, plantée devant un écran noir.

Em.

Elle est au bord des larmes.

– Ça va aller ! crié-je en me frayant un chemin jusqu'à elle. Prends une pilule et tout ira bien.

Les yeux brillants, elle sort mon poudrier, en tire la pilule verte et la glisse vite dans sa bouche.

Je hurle mais trop tard.

– Non ! La…

Elle prend la bleue et l'avale tout rond.

– … rouge ! dis-je en arrivant auprès d'elle.

– Je n'en ai pas, dit-elle en tournant le dos à l'écran.

L'air accablée, elle me tend le poudrier ouvert, vide.

– Je n'ai pas de pilule rouge.

Je m'empresse de proposer :

– Tiens, voilà la mienne.

Cette fois, je ne vais pas rester assise à ne rien faire, je vais l'aider. J'ouvre mon étui pour déposer la pilule rouge dans sa paume.

– Oh, merci, Cassia, dit-elle en la portant à ses lèvres.

Elle l'avale.

Dans la salle, tout le monde s'est figé. Tous les yeux sont rivés sur nous, sur Em. Que va lui faire la pilule rouge ? Personne ne le sait, à part moi. Je souris. Certaine que ça va la sauver. Derrière elle apparaît sur l'écran le visage de son Promis… juste à temps pour la voir s'écrouler, raide morte. En tombant, son corps fait un bruit lourd qui contraste avec la légèreté de sa robe dont les pans se déploient autour d'elle comme des ailes.

Je me réveille trempée de sueur et glacée. Il me faut plusieurs minutes pour me calmer. Les Officiels ont eu beau balayer d'un éclat de rire les rumeurs qui voulaient que la pilule rouge soit mortelle, ils ne les ont jamais fait taire. Ce qui explique pourquoi je viens de rêver que je tuais mon amie.

Mais ce n'est pas parce que j'en ai rêvé que c'est vrai.

Les capteurs de sommeil me collent à la peau, ça m'ennuie de devoir les porter cette nuit. Au moins, ce n'est pas un cauchemar récurrent, on ne peut pas m'accuser d'en faire une obsession. De toute façon, je ne pense pas qu'ils puissent savoir exactement de quoi j'ai rêvé. Simplement que j'ai eu un sommeil agité. Et une adolescente qui fait un cauchemar de temps en temps, cela n'a rien d'extraordinaire. Ça ne sera pas inscrit en rouge dans mon dossier.

Mais l'Officiel aux cheveux gris a dit qu'ils m'avaient à l'œil.

Je fixe l'obscurité. J'ai un poids sur la poitrine qui me gêne pour respirer, pas pour penser.

Depuis le Banquet final de grand-père, le mois dernier, je n'ai cessé d'alterner entre regretter qu'il m'ait donné ce papier et m'en réjouir. Parce que, au moins, j'ai les mots qu'il faut pour décrire ce qui se passe au fond de moi : la mort de la lumière.

Si je n'arrivais pas à nommer cette sensation, je serais sans doute incapable de la décrire, et peut-être même de l'éprouver.

Prenant la nouvelle microcarte que l'Officielle du Département de couplage m'a remise, je descends sans bruit au port de communication. J'ai besoin de voir le visage de Xander pour me rassurer.

Mais je m'arrête net. Ma mère est devant

l'écran, en train de dialoguer avec quelqu'un. Qui peut la contacter à cette heure de la nuit ?

Mon père m'aperçoit du canapé du salon où il attend que maman ait fini. Il me fait signe de venir m'asseoir à côté de lui. Remarquant la microcarte au creux de ma main, il me taquine comme le ferait n'importe quel père au monde.

– Tu ne l'as pas assez vu toute la journée en cours ? Tu veux l'admirer juste avant d'aller te coucher ?

Il me serre dans ses bras.

– Je comprends. J'étais pareil avec ta mère. À l'époque, on avait le droit d'imprimer une photo tout de suite, on n'était pas obligés d'attendre le premier rendez-vous.

– Qu'est-ce qu'ont dit tes parents en apprenant que maman venait des Campagnes ?

Mon père ne répond pas immédiatement.

– À vrai dire, ils étaient un peu inquiets. Ils n'avaient jamais envisagé cette possibilité. Mais ça n'a pas duré longtemps.

Il sourit, ce sourire rêveur qui lui monte aux lèvres dès qu'il parle d'amour.

– Dès notre première rencontre, ils ont été ravis. Il fallait voir ta mère !

– Pourquoi le premier rendez-vous a-t-il eu lieu en Ville plutôt que dans les Campagnes ?

En principe, la coutume veut que la première rencontre ait lieu près de chez la Promise. En présence d'un Officiel du Département de couplage, chargé de s'assurer que tout se passe bien.

– C'est elle qui a insisté pour venir ici, même si ça lui faisait loin. Elle voulait voir la Ville. Avec l'Officiel et mes parents, nous sommes allés la chercher à la gare.

Il s'interrompt, se remémorant sans doute la scène, revoyant ma mère descendre de l'aérotrain.

– Et ?

J'insiste, un peu impatiente, pour lui rappeler que je suis là et que j'ai envie d'avoir des détails sur ce couplage qui a abouti à ma naissance.

– Quand elle est descendue du train, ta grand-mère m'a dit : « Son visage est encore baigné de soleil. »

Mon père lâche un soupir heureux.

– C'était vrai. Je n'avais jamais rencontré personne d'aussi chaleureux, d'aussi vivant. Mes parents n'ont plus jamais exprimé aucun doute à son sujet. Je crois qu'on est tous tombés amoureux d'elle ce jour-là.

Ma mère toussote, nous n'avions pas remarqué sa présence.

– Et moi de même, répond-elle.

Elle paraît un peu triste. Peut-être parce qu'elle pense à grand-père ou à grand-mère ou aux deux. Avec mon père, et peut-être l'Officiel qui a supervisé la rencontre, ils sont dorénavant les seuls à pouvoir se remémorer cette soirée.

– Qui t'a appelé si tard sur le port ?
– Quelqu'un du travail, répond-elle.
L'air lasse, elle s'assied à côté de mon père en posant sa tête sur son épaule, tandis qu'il la prend par le cou.
– Je dois partir en déplacement demain.
– Pourquoi ?
Ma mère bâille, écarquillant ses grands yeux bleus. Comme elle travaille dehors, elle a toujours le teint hâlé. Elle paraît cependant plus âgée que d'habitude et, pour la première fois, j'aperçois quelques fils gris dans son épaisse chevelure blonde, quelques ombres parmi les rayons de soleil.
– Il est tard, Cassia. Tu devrais être couchée. Et moi aussi. Je vous expliquerai ça demain matin, à toi et à ton frère.
Je ne proteste pas. Refermant la paume sur ma microcarte, je murmure :
– D'accord.
Avant que je remonte dans ma chambre, ma mère m'embrasse pour me souhaiter bonne nuit.
Une fois dans mon lit, je tends l'oreille. Ça m'inquiète qu'elle doive voyager. Pourquoi maintenant ? Où va-t-elle ? Combien de temps sera-t-elle partie ? On l'envoie rarement en déplacement pour son travail.
– Alors ? demande mon père à voix basse dans la chambre voisine. Tout va bien ? Ça

fait longtemps qu'on n'avait pas reçu un appel aussi tard.

– Oui… On dirait que quelque chose se trame, j'ignore quoi. Ils ont demandé à des employés de différents arboretums d'aller examiner des plantations dans celui de la province de Grandia.

Sa voix est chantante, signe qu'elle est épuisée. Ça me rappelle les histoires de fleurs qu'elle me racontait autrefois et qui me rassuraient. Elle n'a pas l'air inquiète, alors ce n'est sans doute pas grave. Ma mère est l'une des personnes les plus intelligentes que je connaisse.

– Tu pars combien de temps ? la questionne mon père.

– Une semaine maximum. Tu crois que ça ira pour Cassia et Bram ? Ça fait un peu long.

– Ils comprendront.

Après un silence, mon père reprend :

– Cassia a toujours l'air contrariée par cette histoire de prélèvement.

– Je sais. Ça m'ennuie.

Ma mère soupire doucement, mais je l'entends tout de même à travers la cloison.

– Il peut t'arriver de commettre une erreur. Elle finira par se faire une raison.

« Comment ça, une erreur ? Ce n'était pas une erreur. » Soudain, je réalise ce que ça signifie. « Elle n'est pas au courant. Il ne lui a pas dit. Il lui cache des choses. »

Une affreuse idée me traverse aussitôt l'esprit. « Alors, finalement, leur couple n'est pas parfait. »

Je l'ai à peine pensé que je le regrette. Si leur couple n'est pas parfait, alors que dire du mien ?

Le lendemain, un nouvel orage ébranle le feuillage des érables et trempe les parterres de néoroses. Je suis en train de prendre mon petit déjeuner – des flocons d'avoine fumants dans leur barquette en papier alu – quand j'entends le port annoncer :

– Cassia Reyes, votre activité de loisirs, la randonnée, est annulée en raison des conditions météorologiques. Veuillez vous rendre à l'école secondaire pour deux heures d'étude en remplacement.

Pas de stage, donc pas de Ky.

Je marche jusqu'à la station d'aérotrain sous la pluie. L'air est chargé d'humidité et mes cheveux auburn se mettent à frisotter. Je lève les yeux vers le ciel, complètement obscurci par les nuages ; pas la moindre trouée bleue.

Je ne croise personne à bord de l'aérotrain. Ni Em, ni Xander, ni Ky. Ils ont dû en prendre un autre, ou ne sont pas encore partis. Mais j'ai l'impression d'avoir raté, oublié quelque chose... quelqu'un...

Peut-être est-ce moi qui ne suis pas vraiment là.

Une fois à l'école, je monte directement à la bibliothèque, où plusieurs ports de communication sont à notre disposition. Je veux en savoir plus sur Dylan Thomas et Lord Alfred Tennyson, découvrir si certains de leurs poèmes ont été sélectionnés dans la liste. Je ne pense pas, mais je préfère vérifier.

Mes doigts frôlent l'écran, j'hésite. Le moyen le plus rapide serait de taper leur nom, mais ma recherche serait enregistrée et on pourrait remonter jusqu'à moi. C'est beaucoup moins risqué de consulter la base de données des Cent Poèmes. Si je passe en revue les fiches l'une après l'autre, on croira que je prépare un devoir tout simplement.

C'est assez long et fastidieux, mais j'arrive enfin aux auteurs commençant par un T. Il y a un poème de Tennyson, que je n'ai pas le temps de lire. Il n'y a rien de Thomas. Il y a un Thoreau. Il me suffit de toucher son nom pour que son poème apparaisse, *La Lune*. S'il en a écrit d'autres, ils ont disparu à jamais.

Pourquoi grand-père m'a-t-il confié ces poèmes ? Était-ce une sorte de message ? Souhaite-t-il que je rage et m'enrage ? Qu'est-ce que ça signifie ? Suis-je censée me rebeller contre l'autorité ? Autant me demander de me suicider ! Parce que ce serait du suicide, purement et simplement. Je ne mourrais pas, mais si j'enfreignais les règles, ils me priveraient de tout ce à quoi je tiens. Un Promis. Une famille à moi. Un bon poste. Je n'aurais rien. Ce n'est sans doute pas ce que grand-père souhaitait.

Je n'arrive pas à comprendre. J'ai eu beau réfléchir des heures, retourner ces vers en tous sens dans ma tête. Dommage que je ne puisse pas les revoir sur le papier. J'ai l'impression que ce serait différent si je les avais sous les yeux.

Je me suis cependant rendu compte d'une chose : même si j'ai fait ce qu'il fallait – brûler les poèmes pour essayer de les oublier –, ça n'a pas fonctionné. Ce ne sont pas des mots dont on se débarrasse aussi facilement.

Dès que j'aperçois Em dans le réfectoire, je suis soulagée. Rayonnante, elle me fait signe. Son banquet s'est donc bien passé. Elle n'a pas paniqué. Elle a survécu. Elle n'est pas morte.

Je me faufile dans la queue pour vite m'installer à côté d'elle.

– Alors, dis-je, bien que je connaisse déjà la réponse, c'était comment ?

Elle illumine la pièce de sa présence. À notre table, tout le monde sourit.

– Parfait.

– Tu n'es pas promise à Lon, finalement ?

C'est une plaisanterie. Le banquet de Lon a eu lieu il y a plusieurs mois déjà.

Em se met à rire.

– Non, il s'appelle Dalen. Il vit dans la province d'Acadia.

C'est une région très boisée, dans l'Est, à des kilomètres des collines et des vallées d'Oria. À Acadia, il y a des rochers et la mer. Des choses qu'on ne connaît pas par ici.

– Et…

Je me penche, imitée par les autres. Nous sommes tous impatients d'avoir des détails sur le garçon qu'Em va épouser.

– Quand il s'est levé, je me suis dit : « Ce n'est pas possible, il n'est pas pour moi. » Il est grand, il m'a souri, pas du tout stressé.

– Alors, il est beau ?

– Oh, oui !

Em sourit.

– Et il n'a pas paru déçu en me découvrant, heureusement.

– Parce que tu en doutais ?

Em est tellement radieuse dans sa tenue de jour marron qu'elle devait être à couper le souffle dans sa robe jaune hier soir.

J'insiste :

– Il est beau, soit, mais il ressemble à quoi ?

Je suis gênée de détecter une pointe de jalousie dans ma voix. Personne ne s'est pressé autour de moi pour savoir à quoi ressemblait Xander.

Il n'y avait aucun mystère, tout le monde le connaissait déjà.

Mais Em ne relève pas.

– En fait, c'est un peu le même genre que Xander..., commence-t-elle avant de s'interrompre.

En suivant son regard, j'aperçois mon Promis à quelques mètres, son plateau à la main, l'air surpris.

Il a dû entendre mon ton envieux.

Il y a vraiment quelque chose qui cloche chez moi.

J'essaie de noyer le poisson.

– Tu sais quoi ? Il paraît que le Promis d'Em te ressemble !

Xander se reprend instantanément.

– Alors il est incroyablement beau garçon !

Il s'assoit à côté de moi, en évitant de me regarder. Ça me met très mal à l'aise. C'est sûr, il a surpris notre conversation.

– Naturellement, s'esclaffe Em. Je ne vois pas pourquoi je me suis fait tant de souci.

Elle rougit légèrement en se rappelant sans doute la soirée à l'auditorium.

– Finalement, tout s'est bien passé, comme vous me l'aviez dit.

– Dommage qu'on n'ait pas le droit d'imprimer une photo tout de suite. J'ai hâte de le voir !

Em nous le décrit, puis nous donne les quelques informations qu'elle a pu lire à son sujet sur la microcarte, mais je ne l'écoute pas vraiment. Je m'en veux d'avoir blessé Xander. J'aimerais qu'il me regarde. Qu'il me prenne la main, mais il reste distant.

Em me retient par la manche en sortant du réfectoire.

– Merci de m'avoir prêté ton poudrier. Ça m'a aidée d'avoir un objet auquel me raccrocher, je crois.

J'acquiesce.

– Ky te l'a bien rendu ce matin ? demande-t-elle.

– Non.

Mon cœur s'arrête brusquement. Où est mon poudrier ? Pourquoi Em ne l'a pas ?

– Il ne te l'a pas donné ?

Elle pâlit brusquement, étonnée.

– Non, pourquoi ?

– Je l'ai croisé dans l'aérotrain après le banquet. Il rentrait du travail. Et comme je voulais te le rendre dès que possible…

Elle prend une profonde inspiration.

– Je savais que tu le verrais au stage de randonnée… et comme je ne pouvais pas te le rapporter immédiatement à cause du couvre-feu…

– On n'a pas eu randonnée ce matin parce qu'il pleuvait.

– C'est vrai ?

Il s'agit de l'une des rares activités d'été qu'on ne peut pas pratiquer lorsqu'il fait mauvais.

Alors qu'on peut, par exemple, nager dans une piscine couverte.

Em est livide.

– J'aurais dû y penser. Mais il aurait pu essayer malgré tout, non ? Il savait à quel point c'était important. Je le lui ai bien dit.

Effectivement. Mais je ne veux pas lui gâcher sa joie. Je ne veux pas qu'elle s'inquiète.

– Il a dû le confier à Aida pour qu'elle le remette à mes parents, fais-je d'un ton que je veux léger. Ou alors, il me le rendra demain au stage.

– Ne t'en fais pas, dit Xander en me regardant dans les yeux, comblant d'un coup le fossé qui s'est creusé entre nous. Ky est digne de confiance.

15

Le lendemain matin, sur le chemin de la station d'aérotrain, l'atmosphère est tonifiante, moins poisseuse. La nuit a balayé ce que la pluie n'avait pas réussi à chasser hier ; l'air est frais. Neuf. Le soleil qui pointe à travers les nuages restants incite les oiseaux à chanter, et moi aussi. Je m'enhardis, baignée de lumière. Qui n'enragerait pas de voir disparaître quelque chose d'aussi beau ?

Je ne suis pas la seule à ressentir cela. Pendant la randonnée, Ky me rejoint à la tête du groupe juste au moment où l'Officier commence à donner ses instructions. Il me glisse le poudrier dans la main. Ses doigts m'effleurent et j'ai l'impression qu'il les laisse là, sur les miens, un peu plus longtemps que nécessaire.

Je range le poudrier dans ma poche.

Encore frissonnante, je m'interroge : « Pourquoi me le remettre à cet endroit ? Pourquoi pas à la maison ? »

Je suis contente d'avoir prêté ma relique à

Em, mais aussi soulagée de la récupérer. C'est le seul lien qui me rattache encore à mes grands-parents et je me jure de ne plus jamais m'en séparer.

J'espère que Ky m'attendra pour marcher dans les bois, mais il n'en fait rien. Lorsque le sifflet de l'Officier retentit, il part sans se retourner et, tout à coup, ma nouvelle assurance s'effrite un peu.

« Tu as retrouvé ton poudrier. Un de retrouvé… »

Ky disparaît complètement derrière les arbres.

« … Un de perdu. »

Trois minutes plus tard, seule dans les bois, je me rends compte que ce n'est pas mon poudrier que Ky m'a restitué. C'est autre chose, je le sens en le sortant de ma poche pour m'assurer qu'il est en bon état. Un objet similaire : doré, un boîtier qui s'ouvre et se referme sous la pression, mais ce n'est pas ma relique, incontestablement.

Il y a des lettres gravées : N, S, E, O et, à l'intérieur, une flèche. Elle tourne, vire et finit par rester pointée sur moi.

Je pensais que les Aberrations n'avaient pas le droit de posséder des reliques, mais on dirait pourtant que Ky en a une. A-t-il fait exprès de me la donner ? Est-ce une erreur ? Dois-je essayer de la lui rendre ou attendre qu'il m'en parle ?

Décidément, il y a beaucoup trop de mystères dans ces bois. Je rayonne, je me sens de nouveau radieuse, je suis prête pour un bain de soleil.

– Monsieur, monsieur ! Lon est tombé, il s'est blessé, je crois, annonce un garçon.

L'Officier marmonne dans sa barbe et nous regarde, Ky et moi, qui sommes les premiers arrivés en haut de la colline.

– Vous deux, restez ici et enregistrez l'arrivée des autres, entendu ?

L'Officiel me tend l'infopod sans me laisser le temps de réagir et se volatilise dans les bois avec le garçon.

J'allais proposer à Ky d'échanger nos reliques, avant de me raviser. Je ne sais pas pourquoi, mais j'ai envie de garder un peu cette mystérieuse flèche virevoltant dans son boîtier doré. Encore un jour ou deux. À la place, je lui demande :

– Qu'est-ce que tu fais ?

Sa main s'agite dans l'herbe, dessine des formes, des courbes, des lignes qui me paraissent familières.

Il me jette un regard pénétrant.

– J'écris.

« Naturellement. » C'est pour ça que j'avais l'impression de reconnaître ces signes.

Il trace des lettres anciennes, toutes rondes, comme celles qui sont gravées sur mon poudrier. J'en ai déjà vu de pareilles mais je ne sais pas les écrire. Personne ne sait. Aujourd'hui, on sait seulement taper sur un écran. On pourrait essayer d'imiter les formes, mais avec quoi ? Nous n'avons plus aucun outil d'autrefois.

Cependant, je me rends compte en regardant Ky qu'on peut s'en fabriquer soi-même.

– Comment as-tu appris à faire ça ?

Je n'ose pas m'asseoir près de lui ; à tout moment quelqu'un pourrait surgir des bois et me demander de l'enregistrer sur l'infopod. Je reste donc aussi près de lui que possible. Il fait une grimace et je réalise que je marche sur ce qu'il écrit. Je recule.

Ky sourit mais ne me répond pas ; il continue.

C'est toute la différence entre nous. Ma vie consiste à classer ; lui possède le pouvoir de créer. Il peut écrire des mots quand il veut. Les faire tournoyer dans l'herbe, les tracer dans le sable, les graver sur un tronc.

– Personne n'est au courant, dit-il. Maintenant, tu connais un de mes secrets, et moi un des tiens.

En pensant à la flèche dans son étui doré, je fais mine de m'étonner :

– Un seul ?

De nouveau, Ky sourit.

Les fleurs sauvages, gorgées de pluie, penchent leurs têtes lourdes vers le sol. Je plonge mon doigt dans l'eau pour essayer d'écrire sur l'une des larges feuilles vertes et luisantes. C'est difficile, laborieux. Mes mains sont habituées à taper sur un écran et non à contrôler mes mouvements pour virevolter ainsi. Je n'ai pas tenu un pinceau depuis une éternité, depuis l'école primaire. L'eau étant transparente, je ne peux pas voir mes lettres ; pourtant, je sais qu'elles ne sont pas belles.

Ky plonge son doigt dans une autre gouttelette et trace sur la feuille un *c* brillant. Il forme la boucle doucement, avec délicatesse.

– Tu veux bien m'apprendre ?

– Je ne suis pas censé le faire.

Je lui rappelle :

– Comme beaucoup d'autres choses.

Des bruits montent des broussailles. Quelqu'un arrive.

J'aimerais tant qu'il me promette d'être mon professeur avant que quiconque ne parvienne au sommet.

– On n'est pas censés connaître des poèmes ni savoir écrire, ni…

Je m'arrête pour insister :

– Tu m'apprendras ?

Ky ne répond pas.

Nous ne sommes plus seuls.

Plusieurs personnes ont atteint le sommet et, des cris qui me parviennent aux oreilles, je déduis que l'Officier et le groupe de Lon ne sont plus très loin.

Pour rentrer le nom des arrivants dans l'info-pod, je m'écarte de Ky. Je me retourne une fois : il est assis, les bras croisés, à contempler le panorama.

Finalement, Lon survivra. L'intervention de l'Officier a désamorcé le drame : il n'a qu'une cheville foulée. Notre superviseur nous conseille tout de même d'aller doucement pour la descente de la colline.

Je veux faire le chemin du retour avec Ky, mais il aide Lon à redescendre. Je me demande pourquoi l'Officier a pris la peine de traîner ce dernier jusqu'au sommet quand je l'entends marmonner quelque chose à propos « des quotas à respecter si on ne veut pas avoir quelqu'un sur le dos ». J'ai beau savoir que les Officiers ont également des comptes à rendre, cela me surprend.

Je marche avec une fille prénommée Livy, extrêmement enthousiaste et bavarde. Tandis qu'elle me conte ses progrès, je revois la main de Ky tracer la courbure du *c*, *c* pour Cassia, comme pour écrire mon prénom, et mon cœur bat la chamade.

Nous rentrons en retard ; je dois me dépêcher pour attraper le train qui me ramènera chez moi, et Ky celui qui le conduira au travail. C'est fini, on n'aura pas l'occasion de se parler à nouveau aujourd'hui. Mais, soudain, je sens quelqu'un me frôler. Et j'entends un mot prononcé si doucement et si discrètement que je me demande s'il l'a dit quand nous étions là-haut ou si c'est le vent qui vient me le souffler.

Ce mot est « oui ».

16

Je commence à bien me débrouiller pour les *c*. Quand j'arrive au stage de randonnée, je grimpe au sommet de la colline en courant presque. Après m'être présentée à l'Officier pour l'enregistrement, je me précipite à l'endroit où Ky et moi, nous nous retrouvons. Sans lui laisser le temps de placer un mot, je saisis un bâton et trace un *c*, juste devant lui, dans la boue.

Je lui demande :

– Et après ?

Il rit un peu.

– Tu n'as pas besoin de moi, tu sais. Tu peux apprendre toute seule. En regardant les lettres sur ton scripteur ou sur ton lecteur.

Je proteste :

– Elles sont différentes. Elles ne sont pas attachées comme les tiennes. J'ai déjà vu ce genre d'écriture, mais j'ignore son nom.

– Cursive. Plus difficile à lire, mais plus belle aussi. On écrivait comme ça autrefois.

– C'est ce que je veux apprendre.

Et non copier les symboles plats et massifs des lettres actuelles. J'aime les courbes et l'amplitude de celles de Ky.

Il observe l'Officier : celui-ci scrute les bois d'un œil impitoyable, déterminé à éviter une autre chute ou blessure aujourd'hui. Les autres vont bientôt arriver.

J'insiste :

– Et après ?

– Le *a*...

Il me prend le bâton des mains afin de me montrer comment tracer le *a* minuscule, encadré par deux petites queues, afin de pouvoir le lier aux lettres précédentes et suivantes.

– ... parce que c'est la deuxième lettre de ton prénom.

« On monte, on fait une boucle, on redescend. »

Doucement, sa main me guide, appuyant sur la mienne pour les lignes descendantes et relâchant un peu la pression pour celles qui montent. Je me mords la lèvre, concentrée. Je n'ose pas respirer tant que le *a* n'est pas terminé, ce qui arrive trop tôt à mon goût.

La lettre est parfaite. Je souffle, hors d'haleine. J'ai envie de regarder Ky mais, au lieu de ça, je baisse les yeux vers nos mains. Sous ce soleil, les siennes ont l'air moins rouges. Elles sont hâlées, puissantes. Déterminées.

Du bruit dans les feuillages. Nous nous écartons aussitôt l'un de l'autre.

Livy fait irruption dans la clairière. Elle n'est jamais arrivée troisième et semble complètement survoltée. Pendant qu'elle discute avec l'Officier, nous nous relevons et effaçons négligemment ce que nous avons écrit en le piétinant.

– Pourquoi m'enseignes-tu d'abord les lettres de mon prénom ?

– Parce que, même si tu n'apprends que ça, ce sera déjà quelque chose.

Il penche la tête en avant pour m'observer et me demander :

– Tu voudrais apprendre à écrire autre chose ?

Lorsque j'acquiesce, ses yeux s'illuminent. Il a compris.

– Le poème, murmure-t-il en surveillant Livy et l'Officier.

– Oui.

– Tu t'en souviens encore ?

J'opine.

– Chaque jour, tu m'en réciteras quelques mots et je me les rappellerai pour toi. Comme ça, nous serons deux à le connaître.

Je réfléchis un instant. En répétant le poème à Ky, je prends encore plus de risques. Et lui aussi. Ensuite je serai obligée de lui faire confiance.

Que décider ? J'admire la vue depuis le sommet de la colline. Le ciel ne me fournit pas de réponse. Le Dôme municipal encore moins. En me rendant à mon Banquet de couplage, je me souviens d'avoir pensé aux anges des légendes d'autrefois. Je n'en vois aucun voler jusqu'à moi avec ses ailes douces comme la soie pour me glisser un conseil avisé à l'oreille. Puis-je me fier à un garçon qui trace des mots dans la terre ?

Je ne sais quoi, en mon for intérieur – dans mon cœur ou mon âme, cette part mythique des hommes dont les anges prenaient soin –, me dit que oui.

Je m'incline davantage vers Ky. Nous fixons l'horizon droit devant nous afin d'éviter les soupçons.

Le cœur prêt à éclater de prononcer enfin ces mots pour de vrai, je murmure :

N'entre pas sans violence dans cette bonne nuit,

Rager, s'enrager contre la mort de la lumière.

Ky ferme les yeux.

Lorsqu'il les rouvre, il glisse dans ma main quelque chose de rugueux, sans doute du papier.

– Lis ça pour t'entraîner, me dit-il, et détruis-le quand tu auras fini.

Il me tarde d'avoir terminé les cours et mon stage de classement pour découvrir ce que Ky m'a donné. Comme je suis sortie tard du travail, j'attends de me retrouver seule dans la cuisine pour dîner. Dans l'entrée, j'entends Bram et mon père jouer sur le port et je me sens suffisamment en sécurité pour tirer son cadeau de ma poche.

Une serviette. Quelle déception. Une serviette banale, identique à celles de la cantine de l'école, de l'arboretum ou de partout ailleurs. Elle est marron et épaisse. Tachée et usagée.

J'ai envie de l'incinérer sur-le-champ.

Sauf que…

En la dépliant, je découvre des mots à l'intérieur. Un texte splendide. En écriture cursive. Ces lettres, merveilleuses là-haut sur la colline verte où le vent susurrait dans les branches, le sont encore ici, dans ma cuisine grise et bleue avec pour arrière-fond le ronronnement de l'incinérateur. Une arabesque de mots sombres, bouclés, serpentant sur le papier brun. Quelques-uns sont flous à cause de l'humidité.

Et il n'y a pas que du texte. Des dessins également. La surface de la serviette est couverte de traits. Il ne s'agit pas d'un tableau, ni d'un poème, ni des paroles d'une chanson, bien que mon esprit méthodique perçoive l'empreinte de toutes ces choses. Mais je ne parviens pas à les classifier. Je n'ai jamais rien vu de tel.

J'ignore même ce qu'on peut utiliser pour faire de tels signes. Je n'ai appris à écrire que dans l'air ou la boue. Il existait autrefois des instruments pour écrire, mais je ne les connais pas.

À l'école primaire, même nos pinceaux étaient connectés aux écrans, et nos dessins effacés sitôt terminés. Ky détient manifestement un secret, plus ancien que grand-père, sa propre mère et leurs ancêtres. Un savoir-faire. Il sait créer.

« Deux vies », a-t-il écrit.

Je chuchote :

– Deux vies.

Les mots flottent dans la pièce, légers, couverts par le bruit du port. Presque trop bas pour que je les perçoive par-dessus les battements de mon cœur. Qui cogne plus fort que dans les bois ou sur mon pisteur de course.

Je devrais aller dans ma chambre, dans la relative intimité de mon petit coin à moi, avec mon lit, ma fenêtre. Mon placard où sont rangées mes tenues de jour, ternes et banales. Mais je ne peux plus détacher les yeux de la serviette. Au début, j'ai du mal à comprendre ce que représente le dessin ; puis je me rends compte que c'est lui. Ky. Dessiné deux fois, une fois de chaque côté du pli. La ligne de sa mâchoire le trahit ; la forme de ses yeux, la musculature de son corps sec. Les espaces vides ; ses mains et ce qu'elles ne contiennent pas, bien qu'elles soient jointes en coupe et tendues vers le ciel dans les deux dessins.

La ressemblance entre les deux images s'arrête là. Dans la première, il regarde vers le ciel, et il semble plus jeune, joyeux. Il a l'air de penser que ses mains peuvent encore contenir quelque chose. Dans la deuxième, il est plus âgé, son visage est amaigri et il baisse la tête.

Tout en bas, il a écrit : « Lequel est le vrai, je ne le demande pas, ils ne le disent pas. »

« Deux vies. » Voilà ce que je comprends : sa vie avant de venir ici, et après. Mais que signifie le vers, le refrain ou la supplication de la fin ?

Sur le seuil de la cuisine, mon père m'appelle :

– Cassia ?

Je prends la serviette et la barquette en alu du dîner pour emporter le tout vers l'incinérateur et le conteneur de recyclage.

– Oui ?

Je regarde le carré brun sur mon plateau en me disant : « Même s'il le voit, c'est une serviette. On en détruit après chaque repas, et c'est le même genre de papier, pas du tout comme celui que grand-père m'a donné. L'incinérateur ne notera pas de différence. »

Je lève la tête.

– Tu as un message sur le port, annonce mon père.

Il n'a pas un regard pour ce que j'ai à la main ; il me dévisage, tentant de deviner ce que je ressens. Voilà sans doute le véritable piège. Je souris et essaie de paraître désinvolte.

– C'est Em ?

J'introduis ma barquette alu dans le conteneur. Ne reste que la serviette.

– Non, un Officiel du Département de couplage.

– Ah !

L'air détachée, je glisse la serviette dans le tuyau d'incinération.

– J'arrive.

Je sens sur mon visage la chaleur du feu pendant que brûle l'histoire de Ky. Je me demande si j'aurai un jour la force de conserver quelque chose. Après les poèmes de grand-père, l'histoire de Ky. Ou si je détruirai toujours tout.

« Ky t'a dit de la détruire. L'auteur de ce poème est mort, mais pas Ky. Ça vaut mieux, pour sa sécurité. »

Je suis mon père dans l'entrée. Bram, qui vient en sens inverse, me jette un regard furieux, car le message a interrompu son jeu. Je tente de dissimuler ma nervosité en lui envoyant une pichenette.

Je n'ai jamais vu l'Officiel qui est à l'écran. De forte carrure, il paraît jovial, pas du tout le genre d'intellectuel austère que j'imagine penché sur les ordinateurs du Département de couplage.

– Bonjour, Cassia !

Le col de son uniforme blanc semble lui serrer le cou et il a des pattes d'oie au coin des yeux.

– Bonjour.

J'aimerais vérifier si les dessins, les mots ont laissé des traces sur mes mains, mais je le regarde bien en face.

– Votre banquet a eu lieu le mois dernier.

– Oui, monsieur.

– En ce moment, les autres Promis débutent leurs premiers contacts de port à port. J'ai passé la journée à préparer tout ça. Mais dans votre cas, avec Xander, cela semble absurde de dialoguer par port interposé. Qu'en pensez-vous ? demande-t-il en riant.

– Tout à fait, monsieur.

– Au sein du Comité de couplage, nous avons donc pensé qu'il serait plus judicieux de vous programmer une sortie ensemble à la place. Bien entendu, comme pour les communications des autres Promis, elle serait supervisée par un Officiel.

– Naturellement.

Du coin de l'œil, je vois mon père qui m'observe, debout à la porte du salon. Qui veille sur moi. Sa présence me rassure. Je ne crains pas du tout de passer un moment avec Xander, mais je trouve un peu étrange l'idée d'être escortée par un Officiel. Tout à coup, une crainte me saisit : « Pourvu que ce ne soit pas celle de l'espace vert. »

– Voilà qui est parfait. Vous irez manger à l'extérieur demain soir. Xander et l'Officiel qui vous est affecté viendront vous chercher à l'heure à laquelle vous dînez habituellement.

– Je serai prête.

L'Officiel coupe la communication et le port bipe, indiquant un autre appel en attente.

– Quelle popularité, ce soir, fais-je remarquer à mon père.

Parfait, comme ça, je n'ai pas à lui parler de ma sortie avec Xander. Il s'empresse de prendre place devant l'écran, plein d'espoir. C'est ma mère.

Après les salutations, elle demande :

– Cassia, pourrais-je m'entretenir quelques instants en privé avec ton père ? J'ai peu de temps devant moi. Et des choses importantes à lui dire.

Elle semble fatiguée et porte encore son uniforme et son insigne professionnel.

– Bien sûr.

On frappe : c'est Xander.

– On a encore quelques minutes avant le couvre-feu. Tu viens discuter sur les marches ? me propose-t-il.

– D'accord.

Je ferme la porte en sortant de la maison.

La lampe du porche nous éclaire crûment et, assis côte à côte sur les marches en ciment, nous nous offrons au vu et au su de tous – c'est-à-dire tous les gens du quartier des Érables. Je me sens bien en compagnie de Xander, aussi bien qu'avec Ky, mais ce n'est pas pareil.

En sécurité. Être avec Ky, être avec Xander : dans les deux cas, je suis dans la lumière. Des lumières différentes, mais tout aussi rassurantes.

– Il paraît qu'on sort tous les deux, demain soir, commence Xander.

Je corrige :

– Tous les trois, tu veux dire !

Devant son air déconcerté, j'ajoute :

– N'oublie pas l'Officiel.

Xander ronchonne :

– C'est vrai, comment ai-je pu l'oublier ?

– J'aurais préféré qu'on soit seuls.

– Et moi donc !

Pendant un moment, nous nous taisons. Le vent fait ondoyer les feuilles des érables. Au crépuscule, elles semblent gris argenté ; leurs couleurs ont été absorbées par la nuit. Durant la dernière nuit de grand-père, je m'étais fait la même réflexion. Ça me fait penser au daltonisme, cette ancienne maladie, éradiquée depuis des générations, et à la manière dont les daltoniens devaient percevoir le monde.

– Ça t'arrive d'être perdue dans tes rêves, même le jour ? me demande Xander.

– Tout le temps.

– Avant le banquet, tu t'imaginais ton Promis ?

– Parfois.

Cessant d'observer le jeu du vent dans les feuilles, je dévisage Xander. J'aurais dû le regarder avant de parler. Trop tard maintenant. Je vois à ses yeux que ma réponse n'est pas celle qu'il attendait, mes paroles ont fermé une porte au lieu d'en ouvrir une. Il pensait sûrement à moi et voulait savoir si c'était réciproque. Il a des doutes, comme moi, et il aimerait que je le rassure à propos de notre couplage.

Voilà le problème quand on est couplé avec un ami d'enfance. On se connaît trop bien. Il nous suffit d'un regard, d'un frôlement pour déceler le malaise de l'autre.

Nous manquons de distance, de temps pour évoluer chacun de notre côté. Contrairement à nous, les autres Promis ne se voient pas tous les jours. Pourtant, nous sommes bien promis, et une profonde complicité nous unit, même lorsqu'il y a malentendu. Xander me prend la main et nous entrecroisons nos doigts. Un geste familier. Rassurant. Je m'imagine facilement assise sur un perron avec lui le restant de ma vie et je m'en réjouis.

J'ai envie qu'il m'embrasse de nouveau. Il est déjà tard et, comme le jour de notre premier baiser, un parfum de néorose flotte dans l'air. Je veux qu'il m'embrasse pour savoir si mes sentiments pour lui sont bien réels, si ce que j'éprouve est plus ou moins fort que lorsque Ky m'a effleuré la main au sommet de la colline.

Plus bas dans la rue, le dernier aérotrain en provenance de la Ville serpente dans la station. Quelques instants après, les travailleurs du soir s'élancent sur le trottoir pour être chez eux avant le couvre-feu.

Xander se lève.

– Je ferais mieux de rentrer. On se voit demain en cours.

– À demain !

Il me presse la main et rejoint sur le trottoir les autres silhouettes qui se hâtent.

Je ne rentre pas tout de suite. J'observe les gens et en salue quelques-uns d'un signe de main. Je sais qui j'attends. Alors que je n'espérais plus le voir, Ky s'arrête devant chez moi. Je dévale les marches pour lui parler.

– Ça fait plusieurs jours que j'ai envie de passer devant chez toi, déclare-t-il.

J'ai tout d'abord l'impression qu'il veut me prendre la main et je retiens ma respiration, puis je m'aperçois qu'il me tend quelque chose. Une de ces enveloppes en papier kraft que les employés de bureau utilisent parfois. Il a dû se la procurer par son père. Comprenant soudain qu'elle contient sans doute mon poudrier, je la saisis. Nos mains ne se touchent pas, j'aurais bien aimé.

Que m'arrive-t-il ?

– C'est moi qui ai ta…

Je n'achève pas ma phrase, ne sachant pas comment nommer l'étui doré avec la flèche.

– Ma relique. Je sais.

Ky me sourit. La lune, basse à l'horizon,

ressemble à un croissant doré. Elle illumine un peu son visage, rivalisant avec l'éclat de son sourire.

Je fais un geste en direction du perron éclairé derrière moi.

– Elle est à l'intérieur. Je vais la chercher tout de suite si tu veux.

– Pas de problème, je peux attendre. Tu me la donneras plus tard, assure-t-il d'une voix calme, presque timide. J'aimerais que tu prennes le temps de la regarder de plus près.

Je me demande subitement de quelle couleur sont ses yeux. Reflètent-ils le noir de la nuit ou le halo de la lune ?

Je me rapproche pour vérifier, mais la cloche du couvre-feu retentit ; nous sursautons.

– À demain, dit Ky en repartant.

– Au revoir.

Il me reste cinq minutes avant de devoir rentrer ; je reste dehors, immobile. Je le suis des yeux un moment, puis scrute la lune et ferme les paupières. Dans ma tête, je vois les mots : « Deux vies. »

Depuis le jour de l'erreur de couplage, je ne sais plus quelle est ma véritable vie. Même l'intervention de l'Officielle, à l'espace vert, n'a pas réussi à m'apaiser. Comme si je découvrais pour la première fois que la vie pouvait prendre différentes directions, différents chemins.

À la maison, je sors mon poudrier de l'enveloppe et prends la relique de Ky, bien cachée dans la poche d'une de mes tenues de rechange. Je les place côte à côte : on voit facilement la différence entre les deux cercles dorés. La surface de la relique de Ky est unie et rayée. Le poudrier est plus brillant et les lettres gravées attirent l'œil.

Tout à coup, je saisis ma relique, presse le bouton et regarde à l'intérieur. Je sais que Ky m'a vue lire les poèmes dans les bois. M'a-t-il aussi vue ouvrir le poudrier ?

Et s'il m'avait laissé un message ?

Rien.

Je repose le poudrier sur l'étagère.

Je décide de conserver l'enveloppe pour la relique de Ky. Avant de la remettre en sécurité dans ma poche, je l'ouvre pour observer la flèche qui pivote. Elle se fixe sur un point, alors que moi, je continue à tourner, sans savoir où aller.

17

L'ascension est presque trop facile.

J'écarte les branches, j'enjambe les pierres, je me faufile entre les buissons. Mes pieds ont tracé un sentier sur cette pente, je sais où aller et comment y aller. J'ai envie de relever un défi plus grand, maintenant. J'aimerais me confronter à la Colline avec ses arbres abattus et sa forêt sauvage. Si j'étais au pied de la Colline à cet instant, je pourrais la gravir d'un seul coup sans m'arrêter. Arrivée au sommet, je découvrirais un nouveau panorama et, si Ky m'accompagnait, je pourrais en apprendre davantage à son sujet.

J'ai hâte de le voir, de lui poser des questions sur son histoire. Aura-t-il rédigé la suite ?

Je surgis des broussailles en souriant à l'Officier.

– Tu as une rivale aujourd'hui, dit-il en enregistrant mon arrivée sur l'infopod.

Qu'est-ce qu'il raconte ? Je me tourne, cherchant Ky des yeux. Une fille est assise à côté de lui, ses cheveux dorés flottant dans le dos. Livy.

Apparemment ce qu'elle lui dit le fait rire. Il ne bouge pas, ne fait pas un geste pour m'inviter à m'asseoir à côté de lui. Il ne me jette même pas un regard. Livy a pris ma place. J'avance d'un pas, bien décidée à la reprendre.

Elle lui tend un bâton. Sans une hésitation, il le saisit pour guider sa main.

Est-il en train de lui apprendre à écrire ?

Finalement, je recule. Je m'éloigne de ses cheveux qui étincellent au soleil, de Ky qui ne me regarde pas, de leurs mains qui se touchent presque, en train d'écrire dans la terre, de ce petit coin de soleil et de vent, de murmures et de secrets qui sont censés être les nôtres.

Comment pourrais-je parler à Ky alors qu'elle est assise à ma place ? Impossible. Impossible d'apprendre à écrire. Impossible de connaître la suite de son histoire.

En redescendant au pied de la colline, l'Officier nous annonce :

– Demain, changement de programme. Attendez-moi à la station d'aérotrain en arrivant, je vous conduirai sur notre nouveau site de randonnée. Nous en avons fini avec cette colline.

– Enfin ! soupire Ky dans mon dos, si bas que je suis la seule à l'entendre. Je commençais à me prendre pour Sisyphe.

Je ne sais pas de qui il parle, j'aimerais me

retourner pour le lui demander, mais je me retiens. Il apprend à écrire à Livy. Lui raconte-t-il également son histoire ? Me suis-je trompée en imaginant que nous avions une relation particulière tous les deux ? Si ça se trouve, il fait fondre toutes les filles en leur apprenant à écrire leur prénom.

Je sais très bien que ce n'est pas vrai, mais je n'arrive pas à chasser cette image de mon esprit. Sa main guidant la sienne.

L'Officier donne un coup de sifflet pour signifier la fin de l'activité. Je m'éloigne en marchant un peu à l'écart des autres quand, soudain, j'entends Ky derrière moi.

– Tu voulais me dire quelque chose ?

Je sais très bien à quoi il fait référence. Il veut la suite du poème.

Je secoue la tête en détournant les yeux. Il n'avait aucun mot à me donner, pourquoi lui ferais-je cadeau des miens ?

J'aimerais tant que ma mère soit là. C'est vraiment bizarre qu'on l'ait envoyée en déplacement en plein été, la saison la plus chargée à l'arboretum, avec toutes les plantes à soigner. Elle me manque. Je vais devoir me préparer sans elle pour ma première sortie avec Xander.

J'enfile une tenue de jour propre, regrettant ma belle robe verte du banquet. Si je l'avais encore, je l'aurais remise pour nous rappeler à tous deux la magie de cette soirée, il y a un mois seulement.

Lorsque je redescends, mon père et mon frère m'attendent dans le salon.

– Tu es superbe ! s'exclame papa.

– Tu es pas mal, marmonne Bram.

Je lève les yeux au ciel en répondant :

– Merci.

Mon frère répète ça chaque fois que je sors. Même le soir du banquet. Ça devait être plus sincère, cependant.

– Ta mère va sans doute appeler tout à l'heure. Elle voudra que tu lui racontes ta soirée dans les moindres détails.

– J'espère qu'elle pourra.

La perspective de parler à maman en rentrant me réconforte.

Un bip annonce l'arrivée du dîner.

– C'est l'heure de passer à table, dit papa en me posant la main sur l'épaule. Tu veux qu'on reste ici avec toi ou tu préfères attendre toute seule ?

Mon frère a déjà filé dans la cuisine. Je souris à mon père.

– Va manger avec Bram. C'est bon.

Mon père m'embrasse sur la joue.

– J'arrive dès qu'on sonnera à la porte.

La visite de l'Officiel l'inquiète un peu, lui aussi.

Je l'imagine ouvrant la porte pour dire poliment :

– Désolé, monsieur, mais ma fille, Cassia, ne pourra pas sortir ce soir.

Il sourirait à Xander afin de lui faire comprendre que ce n'est pas lui le problème, puis il refermerait la porte, avec douceur mais fermeté, pour que je reste à la maison. Entre ces murs où je suis à l'abri depuis toujours.

Sauf que je ne suis plus à l'abri. C'est ici que j'ai vu le visage de Ky apparaître sur la microcarte. C'est ici qu'ils sont venus fouiller mon père.

Y a-t-il un endroit où je serais en sécurité dans ce faubourg ? Dans cette Ville ? Dans cette Province ? Sur cette terre ?

J'aimerais me répéter le début de l'histoire de Ky en attendant, mais il ne faut pas. Je pense déjà beaucoup trop à lui. Je n'ai pas envie de l'emmener dîner avec nous ce soir.

On sonne à la porte. Xander. Et l'Officiel.

Je ne me sens pas prête mais j'ignore pourquoi. Ou plutôt, je sais pourquoi, mais je ne veux pas creuser la question, pas maintenant car, ensuite, rien ne sera plus pareil. Rien.

Xander m'attend sur le perron. Soudain, je réalise que ça symbolise ce qui cloche dans cette Société. Presque personne n'a le droit d'entrer chez nous et, quand ça se produit, on ne sait pas comment s'y prendre.

J'inspire profondément avant d'ouvrir la porte.

Dans l'aérotrain, je demande :

– Où va-t-on ?

Nous sommes assis tous les trois côte à côte – Xander, moi, et notre Officiel à l'air blasé, assez jeune dans son uniforme impeccablement repassé.

C'est lui qui répond :

– Nos repas ont été livrés dans une salle de dégustation privée. Nous dînerons là-bas, puis je vous raccompagnerai tous les deux chez vous.

Il croise rarement notre regard, fixant, dans le lointain, le paysage qui défile derrière la vitre. Je ne sais pas si c'est pour nous mettre à l'aise ou mal à l'aise. Si c'est la deuxième option, il y réussit parfaitement.

Une salle de dégustation privée ? Je jette un coup d'œil à Xander qui hausse les sourcils en articulant : « Je ne vois pas l'intérêt » tout en désignant l'Officiel. Je me retiens de rire. Il a raison. Quel intérêt d'aller dîner dans une salle privée alors que nous sommes escortés par un chaperon ?

Et c'est encore pire pour tous les Promis et Promises dont les premières conversations par port interposé sont supervisées par un Officiel. Au moins, Xander et moi, nous avons pu discuter des millions de fois avant.

La salle de dégustation est à une station d'aérotrain de chez nous. Les Célibataires s'y rendent parfois ; nos parents peuvent s'y faire livrer leurs repas le soir, quand ils ont envie de dîner en tête à tête.

– C'est joli, dis-je pour meubler la conversation.

Un minuscule espace vert entoure le petit bâtiment de brique rouge. J'aperçois les omniprésentes néoroses, ainsi qu'une sorte de fleur sauvage aérienne.

C'est alors qu'un souvenir me revient, si précis qu'il est étonnant que je n'y aie pas pensé plus tôt. Un soir, quand j'étais petite, grand-père est venu nous garder, mon frère et moi, parce que nos parents sortaient. Je les ai entendus parler en rentrant, puis papa est allé dans la chambre de Bram et maman dans la mienne. Lorsqu'elle s'est penchée pour me border, une jolie fleur rose et jaune est tombée de ses cheveux. Elle l'a vite glissée derrière son oreille et j'étais trop ensommeillée pour lui demander où elle l'avait trouvée. À l'époque, ça m'a tracassée au moment de me rendormir : comment avait-elle eu cette fleur alors qu'il était interdit de les cueillir ? La question s'est perdue dans mes rêves et je n'ai plus jamais songé à la poser.

Maintenant, je connais la réponse : il arrive à mon père d'enfreindre les règles pour ceux qu'il aime. Pour ma mère. Pour grand-père. Un peu comme Xander, l'autre soir, lorsqu'il a aidé Em.

Xander me prend le bras pour me ramener dans le présent. Machinalement, je jette un coup d'œil à l'Officiel. Il ne dit rien.

L'intérieur de la salle de dégustation est mieux décoré qu'un simple réfectoire.

– Regarde, fait Xander.

Au centre de chaque table, des lampes à la lueur vacillante imitent un ancien système d'éclairage romantique, les bougies.

Les gens nous regardent passer entrc les tables. Nous sommes visiblement les plus jeunes clients. La plupart ont l'âge de nos parents. Il y a aussi des couples qui viennent de conclure leur contrat et qui ont quelques années de plus. Et des Célibataires, mais pas beaucoup. Notre quartier est essentiellement peuplé de familles et de jeunes couples.

Xander scrute également le décor avec intérêt, sans me lâcher le bras. À voix basse, il murmure :

– Au moins, à l'école, tout le monde a digéré le fait qu'on soit couplés. Ça me gênait d'être le centre de l'attention.

– Moi aussi.

Heureusement, l'Officiel ne nous colle pas trop. Il nous mène jusqu'à une table portant notre nom. Dès que nous sommes assis, le serveur arrive avec nos repas.

Les fausses bougies jettent une lueur dansante sur le plateau rond en métal, sans nappe.

C'est le menu standard, nous mangeons la même chose que si nous étions chez nous. Il faut réserver à l'avance afin que le personnel du Centre de préparation nutritionnelle puisse livrer les plats au bon endroit. Même si ça n'a rien à voir avec le banquet au Dôme municipal, j'ai rarement dîné dans un endroit aussi agréable.

– C'est bien chaud, commente Xander alors qu'un nuage de vapeur s'élève de sa barquette en alu.

Il ôte le couvercle pour regarder à l'intérieur.

– Tu as vu ? Ils n'arrêtent pas d'augmenter mes portions pour que je me remplume.

Effectivement, il a un énorme tas de pâtes avec de la sauce.

– Tu vas pouvoir tout manger ?

– Tu plaisantes ? Évidemment, affirme-t-il, faussement indigné.

Comparée à celle de Xander, ma ration paraît minuscule. Je me fais peut-être des idées, mais j'ai l'impression qu'ils réduisent mes quantités de nourriture en ce moment. Je ne comprends pas pourquoi. Je me dépense au stage de randonnée et en courant sur le pisteur. Je devrais au contraire en avoir davantage.

Ça doit être mon imagination.

L'Officiel, l'air de plus en plus blasé, enroule ses pâtes sur sa fourchette en regardant autour de lui. Il mange exactement la même chose que nous. Les rumeurs comme quoi les Officiels de certains départements sont favorisés sur le plan de la nourriture ne sont donc pas fondées. Du moins, pas quand ils sont en public.

– Alors, ton stage de randonnée ? me demande Xander en enfournant ses pâtes.

– J'adore.

« Sauf aujourd'hui. »

– C'est mieux que la natation ? me taquine-t-il. Enfin, tu ne peux pas vraiment savoir, vu que tu restes toujours assise au bord de la piscine.

– C'est pas vrai ! Je nage… parfois. Enfin, oui, je préfère la marche à la natation.

– Impossible, réplique-t-il. Il n'y a pas mieux que la natation. J'ai entendu dire que vous grimpiez la même petite colline tous les jours.

– Et toi, tu nages dans la même piscine tous les jours, non ?

– Ce n'est pas pareil. L'eau est toujours en mouvement, ça change sans arrêt.

Ça me rappelle ce que Ky m'a dit au sujet de la musique.

– Oui, sans doute. Mais la nature n'est jamais la même non plus. Le vent déplace les branchages, les plantes poussent, se transforment sans cesse…

Je me tais. Dans son uniforme bien repassé, notre Officiel penche la tête, écoutant notre conversation.

Il est là pour ça, non ?

Je remue mes pâtes avec ma fourchette, ça me fait penser à l'écriture avec Ky. L'un des spaghettis forme un *c*. « Ça suffit. Il faut que j'arrête de penser à lui. »

Une des pâtes refuse de s'enrouler autour de ma fourchette. J'ai beau tourner, tourner, elle est têtue. Finalement, j'abandonne, fourrant les pâtes dans ma bouche avec un bout qui pend. Je suis obligée de l'aspirer avec un petit slurp.

Affreusement embarrassant. Soudain, les larmes me montent aux yeux. Quand je repose ma fourchette, Xander pose sa main sur la mienne en plongeant son regard dans le mien pour me demander : « Qu'est-ce qui ne va pas ? »

Secouant imperceptiblement la tête, je réponds : « Rien. »

Notre Officiel n'a rien remarqué, distrait par un message dans son oreillette. Normal. Il est en service.

Puisqu'il n'écoute pas, je me lance brusquement :

– Xander… pourquoi… pourquoi tu ne m'as pas embrassée l'autre soir ?

Je devrais être gênée, mais je m'en moque. Je veux savoir.

– Il y avait trop de monde autour de nous, répond-il, surpris. Les Officiels n'ont rien à dire, étant donné que nous sommes couplés, mais quand même…

Il incline légèrement le menton pour désigner notre chaperon.

– Ce n'est pas pareil quand on est observé.

– Comment ça ?

– Tu n'as pas remarqué qu'il y a davantage d'Officiels dans notre rue, ces derniers temps ?

– Ils sont là pour notre famille ?

Xander hausse les sourcils.

– Pourquoi voudrais-tu qu'ils vous surveillent ?

Parce que j'ai lu des choses que je n'aurais pas dû lire, que j'ai appris des choses que je ne suis pas censée savoir et que je pourrais bien être en train de tomber amoureuse d'un autre.

Je réponds simplement : « Mon père… » en laissant ma phrase en suspens.

Xander rougit.

– Bien sûr. Je n'avais pas fait le rapprochement… Mais ce n'est pas ça ; tout du moins, je crois. Ce sont des Officiels de base, des agents de police. Ils patrouillent sans arrêt et pas seulement dans notre quartier, partout.

Notre rue fourmillait donc d'Officiels l'autre soir et je l'ignorais. Ky devait être au courant. C'est sans doute pour ça qu'il n'a pas voulu venir sur le perron. Pour ça qu'il ne me touche jamais. Il a peur qu'on nous surprenne.

À moins qu'il y ait une explication beaucoup plus simple. Il n'a peut-être pas envie de me toucher. Il me considère juste comme une amie. Une amie qui veut connaître son histoire, c'est tout.

Au début, il n'y avait rien de plus. Je voulais en savoir davantage sur ce garçon qui vivait parmi nous, sans jamais vraiment s'exprimer. Sur ce qui lui était arrivé. Sur cette erreur qui s'était produite dans mon processus de couplage.

Maintenant, j'ai l'impression qu'en apprenant à le connaître, j'apprends à me connaître moi-même. Je ne pensais pas tant apprécier ses mots. Je ne pensais pas me retrouver en eux.

Tomber amoureuse de l'histoire de quelqu'un, est-ce tomber amoureuse de lui ?

18

Une nouvelle aérovoiture est garéc dans notre rue, cctte fois devant chez Em.

J'interroge Xander :

– Qu'est-ce qui se passe ?

Il ne me répond pas. Je lis la peur dans ses yeux.

L'Officiel qui nous escorte semble intrigué, mais pas surpris. J'ai envie d'agripper sa chemise bien repassée pour siffler : « Pourquoi nous surveillez-vous ? Qu'est-ce qui se passe ? »

La porte de la maison s'ouvre, trois Officiels en sortent. Le nôtre se tourne vers Xander ct déclare abruptement :

– J'espère que vous avez tous les deux passé une bonne soirée. Je rendrai mon rapport au Comité de couplage dès demain matin.

– Merci, je réponds machinalement tandis qu'il file à la station d'aérotrain.

Je ne sais pas pourquoi je le remercie. Je ne me sens pas reconnaissante.

Les Officiels traversent la cour d'Em et se

dirigent vers la maison voisine. Ils ont un grand carton à la main, un réceptacle portant l'insigne de la Société, et ils ne sourient pas. En fait, si je devais les décrire, je dirais même qu'ils ont l'air tristes. Et ça ne me plaît pas.

– On va voir si Em va bien ?

Au moment même où je prononce ces mots, elle ouvre la porte et regarde dehors.

En nous apercevant, elle court à notre rencontre.

– Cassia, c'est ma faute ! Tout est ma faute ! sanglote-t-elle, le visage barbouillé de larmes.

– Comment ça ? Qu'est-ce qu'il y a ?

Je jette un coup d'œil pour vérifier que les Officiels ne nous observent pas, mais ils sont déjà entrés dans la maison suivante. Les voisins d'Em leur ont ouvert avant même qu'ils aient frappé, comme s'ils les attendaient.

– Qu'est-ce qui se passe ? la questionne Xander d'un ton brusque.

D'un regard, je lui intime de se montrer patient.

De plus en plus pâle, Em me prend le bras et chuchote :

– Ils confisquent toutes les reliques.

– Quoi ?

Ses lèvres tremblent.

– Ils ont dit qu'on m'avait vue en possession d'une relique à mon banquet et ils sont venus la chercher. Je leur ai dit qu'elle n'était pas à moi, que je te l'avais empruntée et rendue.

Elle avale sa salive. J'espère qu'elle ne va pas faire une crise comme l'autre soir. Je lui passe un bras autour des épaules en jetant un regard à Xander. Elle reprend, d'une voix mal assurée :

– Je n'aurais pas dû leur dire, mais j'avais tellement peur ! Maintenant, ils vont te prendre ton poudrier, ils font le tour du quartier.

Ils vont bientôt passer chez moi. J'aimerais réconforter mon amie, mais il faut que j'essaie de sauver ma relique, si vain que cela puisse paraître. Il faut que je rentre à la maison. Je serre Em dans mes bras.

– Tu n'y es pour rien. Même si tu ne leur avais rien dit, ils savent que j'ai une relique. Mon poudrier est enregistré et je l'avais emporté à mon banquet.

Un détail me revient alors et la panique me submerge soudain. La relique de Ky. Elle est encore cachée dans mon placard. Les Officiels sont au courant pour la mienne, mais pas pour celle de Ky. Nous risquons tous les deux de gros ennuis.

Où pourrais-je la cacher ?

– Il faut que je rentre, dis-je, tout haut cette fois.

Je me détache d'Em pour me diriger vers la maison. Combien de temps me reste-t-il avant l'arrivée des Officiels ? Cinq ? Dix minutes ?

Em sanglote de plus belle, mais je n'ai pas le temps de la consoler. Je marche le plus vite possible en évitant cependant d'attirer l'attention. Xander me rejoint, passant son bras sous le mien comme si nous rentrions tranquillement de notre soirée ensemble.

– Cassia, dit-il.

Je ne me tourne pas vers lui. Je ne peux pas m'empêcher de penser au désastre qui risque de se produire dans quelques instants. Ky est déjà classé Aberration. S'ils apprennent qu'il détient une relique, pourrait-il passer au statut d'Anomalie ?

Je pourrais le couvrir. Affirmer qu'elle m'appartient et que je l'ai trouvée en randonnant dans les bois. Me croiraient-ils seulement ?

– Cassia, répète Xander. Je peux le cacher pour toi. Dire que tu l'as perdu. Rendre ton histoire plus convaincante.

– Je ne peux pas te laisser faire ça.

– Mais si. Je t'attendrai dehors pendant que tu prends ton poudrier. Il tient dans la paume de ta main, non ?

J'acquiesce.

– En ressortant, fais comme si tu étais trop amoureuse, que tu ne voulais pas me quitter. Jette-toi à mon cou. Glisse-le à l'intérieur de ma chemise. Ensuite, je m'en charge.

Je n'avais encore jamais vu cette facette de Xander. En fait, si. Quand il joue, il a cette attitude. Calme, déterminé, assuré, plein d'audace. Et à la salle de jeux, les risques qu'il prend paient presque toujours.

– Xander, ce n'est pas un jeu.

– J'en suis conscient, réplique-t-il d'un air grave. Je serai prudent.

– Tu es sûr ?

Je ne devrais pas le laisser faire ça. C'est lâche de ma part de l'envisager une seule seconde. Mais c'est vrai : il peut récupérer mon poudrier et le mettre à l'abri. Il est prêt à prendre ce risque pour moi.

– Sûr et certain, répond-il.

Une fois que j'ai refermé la porte derrière moi, je file dans ma chambre. Heureusement, il n'y a personne pour me voir. Les mains tremblantes, j'ouvre mon placard et écarte les cintres jusqu'à ce que je trouve la tenue dans laquelle j'ai caché la relique de Ky. Je retourne l'enveloppe en kraft pour en sortir l'étui doré avec sa petite flèche à l'intérieur. Puis je glisse l'enveloppe dans ma poche. Je prends mon poudrier sur l'étagère pour contempler les deux reliques dans mes paumes.

Belles. Dorées. Un instant, je suis tentée de confier à Xander mon poudrier, plutôt que la relique de Ky. Mais ce serait égoïste. Je le pose sur le lit et cache la flèche virevoltante au creux de ma main. Comment pourrais-je le laisser perdre la seule chose qui lui reste de son ancienne vie ?

Et puis, c'est moins dangereux pour Xander, également. Ils ne connaissent pas l'existence de la relique de Ky, ils ne risquent donc pas de la réclamer. Alors que mon poudrier doit être sur leur liste, ils vont me le confisquer, un point c'est tout. Ils ne chercheront pas plus loin.

Je redescends en courant pour ouvrir la porte d'entrée à la volée.

D'un ton que j'espère léger, je lance :

– Xander, attends ! Tu ne m'embrasses pas pour me souhaiter une bonne nuit ?

Il se retourne, l'air tout à fait naturel. Personne d'autre que moi ne pourrait percevoir la flamme malicieuse qui brille dans ses yeux, mais je le connais tellement bien.

Je dévale les marches du perron, il m'accueille les bras ouverts. Nous nous enlaçons, ses mains au creux de mes reins, les miennes autour de son cou. Je passe la main dans l'encolure de sa chemise avant de lâcher la relique. Elle glisse le long de son dos, tandis que je pose ma paume sur sa nuque toute chaude. Nous nous regardons dans les yeux un long moment, puis je lui murmure à l'oreille :

– Ne l'ouvre pas. Ne la garde pas chez toi. Enterre-la ou cache-la quelque part. Ce n'est pas ce que tu crois.

Il acquiesce.

– Merci, dis-je avant de l'embrasser sur la bouche.

J'ai beau avoir un faible pour Ky, difficile de ne pas aimer Xander pour tout ce qu'il est, tout ce qu'il fait pour moi.

– Cassia !

Mon frère m'appelle du haut des marches.

Bram. Lui aussi, il va perdre quelque chose aujourd'hui. La montre de grand-père. La colère m'envahit. « Pourquoi sont-ils obligés de tout nous prendre ? »

Xander desserre son étreinte. Il faut vite qu'il cache la relique avant qu'ils n'arrivent chez lui.

– Bonsoir, me dit-il en souriant.

– Bonsoir.

– Cassia ! crie à nouveau Bram, d'un ton pressant.

Jetant un coup d'œil par-dessus mon épaule, je ne vois pourtant pas encore les Officiels.

– Salut, Bram, dis-je en m'efforçant d'avoir l'air détachée.

Mieux vaut que personne ne soupçonne ce que Xander et moi venons de faire.

– Où est… ?

– Ils confisquent les reliques, m'annonce-t-il d'une voix tremblante. Ils ont réquisitionné papa pour qu'il les aide.

Évidemment. J'aurais dû y songer. Ils ont besoin de quelqu'un pour authentifier les reliques. Une nouvelle angoisse m'étreint.

Était-il censé leur apporter nos reliques ? A-t-il raconté que j'avais perdu la mienne ? A-t-il menti pour Bram ou pour moi ? Combien d'erreurs idiotes est-il prêt à commettre pour ceux qu'il aime ?

– Oh, non ! fais-je comme s'il m'apprenait quelque chose. Il a emporté ta montre ?

– Non, répond Bram. Il ne peut pas le faire dans sa propre famille.

– Il était au courant de ce qu'ils projetaient ?

– Non, quand ils l'ont appelé sur le port, il était sous le choc. Mais il a dû se présenter immédiatement où ils lui ont ordonné. Il m'a dit de leur obéir et de ne pas m'en faire.

Je prends mon frère dans mes bras pour le réconforter parce qu'il va perdre quelque chose auquel il tient. Je le serre contre moi et, fait rarissime, il m'étreint aussi, très fort, comme quand il était petit garçon et que j'étais la grande sœur qu'il admirait plus que tout au monde. J'aurais aimé pouvoir conserver sa montre, mais elle n'était pas de la bonne couleur. Argentée et non dorée. Et elle est enregistrée sur la liste des Officiels. « Tu ne pouvais rien faire », me dis-je, pour m'en convaincre.

Au bout d'un moment, je recule d'un pas pour regarder Bram dans les yeux.

– Va la chercher. Profites-en encore quelques minutes. Observe-la bien pour ne jamais l'oublier.

Mon frère n'essaie même plus de retenir ses larmes.

Je le reprends dans mes bras.

– Bram, de toute façon, tu aurais pu perdre cette montre. La casser. Au moins, comme ça, tu as la chance de la contempler pour la dernière fois. Elle ne disparaîtra pas complètement si tu la graves dans ta mémoire.

– Et si je la cachais ? suggère-t-il.

Il cligne des yeux, une larme roule sur sa joue qu'il essuie rageusement.

– Tu veux bien m'aider ?

– Non, Bram. J'aimerais bien, mais c'est trop dangereux.

L'audace a ses limites. Je ne peux pas mettre mon frère en danger.

Lorsque les Officiels arrivent, ils nous trouvent assis sur le canapé, côte à côte. Au creux de sa main, de l'argent, au creux de la mienne, de l'or. Nous levons tous les deux la tête dans un même mouvement. Mais, soudain, les yeux de mon frère s'attardent sur la surface d'argent polie, et les miens sur la surface dorée.

Mon reflet me regarde, déformé par la courbure du couvercle, comme le soir du banquet. À l'époque, je l'avais interrogé : « Suis-je jolie ? »

Aujourd'hui, la question a changé : « Suis-je assez forte ? »

Le regard déterminé, les dents serrées, mon reflet me répond que oui.

Un Officiel de petite taille, au crâne dégarni, prend la parole :

– Le Gouvernement a décidé que les reliques entraînaient une inégalité entre les membres de la Société. Nous demandons à tous ceux qui en possèdent de nous les confier. Elles seront cataloguées puis exposées au Musée municipal.

– Nos fichiers indiquent que deux reliques autorisées sont enregistrées à cette adresse, ajoute un autre Officiel.

A-t-il appuyé sur le mot « autorisées » ou est-ce mon imagination qui me joue des tours ?

– Une montre en argent et un poudrier en or.

Nous ne répondons rien.

– S'agit-il des reliques en question ? demande-t-il en baissant les yeux vers nos mains.

Il a l'air las. Ce doit être terrible de faire ça. J'imagine mon père en train d'arracher leurs reliques à d'autres familles – des personnes âgées comme grand-père, des enfants comme Bram. J'en suis malade.

J'opine.

– Vous les prenez tout de suite ?

– Vous pouvez les conserver encore quelques minutes. Nous devons effectuer une rapide inspection des lieux.

Avec mon frère, nous restons assis sur le canapé en silence pendant qu'ils fouillent la maison. Ça ne prend pas longtemps.

– Il n'y a rien de valeur, annonce l'un d'eux du bout du couloir.

Je bous intérieurement. Je me mords les lèvres pour ne pas répliquer : « C'est ce que vous pensez. Vous pensez qu'il n'y a rien parce que nous ne résistons pas. Mais les mots qui sont dans nos têtes, personne ne peut les voir. Mon grand-père est resté maître de sa mort et ça ne sera pas votre cas. Nous avons des choses de valeur, mais vous ne les trouverez jamais, parce que vous ne savez pas où chercher. »

Lorsqu'ils reviennent dans la pièce, je me lève et Bram m'imite. Ils nous passent au scanner manuel pour vérifier que nous n'avons rien caché sur nous. Et ils ne trouvent rien, évidemment.

Une Officielle s'avance, je distingue une bande plus claire sur un de ses doigts, la trace d'une bague, sans doute. Elle a également perdu quelque chose aujourd'hui. Je lui tends le poudrier en pensant aux années qu'il a traversées, il vient d'avant la Société, il est passé de génération en génération pour arriver jusqu'à moi. Et je dois m'en séparer.

L'Officielle s'en saisit, puis elle s'empare de la montre de Bram en disant :

– Tu pourras venir la voir quand tu veux au musée.

– Ce n'est pas pareil, rétorque-t-il avant de se redresser de toute sa taille.

Devant moi, je vois grand-père. Oh, oui ! Mon cœur palpite en pensant qu'il n'a pas complètement disparu.

– Vous aurez beau la prendre, ajoute-t-il, elle sera toujours à moi.

Bram retourne dans sa chambre d'un pas lourd. À la façon dont il claque la porte, je devine qu'il a envie d'être seul.

Refrénant le besoin de casser quelque chose, je fourre les poings dans mes poches. J'y trouve l'enveloppe en papier kraft, coquille froissée, écrin vidé de l'objet de valeur qu'il abritait. Ce n'est qu'une simple enveloppe, pas une relique. Le scanner des Officiels ne l'a pas détectée. Je la sors rageusement en la déchirant à moitié. J'aimerais la déchiqueter en petits morceaux. Mettre ce papier en lambeaux me plaît. Quel plaisir de détruire ! Je me prépare à l'attaque, baissant les yeux…

Quand, soudain, j'ai le souffle coupé en découvrant ce que j'ai failli gâcher.

La suite de l'histoire de Ky. Encore quelque chose que les Officiels ont manqué.

« Boire, se noyer », a-t-il noté en haut.

Son écriture est belle et assurée. Comme lui. J'imagine sa main en train de tracer les lettres, frôlant le papier. Je me mords les lèvres en regardant le dessin en dessous.

Deux Ky, à nouveau, le plus jeune et celui

d'aujourd'hui, avec les mains en coupe. Derrière le premier un paysage désolé, dénudé, des rochers dressés. Sur le second, il a représenté le quartier, il y a un érable derrière lui. Il pleut dans les deux dessins mais, sur le premier, il a la bouche ouverte, la tête en arrière pour boire l'eau du ciel. Sur l'autre, il baisse la tête, le regard apeuré, des trombes d'eau s'abattent sur lui comme une cascade. C'est trop. Il risque de se noyer.

« Quand il pleut, je me souviens », a-t-il écrit dans le bas.

Levant les yeux du papier, j'aperçois par la fenêtre un coucher de soleil flamboyant dans un ciel dégagé. Il n'y a aucun nuage, mais je me promets que, le jour où il pleuvra, je me souviendrai également. De ce papier, de ces dessins, de ces mots. De ce morceau de lui.

19

Le lendemain, le silence règne dans l'aérotrain en direction du centre-ville. Personne n'a envie de parler de ce qui s'est passé dans les quartiers hier soir. Ceux qui ont dû se séparer de leurs reliques sont abattus ; ceux qui n'en ont jamais possédé se taisent par respect. Ou au contraire parce qu'ils sont satisfaits que toute inégalité ait été gommée.

Juste avant sa station, Xander se penche pour m'embrasser et me glisser à l'oreille :

– Sous le parterre de néoroses, devant chez Ky.

Puis il descend et se dirige vers la piscine avec d'autres élèves tandis que je continue jusqu'à l'arboretum. Mille questions se bousculent dans ma tête : « Comment a-t-il fait pour enterrer la relique sans se faire voir ? Sait-il qu'elle appartient à Ky ou est-ce une pure coïncidence qu'il ait choisi cet endroit ? Sent-il que je suis en train de tomber amoureuse de Ky ? »

Quoi qu'il sache ou devine, une chose est

sûre : il n'aurait pu choisir meilleure cachette. Nous sommes chargés d'entretenir nos jardins. Personne ne trouvera suspect que Ky creuse devant chez lui. Il me suffit de lui dire où chercher.

Comme tout le monde, Ky regarde par la fenêtre alors que nous approchons de l'arboretum. A-t-il vu Xander m'embrasser ? Est-ce que ça lui fait quelque chose ?

En tout cas, nos yeux ne se croisent pas.

– Pour cette deuxième étape, je veux que vous soyez deux par deux, nous annonce l'Officier au pied de la Colline. Je vais former les équipes en fonction des résultats que j'ai enregistrés dans l'infopod la semaine dernière. Ky sera avec Cassia, Livy avec Tay…

Elle est déçue, ça se voit sur son visage. Pour ma part, j'essaie de rester impassible.

L'Officier termine sa liste avant d'ajouter :

– Cette fois, votre but est différent. Il ne s'agit pas d'arriver au sommet. La Société nous a demandé de profiter de notre temps de randonnée pour répertorier les obstacles qui se dressent sur la Colline.

Il désigne des sacs remplis de bandes de tissu rouge.

– Chaque équipe prendra un sac. Nouez les chiffons pour signaler un tronc couché, des broussailles particulièrement denses, etc.

Les forestiers passeront plus tard nettoyer les environs et créer un chemin carrossable.

Quoi ? Ils vont goudronner la Colline ? Heureusement que grand-père n'est plus là pour voir ça.

– Et si on n'a pas assez de tissu ? pleurniche Lon. Cette Colline est à l'abandon depuis des années. Il va y avoir des obstacles partout ! On aurait aussi vite fait de marquer tous les arbres.

– Quand vous n'aurez plus de chiffons, faites des cairns avec des cailloux, réplique l'Officiel avant de se tourner vers Ky. Tu sais ce que c'est ?

Il a un bref instant d'hésitation avant de répondre :

– Oui.

– Alors montre-leur.

Ky ramasse quelques pierres par terre et les empile, les plus grosses d'abord, puis les plus petites, pour former un tas. Ses gestes sont vifs et précis comme lorsqu'il m'apprend à écrire. Sa tour a beau ne pas avoir l'air très stable, elle ne s'écroule pas.

– Vous voyez ? C'est simple, reprend notre superviseur. Quand je donnerai un coup de sifflet, ça voudra dire que vous devez rebrousser chemin. Quant à vous, sifflez si vous êtes perdus.

Il nous distribue à chacun un sifflet en métal.

– Enfin, ça ne devrait pas être très compliqué. Il suffit de redescendre par là où vous êtes venus.

Avant, le mépris à peine voilé qu'il nous témoignait m'amusait. Aujourd'hui, je le comprends. Ça me dégoûte de voir que nous grimpons quand les Officiels nous disent de grimper. Que nous leur remettons sans protester nos biens les plus précieux. Que jamais, jamais nous ne résistons.

Nous sommes à peine hors de la vue des autres que Ky se tourne vers moi. Un instant, j'espère qu'il va me prendre la main. Je devine, plus que je ne vois, son bras qui se tend et retombe immédiatement. Amère déception, plus amère encore que lorsque j'ai ouvert mon placard ce matin et que je n'y ai pas trouvé mon poudrier.

– Ça va ? me demande-t-il. Hier soir, pour la fouille… je n'ai su qu'en rentrant à la maison.

– Ça va.

– Ma relique…

Alors il n'y a que ça qui l'intéresse ? Je siffle d'un ton coupant :

– Elle est dans ton jardin. Enterrée sous les néoroses. Creuse, tu la trouveras.

– Je me moque bien de cette relique, rétorque-t-il, et, soudain, le feu qui brûle dans ses yeux me réchauffe. Je n'ai pas pu dormir de la nuit. J'avais peur que tu aies des ennuis. C'est pour toi que j'étais inquiet.

Il a beau ne pas parler fort, ses mots résonnent dans mon cœur, plus fort encore que les Cent Chansons scandées en chœur. Il a des cernes, parce qu'il s'est fait du souci pour moi. J'ai envie de les effleurer du doigt pour les effacer, les seules traces de sa vulnérabilité. J'ai envie de caresser ses joues, ses lèvres, de suivre la ligne de sa mâchoire jusqu'à l'endroit où elle rencontre son cou, puis son cou jusqu'à l'endroit où il s'attache aux épaules. « J'aime quand deux parties du corps se rencontrent, le passage de la main au poignet, de la nuque au dos. » Quelque peu choquée par mes propres pensées, je fais un pas en arrière.

– Comment as-tu… ?

– Quelqu'un m'a aidée.

– Xander ?

Comment peut-il le savoir ? Je confirme :

– Xander.

Nous restons un moment silencieux. Je recule afin de le toiser en entier. Il se tourne alors pour repartir à travers les broussailles. Nous avançons lentement : les buissons sont tellement denses que, parfois, cela ressemble davantage à de l'escalade qu'à de la randonnée. Des troncs gisent au sol comme des os géants.

– Hier…

Il faut que je lui pose la question, même si elle semble maintenant triviale.

– Tu étais en train d'apprendre à écrire à Livy ?

Ky s'arrête pour me dévisager. Ses yeux paraissent presque verts sous les feuillages.

– Bien sûr que non, répond-il. Elle voulait savoir ce qu'on faisait, elle nous a vus, on n'a pas été assez prudents.

Je me sens si bête et, en même temps, soulagée.

– Je lui ai dit que je te montrais comment dessiner un arbre.

Il ramasse un bâton et l'agite, traçant un motif qui ressemble à des feuilles, puis il pose le bout de bois pour figurer le tronc. Je fixe ses mains, ne sachant comment réagir.

– Ici, une fois sorti de l'école primaire, plus personne ne dessine.

– Je sais, dit-il, mais au moins, ce n'est pas expressément défendu.

Je tire un chiffon rouge du sac pour l'attacher à un arbre couché. Je m'agenouille, les yeux rivés sur le nœud, trop gênée pour croiser son regard.

– Je suis désolée. Je n'aurais pas dû réagir comme ça hier.

Quand je me relève, il est déjà reparti.

– Ne te tracasse pas, dit-il en écartant une plante grimpante pour nous ouvrir le passage.

Il me lance la liane, je l'attrape au vol, surprise.

– Ça m'a fait plaisir de voir que tu étais jalouse.

Son sourire éclaire les bois comme un rayon de soleil.

Je m'efforce de ne pas le lui rendre.

– Qui a dit que j'étais jalouse ?

– Personne, mais ça se voyait. Tu sais, j'observe les gens depuis longtemps.

Soudain, je lui demande :

– Au fait, pourquoi m'avais-tu laissé ta relique ? L'écrin avec la flèche. C'est si beau. Je ne savais pas...

– À part mes parents, personne ne connaît son existence. Quand Em m'a confié ton poudrier, j'ai trouvé qu'ils se ressemblaient. J'avais envie que tu le regardes.

Il semble tellement seul en disant ça que j'ai l'impression d'entendre autre chose. « J'avais envie que tu me regardes. » Parce que, en me donnant sa relique, des bribes de son histoire, n'est-ce pas ce qu'il essaie de faire ? Il veut qu'on le regarde.

Il veut que je le regarde.

J'aimerais tellement le toucher. Mais je ne peux pas me résoudre à trahir Xander après ce qu'il a fait pour nous hier soir. Il nous a tout simplement sauvé la vie, à Ky et à moi.

Je peux cependant continuer à lui donner quelque chose qui n'appartient qu'à moi et non à Xander. Le poème.

Je ne voulais en réciter que quelques vers. Mais une fois lancée, je ne peux plus m'arrêter. Je vais jusqu'au bout. Un mot en entraîne un autre. Certaines choses sont faites pour aller ensemble.

– C'est violent, remarque-t-il.

– Je sais.

– Et pourtant, j'ai l'impression que ça m'apaise. Je ne comprends pas…

En silence, nous poursuivons notre chemin parmi les broussailles, les vers résonnant dans nos têtes.

Finalement, j'arrive à formuler ce que je pense :

– Sans doute parce que c'est réconfortant de savoir qu'on n'est pas les seuls à ressentir cette violence, cette rage.

– Redis-le-moi, me demande-t-il doucement, le souffle court, la voix rauque.

Pendant le restant de la matinée, jusqu'au coup de sifflet de l'Officier, nous progressons sur la Colline en nous répétant le poème comme une chanson. Une chanson que nous sommes seuls à connaître.

Avant de sortir de la forêt, Ky finit de m'apprendre à écrire mon prénom dans la terre meuble, sous un tronc couché. Accroupis, un chiffon rouge à la main, nous faisons mine de le nouer au cas où quelqu'un passerait par là.

J'ai un peu de mal à reproduire le *s*, pourtant j'adore sa forme sinueuse, comme un ruban flottant au vent. La simple ligne droite du *i* est bien plus facile, et je sais déjà faire le *a*.

Ça y est, je connais toutes les lettres de mon prénom et j'arrive à les attacher si Ky me guide. Le contact est léger, mais je sens la chaleur de sa main, la présence de son corps dans mon dos lorsque j'écris. « Cassia. »

– Mon prénom, dis-je en reculant pour admirer mon œuvre.

Mes lettres sont tremblantes, moins assurées que celles de Ky. Si ça se trouve, personne n'arriverait à me lire. Mais moi, je sais ce que ça signifie.

– Et ensuite ?

– Maintenant, on va reprendre du début. Tu connais le *a*, demain, on fera le *b*. Une fois que tu sauras l'alphabet en entier, tu pourras composer des poèmes.

En riant, je demande :

– Mais qui les lira ?

– Moi.

Il me tend une serviette en papier. Entre les traces de nourriture et les taches de gras, je vais découvrir une nouvelle parcelle de Ky.

Je la glisse dans ma poche, en l'imaginant en train d'écrire son histoire avec ses mains rougies, abîmées par la chaleur. J'imagine les risques qu'il prend en récupérant ces serviettes.

Il a fait preuve d'une telle prudence pendant des années, et maintenant, il est prêt à tout risquer. Parce qu'il a trouvé quelqu'un qui veut savoir. Quelqu'un à qui il a envie de se confier.

– Merci de m'apprendre à écrire.

– Merci pour la relique et pour le poème.

Une étincelle brille dans ses yeux et c'est grâce à moi.

Nous aurions tant à nous dire, mais il faut d'abord apprendre à se parler. Nous sortons ensemble de la forêt. Sans nous toucher. C'est trop tôt.

20

Après les cours et mon stage de classement, je rentre de la station d'aérotrain avec Em. Une fois que nous sommes seules, elle me prend la main.

– Je suis vraiment désolée.

– N'y pense plus. Je ne t'en veux pas.

Je la regarde droit dans les yeux en gage de sincérité, mais j'y lis toujours de la tristesse. Avant, j'avais l'impression de me voir en elle ; ce n'est plus le cas. Tant de choses ont changé ces derniers temps. Em est toujours ma meilleure amie. Même si nous nous sommes éloignées, nous avons grandi côte à côte, nos racines sont entremêlées à jamais. Et j'en suis ravie.

– Arrête de t'excuser, lui dis-je. Je ne regrette pas de te l'avoir prêté. Au moins, nous sommes deux à en avoir profité avant qu'ils le confisquent.

– Je ne comprends toujours pas, fait-elle d'un ton las. Ils ont déjà tellement d'objets à exposer dans les musées. Ça n'a aucun sens.

Je n'ai jamais entendu Em frôler de si près l'insubordination. Ça me fait sourire. Nous ne sommes peut-être pas si différentes, en fin de compte.

Pour changer de sujet, je demande :

– Qu'est-ce que tu fais, ce soir ?

Soulagée, elle répond :

– Hier, Xander m'a dit qu'il voulait aller à la salle de jeux. Qu'est-ce que tu en penses ?

Moi, pour être honnête, j'aimerais retourner au sommet de la petite colline. La perspective de me retrouver dans cette pièce bondée, alors que je pourrais être assise en plein air sous un ciel étoilé, me semble insurmontable. Pourtant je le ferai. Je suis prête à tout pour préserver les apparences. J'ai l'histoire de Ky à lire. Et, avec un peu de chance, je le croiserai là-bas. J'espère qu'il viendra avec nous.

Em interrompt le cours de mes pensées.

– Regarde, ta mère t'attend.

Elle a raison. Maman est assise sur le perron, tournée vers nous. Elle se lève, nous fait signe et vient à notre rencontre. Nous pressons un peu le pas.

– Elle est rentrée, dis-je.

En entendant mon ton surpris, je me rends compte que j'avais au fond de moi la crainte qu'elle ne revienne jamais.

– Elle était partie ? s'étonne mon amie.

Je n'étais pas censée mentionner son absence

hors du cercle familial. Sans être explicitement interdit, c'est le genre de choses que nous avons appris à garder pour nous.

Je corrige aussitôt :

– Rentrée plus tôt du travail, je veux dire.

Ce n'est même pas un mensonge.

Em me dit au revoir avant de regagner sa maison. Son érable ne va pas passer l'année. Alors qu'on est en plein été, il n'a qu'une dizaine de feuilles ratatinées. Je me tourne vers notre jardin, avec son arbre en pleine santé et ses fleurs resplendissantes, où ma mère m'accueille avec le sourire.

Ça me rappelle quand j'étais toute petite, à l'école primaire, et que ma mère finissait avant moi. Avec Bram, ils venaient parfois me chercher à la station d'aérotrain. Ils n'arrivaient jamais à temps parce que mon frère s'arrêtait tous les dix mètres pour regarder quelque chose. « L'attention qu'il porte aux moindres détails indique peut-être qu'il sera doué pour le classement », avait coutume de dire mon père. Mais au fil des ans, il est apparu qu'il avait perdu cette aptitude avec ses dents de lait.

Quand j'arrive à son niveau, ma mère me serre dans ses bras, au beau milieu du trottoir. Elle est pâle et semble fatiguée.

– Oh, Cassia. Je suis désolée. J'ai raté ta première sortie officielle avec Xander.

– Et tu as manqué autre chose hier soir

également, dis-je en enfouissant mon visage dans son cou.

Elle est plus grande que moi et je ne pense pas qu'un jour je la rattraperai. Je suis petite et menue, je tiens ça du côté de mon père. Comme grand-père. J'inspire l'odeur familière de fleur et de lessive de ma mère. Je suis tellement contente qu'elle soit rentrée.

– Je sais, dit-elle.

Elle ne critique jamais le Gouvernement. Le plus loin qu'elle soit allée, c'est le jour où les Officiels ont fouillé mon père. Je ne m'attends pas à ce qu'elle s'emporte et décrète que c'est injuste d'avoir confisqué les reliques. De plus, si elle condamnait cette mesure, elle condamnerait son mari. Après tout, lui aussi, c'est un Officiel.

Même si ce n'est pas lui qui a tendu la main en exigeant qu'on y dépose nos précieux objets, il l'a fait dans d'autres familles.

En rentrant hier soir, il nous a serrés fort dans ses bras, mon frère et moi, puis il est monté directement dans sa chambre sans dire un mot. Il ne supportait sans doute pas de voir sur nos visages la peine qu'il avait causée à d'autres gens.

– Je suis désolée, Cassia, répète ma mère en montant les marches du perron. Je sais que tu tenais beaucoup à ton poudrier.

– C'est dur pour Bram.

– Je m'en doute.

En arrivant dans l'entrée, j'entends le bip annonçant que nos repas sont arrivés. Mais dans la cuisine, je ne vois que deux plateaux.

– Et papa ? Et Bram ?

– Ton père a demandé à ce que leur dîner soit livré plus tôt afin qu'ils puissent aller se promener avant le quartier libre de Bram.

– Ah bon ?

C'est rare d'obtenir de telles dérogations.

– Oui, il a pensé que ton frère aurait besoin d'un peu d'attention, après tout ce qui est arrivé ces derniers temps.

Je suis contente que les Officiels du Centre de préparation nutritionnelle aient accepté la demande de mon père, surtout pour Bram.

– Pourquoi tu n'es pas allée avec eux ?

– J'avais envie de te voir. Ça fait longtemps qu'on n'a pas dîné ensemble. Et puis, je veux que tu me racontes en détail ta soirée avec Xander.

Nous nous asseyons l'une en face de l'autre à table. Elle a vraiment l'air épuisée.

– Et toi, ton voyage ? dis-je. Qu'est-ce que tu as vu ?

– Je ne sais pas…, murmure-t-elle presque pour elle-même.

Elle se reprend vite.

– Nous sommes allés dans un autre arboretum pour voir des plantations. Puis, après, nous avons dû faire un tour dans les Campagnes. Ça nous a pris un certain temps.

– Mais tout est rentré dans l'ordre, n'est-ce pas ?

– Oui, plus ou moins. Maintenant, je dois rédiger un rapport pour les Officiels de l'autre arboretum.

– Un rapport sur quoi ?

– C'est confidentiel, désolée, répond ma mère à regret.

Nous nous taisons, mais c'est un silence complice, entre mère et fille. Maman est perdue dans ses pensées, sans doute encore à l'arboretum. Elle rédige peut-être déjà son rapport dans sa tête. Ça ne me dérange pas. Je me détends, laisse mon esprit vagabonder et rejoindre Ky.

– Tu penses à Xander ? me dit-elle en souriant. Je passais mon temps à rêvasser, à l'époque où j'ai été promise à ton père.

Je lui rends son sourire. Inutile de lui dire que je rêve du mauvais garçon. Non, pas le mauvais garçon. Ky a beau être classé Aberration, il n'a absolument rien qui cloche. C'est le Gouvernement et son système de classification, et d'ailleurs le système tout entier qui cloche. Y compris le Programme de couplage.

Mais si c'est le système qui est mauvais, erroné, sans aucun rapport avec la réalité, est-ce que mes parents s'aiment vraiment ? Si c'est la Société qui a fait naître leur amour, peut-il néanmoins être sincère et réel ? Je n'arrive pas à chasser cette question de mon esprit. J'aimerais tant que la réponse soit oui. Que leur amour soit profond. J'aimerais qu'il garde sa beauté et sa force, indépendamment de tout le reste.

– Je vais me préparer pour aller à la salle de jeux.

Comme elle bâille, j'ajoute :

– Et toi, tu devrais aller te coucher. On continuera à discuter demain.

– Oui, je vais peut-être aller me reposer un peu.

Nous nous levons en même temps ; je jette sa barquette en alu dans le conteneur de recyclage tandis qu'elle dépose ma bouteille d'eau dans le stérilisateur.

– Passe me dire au revoir avant de partir, d'accord ?

– Bien sûr.

Ma mère va dans sa chambre et moi dans la mienne. J'ai quelques minutes à moi avant de retrouver les autres. Est-ce suffisant pour lire l'histoire de Ky ? Sans doute. Je tire la serviette froissée de ma poche.

J'ai envie d'en savoir davantage sur lui avant de le voir ce soir. J'ai l'impression que, tous les deux, nous sommes vraiment nous-mêmes quand nous marchons dans les bois. Mais au milieu de la foule, le samedi soir, c'est plus difficile. Nous traversons une forêt différente, tout aussi encombrée de ronces et de broussailles, sans cairns de pierre pour nous guider, à part ceux que nous construisons.

En m'asseyant sur mon lit pour lire, je jette un coup d'œil dans mon placard, à l'endroit où je posais mon poudrier. Mon cœur se serre. Mais tandis que je commence à lire, les larmes roulent sur mes joues et je réalise que je ne sais rien de la souffrance.

Sur le pli du milieu, Ky a dessiné un village, avec de petites maisons, de petits personnages. Sauf qu'ils sont tous étendus à terre, sur le dos. Personne n'est debout, à part les deux Ky. Les mains du plus jeune ne sont pas vides, il porte quelque chose. Dans l'une, le mot MÈRE, un peu mou, mimant un corps affaissé. Les deux jambes du R s'écartent, affolées.

Dans l'autre, le mot PÈRE, affalé lui aussi. Les épaules du jeune Ky sont voûtées sous le poids de ces deux petits mots. Son visage est tourné vers le ciel où la pluie s'est solidifiée, épaisse et sombre. Des bombardements, je crois. Comme dans la projection.

Le Ky plus âgé détourne la tête. Ses mains ne sont plus ouvertes. Il a les poings serrés. Un groupe de personnes en uniforme le regarde. Il sourit jusqu'aux oreilles. Il est en tenue de jour, une ligne indique qu'il l'a repassée soigneusement.

Au début, quand la pluie est tombée
Du ciel, si drue, si serrée,
Ça sentait la sauge, mon odeur préférée.
Je suis monté sur le plateau pour la guetter,
Pour voir les cadeaux qu'elle nous apportait,
Mais la pluie du bleu au noir a viré
Et, sur son passage, elle n'a rien laissé.

Ce soir, il semble y avoir pénurie de personnel à la salle de jeux. Pourtant, les joueurs sont nombreux, qui gagnent, qui perdent. Trois Officiels surveillent la plus grande table. Ils paraissent tellement sérieux et graves dans leurs uniformes blancs, l'air encore plus crispés que d'habitude. C'est étrange. D'habitude, ils sont au moins une douzaine pour veiller au bon ordre de la soirée. Où sont passés les autres ?

Il y a sans doute un problème quelque part.

Mais ici, pour autant que je sache, ça va. Ky s'est joint à nous. En me frayant un chemin dans la foule, sur les pas de Xander, je lui ai lancé un regard, espérant qu'il comprendrait que j'avais lu son histoire, et qu'elle m'avait touchée.

Il est juste derrière moi ; j'aimerais lui prendre la main, mais il y a trop de monde. La seule chose que je puisse faire, c'est éviter de le mettre en danger en attendant de trouver le bon endroit pour lui dire tout ce que j'ai à dire. En gardant en mémoire ses mots, ses dessins, même si j'aimerais que tout ça ne lui soit jamais arrivé.

Ses parents sont morts. Sous ses yeux. La mort est tombée du ciel. Et chaque fois qu'il pleut, ça ravive ses souvenirs.

Xander s'arrête, nous l'imitons. À ma grande surprise, il désigne une table pour deux, où on dispute une partie un contre un. D'habitude, il n'aime pas ce genre de jeux. Il préfère affronter de nombreux adversaires et l'emporter quand les enjeux sont au plus haut. Le défi est plus grand, il y a plus de variables à contrôler, et c'est moins personnel.

– Tu veux jouer ? propose-t-il.

Je me retourne. Il parle à Ky.

– D'accord, répond-il sans hésiter, d'une voix neutre.

Il ne quitte pas Xander des yeux, guettant ce qu'il va faire.

– À quel genre de jeu ? Stratégie ou hasard ?

Est-ce une note de défi que je perçois dans sa voix ? Pourtant son visage demeure impassible, comme celui de Ky.

– Ça m'est égal.

– Bon, un jeu de hasard, alors, décide Xander, ce qui me surprend à nouveau.

Il déteste les jeux de hasard. Ce qui l'intéresse, c'est de déployer de l'adresse ou un talent stratégique.

Em, Piper et moi, nous les regardons s'installer

et glisser leurs cartes dans l'infopod. Xander distribue les cartes, rouges avec un chiffre noir au centre, après les avoir rassemblées en les frappant d'un coup sec contre la table en métal.

– Tu veux commencer ?

Ky acquiesce et tend la main pour tirer une carte.

– Ils jouent à quoi ? demande quelqu'un près de moi.

Livy. Elle est là pour Ky, j'en suis sûre. Elle le couve du regard.

« Il n'est pas à toi », ai-je envie de lui crier. Mais il n'est pas à moi non plus. Je devrais être en train de regarder Xander. Espérer qu'il l'emporte.

– Ils jouent au Dilemme du prisonnier, annonce Em.

– C'est quoi ? veut savoir Livy.

Elle ne connaît pas ? Je me retourne, stupéfaite. C'est l'un des jeux les plus simples et les plus répandus. Em tente de lui expliquer les règles à voix basse pour ne pas déranger les joueurs.

– Ils posent chacun une carte en même temps. Si elles sont toutes les deux paires, ils marquent chacun deux points. Si elles sont impaires, ils marquent un point.

– Et s'il y en a une paire et une impaire ?

– Dans ce cas, le joueur qui a posé la carte impaire marque trois points et l'autre zéro.

Livy a les yeux rivés sur Ky. Refrénant ma jalousie, je me dis que, même si elle arrive à voir autant de choses que je vois en lui, ce dont je doute, elle ne sait rien de lui. S'intéresserait-elle à lui si elle savait qu'il est classé Aberration ?

Subitement, une pensée me glace : me serais-je intéressée à lui si je n'avais pas su qu'il était classé Aberration ? Je ne lui avais jamais vraiment prêté attention avant de connaître son statut.

« Et avant de voir son visage apparaître sur la microcarte. Naturellement, cela a piqué ta curiosité. Et puis, tu n'étais pas censée t'intéresser à qui que ce soit avant de connaître le nom de ton Promis. »

Ça m'agace de penser que les motivations de Livy sont finalement plus pures que les miennes. Elle s'intéresse simplement à lui. Sans raisons obscures ou secrètes. Sans arrière-pensée. Il l'attire, c'est tout.

Mais en réalité, je n'en sais rien.

Si ça se trouve, elle aussi cache quelque chose. Tout le monde peut cacher quelque chose.

J'essaie de me concentrer à nouveau sur la partie, en dévisageant attentivement Xander et Ky. Ils ne remuent pas un cil et ne marquent pas un temps d'hésitation, leurs cartes bien cachées. Finalement, ils terminent *ex aequo*. Ils ont tous les deux gagné, ou perdu.

– Sortons prendre l'air une minute, propose Xander en me tendant la main.

J'aimerais jeter un regard à Ky avant d'entrelacer mes doigts avec ceux de Xander, mais je me retiens. Il faut que je joue le jeu, moi aussi. Il comprendra sûrement.

Et Xander, comprendrait-il ? S'il était au courant, pour Ky et moi, s'il savait ce qu'on fait sur la Colline ?

Je chasse cette pensée de mon esprit en m'éloignant, main dans la main avec mon Promis. Livy prend aussitôt sa place pour discuter avec Ky.

Nous nous retrouvons seuls dans le hall d'entrée. Je me demande s'il va m'embrasser et ce que je ferai dans ce cas, mais à la place, il me glisse à l'oreille :

– Ky se saborde.

– Quoi ?

– Il fait exprès de perdre.

Je ne comprends pas où il veut en venir.

– Vous avez terminé *ex aequo*. Il n'a pas perdu.

– Pas ce soir, parce que c'était un jeu de hasard. Mais en général, quand c'est un jeu d'adresse, il sabote ses chances de gagner. Je le surveille depuis un moment. Il est très prudent, mais j'en suis sûr.

Je dévisage Xander, sans savoir comment réagir.

– C'est facile de faire exprès de perdre à un jeu d'adresse, surtout quand il y a beaucoup de joueurs. Ou à un jeu de stratégie comme le Check, où l'on peut mettre ses pions en situation délicate sans en avoir l'air. Mais aujourd'hui, juste contre moi, il n'a pas perdu. Il n'est pas stupide, il sait que je l'avais à l'œil.

Son sourire est bientôt remplacé par une mine perplexe.

– En revanche, je n'arrive pas à comprendre pourquoi…

– Pourquoi quoi ?

– Pourquoi il fait exprès de perdre. Il sait que les Officiels nous surveillent. Qu'ils essaient de repérer ceux qui jouent bien et que cela influence probablement le poste de travail qu'ils nous assignent. Alors c'est idiot. Pourquoi leur cacher son intelligence ? Parce qu'il est très malin.

– Tu ne vas pas leur rapporter, hein ?

Brusquement, j'ai très peur pour Ky.

– Bien sûr que non, répond Xander, pensif. Il doit avoir ses raisons. Et je les respecte.

Il a vu juste. Ky a ses raisons, de bonnes raisons, qui plus est. Des raisons qu'il m'a exposées sur la dernière serviette en papier, maculée de traces de sauce tomate. Telles des taches de sang. De sang séché.

– On refait une partie ? propose Ky en nous voyant revenir.

Il fixe Xander. Son regard vacille un instant ; j'ai l'impression qu'il a vu ma main dans la sienne, mais comment savoir ? Son expression ne trahit rien.

– D'accord, fait Xander. Hasard ou stratégie ?

– Stratégie, répond Ky, et quelque chose dans son ton me laisse soupçonner que, cette fois, il ne va pas faire exprès de perdre.

Il joue pour gagner.

Em lève les yeux au ciel en désignant les garçons, l'air de dire : « Ils sont vraiment primaires ! »

Nous les suivons néanmoins à une autre table. Et Livy aussi.

Je m'assieds entre Ky et Xander, à égale distance des deux, tel un aimant, attiré des deux côtés. Ils ont tous deux pris des risques pour moi – Xander avec la relique, Ky avec le poème et les lettres.

Xander est mon Promis, mon ami d'enfance et l'une des personnes les plus merveilleuses que je connaisse. Lorsqu'on s'est embrassés, c'était agréable. Mille et un souvenirs me lient à lui.

Ky n'est pas mon Promis, mais il a failli l'être. C'est lui qui m'a appris à écrire mon prénom, à mémoriser les poèmes, à bâtir une pile de cailloux qui défie les lois de la gravité. On ne s'est jamais embrassés et j'ignore si cela se produira un jour, mais je pense que ce serait plus qu'agréable.

C'est presque douloureux d'être à ce point consciente de sa présence. Je sens la moindre de ses hésitations, le moindre de ses mouvements pour placer un pion sur le damier.

Je brûle d'envie de lui prendre la main et de la poser sur mon cœur, là où ça fait le plus mal. Je ne sais pas si cela m'apaiserait ou si, au contraire, il se briserait en mille morceaux mais, au moins, cela mettrait fin à cette attente constante.

Xander fait preuve d'intelligence et d'audace, Ky d'intuition et de stratégie. Ils sont tous les deux très doués. Deux adversaires de qualité comparable. Ils vont si bien ensemble.

C'est à Ky de jouer. Xander ne le quitte pas des yeux. La main de Ky flotte au-dessus du damier. Il prend un pion, le soulève. Je comprends soudain où il va le mettre pour gagner, il a prévu son coup depuis le début.

Ils se toisent du regard, comme une sorte de défi qui a des enjeux bien plus profonds, bien plus importants que cette simple partie.

C'est alors que Ky pose son pion à un endroit où Xander a la possibilité de prendre l'avantage. Sans hésitation, il le pose avec un bruit mat et se rassoit dans son fauteuil, fixant le plafond. Je devine l'ombre d'un sourire sur ses lèvres, si imperceptible que je l'ai peut-être imaginé. Il a fondu plus vite qu'un flocon de neige sur un rail d'aérotrain.

Ky n'a pas porté le coup fatal, mais il n'a pas joué comme un idiot non plus. Simplement comme un joueur moyen. Lorsqu'il baisse les yeux, il croise mon regard et le soutient. Dans ce silence, il me dit quelque chose qu'il ne peut exprimer à voix haute.

Ky est expert dans l'art de jouer. Il maîtrise tous les jeux. Il en connaît les moindres rouages, c'est pour ça qu'il sait perdre à chaque fois.

21

Le lendemain, j'ai vraiment du mal à me concentrer sur le classement. Le dimanche est consacré au travail ; il n'y a pas d'activités de loisir. Je ne verrai donc sans doute pas Ky avant lundi. Et je n'aurai pas l'occasion de lui reparler de son histoire. Impossible de lui répéter : « Désolée pour tes parents. » Je lui ai déjà dit. Lorsqu'il est arrivé chez les Markham, nous l'avons tous accueilli en lui présentant nos condoléances.

C'est différent, maintenant que je suis au courant de ce qui s'est réellement passé. Je savais qu'ils étaient décédés, mais j'ignorais comment. J'ignorais qu'il avait vu, impuissant, la mort tomber du ciel. Ça m'a vraiment été très difficile d'incinérer la serviette qui racontait cette histoire. Comme les livres sur le chantier de l'ancienne bibliothèque, comme le poème de grand-père, j'ai changé l'histoire de Ky en cendres.

Sauf… qu'il s'en souvient, et moi aussi.

Un message de Norah apparaît sur mon écran : « Présentez-vous au poste du superviseur, s'il vous plaît. » Stupéfaite, j'interromps mon classement pour me retourner vers elle. Puis je me lève précipitamment.

Les Officiels sont revenus me voir.

Ils me suivent du regard, l'air approbateur, tandis que j'approche, passant derrière les autres box. Ça me rassure un peu.

Lorsque j'arrive près d'eux, l'Officiel aux cheveux gris me complimente :

– Toutes nos félicitations, vous avez obtenu de très bons résultats à votre examen.

– Je vous remercie.

C'est toujours ce que je réponds aux Officiels. Sauf que, cette fois, je le pense.

– La prochaine étape consiste en un classement en milieu réel. Nous vous emmènerons prochainement sur le lieu de l'épreuve.

J'acquiesce. J'en ai déjà entendu parler. Il faut trier des éléments existants : de vraies données, comme des informations, ou de vraies personnes, un groupe d'élèves dans une classe, par exemple, pour montrer qu'on est capable d'appliquer ce qu'on a appris dans le monde réel. On passe alors à l'étape suivante et, dans la plupart des cas, il s'agit de l'affectation définitive.

C'est rapide. En fait, tout semble se précipiter ces derniers temps : les reliques confisquées à la va-vite, le voyage surprise de ma mère, et maintenant, progressivement, la fin de la scolarité pour bon nombre d'entre nous.

Les Officiels attendent ma réponse.

– Merci.

L'après-midi, ma mère reçoit un message au travail : « Rentrez chez vous et faites vos bagages. » Encore un déplacement professionnel. Qui risque d'être plus long que le précédent. Je sais que mon père a horreur de ça, mon frère aussi. Idem pour moi, à vrai dire.

Assise sur son lit, je la regarde se préparer. Elle plie ses deux tenues de rechange. Sa tenue de nuit, ses sous-vêtements, ses chaussettes. Elle vérifie que ses pilules se trouvent bien dans leur étui.

Il en manque une : la verte. Elle lève les yeux vers moi, je détourne la tête.

Ces missions sont sans doute plus éprouvantes qu'il n'y paraît. Pourtant, je n'ai pas noté chez elle le moindre signe de faiblesse. Au contraire, elle a prouvé son courage. Si ce qu'elle traverse est dur au point qu'elle ait besoin de ce comprimé, garder le silence et ne pas nous faire de confidences doit être douloureux. Mais elle est forte, elle se tait afin de nous protéger.

– Cassia ? Molly ?

Lorsque mon père entre dans la chambre, je me lève pour les laisser tous les deux. Au passage, je serre ma mère dans mes bras. Nos regards se croisent, je lui souris. Pour lui faire comprendre que je n'aurais pas dû détourner les yeux. Que je n'ai pas honte d'elle. Je sais combien il est pénible de garder un secret. Je serai certainement agent de classement comme mon père et mon grand-père avant moi, mais je suis également sa fille à elle.

Le lundi matin, Ky et moi, nous retournons à l'endroit où nous nous étions arrêtés la fois précédente, afin de poursuivre notre marquage avec les chiffons rouges. Ce n'est pas simple de reprendre notre conversation là où nous l'avions laissée. J'hésite à troubler la quiétude des bois en évoquant les horreurs des Provinces lointaines, mais il a déjà tellement souffert, tout seul, que l'idée de le faire attendre davantage m'est intolérable.

– Ky, je regrette, je suis désolée qu'ils soient morts.

Sans rien dire, il se penche pour attacher une bande de tissu à un arbuste particulièrement épineux. Ses mains tremblent imperceptiblement. Je sais ce que ça lui coûte de laisser paraître son désarroi et j'ai envie de le consoler. Je lui pose la main sur l'épaule, doucement, tendrement, pour qu'il sache que je suis là. Lorsqu'il se retourne, la douleur que je lis dans son regard m'intime de ne rien dire : c'est déjà assez que je sois au courant. Peut-être même trop.

J'essaie de faire diversion :

– Alors, qui est-ce, ce Sisyphe ? Tu m'en as parlé un jour, quand l'Officier nous a annoncé que nous gravirions bientôt la Colline.

– Le héros d'un mythe très ancien.

Il repart. Il ne tient pas en place aujourd'hui.

– C'était l'une des anecdotes préférées de mon père. Je pense qu'il aurait aimé être une sorte de Sisyphe, rusé et sournois, capable de causer des ennuis à la Société et aux Officiels.

Ky ne m'a jamais parlé de son père. Sa voix monocorde ne laisse pas transparaître ce qu'il ressent pour cet homme, mort depuis longtemps. Dans l'un de ses dessins, il tenait son nom entre ses mains.

– On raconte qu'un jour, Sisyphe a demandé à un Officiel de lui montrer comment fonctionnait son arme et qu'il l'a ensuite retournée contre lui.

Je dois avoir l'air sidérée, mais Ky ne semble pas surpris de ma réaction. Il m'explique patiemment :

– C'est une vieille histoire ; en ce temps-là, les Officiels portaient des armes. Ils n'en utilisent plus maintenant.

Ce qu'il passe sous silence, et que nous savons pertinemment tous deux, c'est qu'*ils n'en ont plus besoin*. La perspective d'un déclassement en Aberration ou en Anomalie est suffisante pour s'assurer l'obéissance de la plupart des gens.

Ky se remet en marche. Je le suis de près car il retient les branches pour me faciliter le passage, si près que je distingue tous les muscles de son dos. Un instant, l'odeur qui monte de la forêt se mélange purement et simplement à la sienne. Je me demande comment sent la sauge, qui était autrefois son odeur favorite. Je voudrais que le parfum de cette forêt, que j'adore, soit aussi son préféré.

– La Société a condamné Sisyphe à un châtiment exemplaire pour avoir eu l'audace de croire qu'il pouvait être aussi intelligent que les Officiels, alors qu'il n'en faisait pas partie et n'était même pas un citoyen. Il n'était rien, juste une Aberration des Provinces lointaines.

– Quelle a été sa punition ?

– Il devait faire rouler une énorme pierre jusqu'au sommet d'une montagne.

– Ça n'a pas l'air si terrible, dis-je, soulagée.

Si l'histoire se finit bien pour Sisyphe, pourquoi pas pour Ky ?

– Ce n'était pas aussi facile que ça. Quand il était sur le point d'atteindre le sommet, la pierre retombait en bas et il devait recommencer. Et ça ne s'arrêtait jamais. Il était condamné à la pousser perpétuellement.

– Je vois…

Voilà pourquoi nos randonnées sur la petite colline lui ont rappelé Sisyphe. Nous n'avons fait que ça, monter et redescendre.

– … mais nous, au moins, nous sommes parvenus au sommet.

– Une victoire de courte durée, puisqu'on ne nous a pas permis d'y rester, objecte-t-il.

– Il venait de ta Province ?

Je me tais, croyant avoir entendu le sifflet de l'Officier, mais c'est juste un oiseau qui piaille dans les arbres au-dessus de nous.

– Je ne sais pas. J'ignore s'il a jamais existé.

– Alors quel est l'intérêt de raconter son histoire ?

Je ne comprends pas. L'espace d'un instant, je me sens trahie. Pourquoi m'avoir parlé de cette personne s'il n'y a aucune preuve de son existence ?

Ky réfléchit, les yeux grands ouverts et le regard aussi profond que les océans des mythes d'autrefois ou le ciel de son histoire.

– Même s'il n'a pas existé, nous sommes nombreux à avoir vécu une expérience analogue. Donc, en définitive, son histoire est vraie.

Je réfléchis à ce qu'il vient de dire pendant que nous débroussaillons rapidement le chemin pour nouer les chiffons. Une odeur familière me parvient : de décomposition seulement, pas de pourriture. L'odeur féconde des plantes qui redeviennent terre, du bois qui se décompose.

Sous sa surface boisée, cette Colline cache mille secrets. Comme dans les histoires de Ky, rien n'est totalement bon ou mauvais. Jusque-là, je raisonnais en termes de bien ou de mal ; j'ai tout d'abord cru que la Société était parfaite. La nuit où ils sont venus nous confisquer les reliques, j'ai pensé le contraire. Maintenant, je ne sais plus ce que je crois.

Ky sème le doute dans mon esprit. Et de cette manière, il m'aide à y voir plus clair. J'espère que c'est réciproque.

En débouchant dans une clairière, je lui demande :

– Pourquoi tu fais exprès de perdre quand tu joues ?

– Je suis obligé, riposte-t-il, tendu.

– Tout le temps ? Tu ne rêves pas de battre les autres ?

– Si, j'espère toujours que je vais gagner.

Ses yeux brillent. Il dégage le chemin, maintient une branche sur le côté et une autre en arrière pour que je puisse passer. Mais je ne bouge pas. Les taches d'ombre et de lumière des feuilles papillonnent sur son visage. Il fixe mes lèvres et ça me gêne pour parler.

– Xander a compris que tu te sabordais.

– Je sais.

Il esquisse un sourire, comme l'autre jour.

– Tu as d'autres questions ?

– Une seule. De quelle couleur sont tes yeux ?

Je veux savoir de quelle manière il se voit lui, intérieurement.

– Bleus, répond-il, un peu surpris, ils ont toujours été bleus.

– Pas pour moi.

– De quelle couleur sont-ils, alors ?

Il paraît déconcerté, amusé. Maintenant, il me regarde dans les yeux.

Je réplique :

– Changeants. J'ai tout d'abord pensé qu'ils étaient marron. Puis un jour, je les ai vus verts, et une autre fois, gris.

– Et là ?

Il s'approche en les écarquillant pour me donner le loisir de les contempler.

Ils sont bleus, noirs, de tant d'autres couleurs. La couleur de ce qu'ils ont vu, la couleur de ce qu'ils voient maintenant. Moi, Cassia. Ce que je ressens. Ce que je suis.

– Alors ?

– Du monde, ils sont de la couleur du monde.

Un moment, nous restons immobiles, les yeux dans les yeux, sur cette colline que nous n'aurons jamais fini de gravir. Puis je le dépasse, j'avance dans les feuillages pour me percher sur un tronc couché. Il m'imite, y grimpe aussi.

Je suis en train de tomber amoureuse. Je suis amoureuse. Mais pas de Xander, bien que je sois certaine de l'aimer également ; ce que j'éprouve pour Ky, c'est tout autre chose.

Soudain, j'espère l'effondrement de cette Société, et de son système de couplage, afin de pouvoir rester avec Ky. Mais je sais que c'est égoïste. Ça améliorerait la vie de certains et ça ruinerait celle des autres. *Qui suis-je pour vouloir bouleverser l'ordre des choses, en vouloir toujours davantage ? Qui suis-je pour dire à une fille qui espérait une vie sans histoire avec son Promis que, maintenant, elle doit faire ses choix et affronter le danger ?*

Je ne suis personne. Juste une fille parmi d'autres, banale, normale, comme la plus grande majorité. Et qui a toujours été plutôt gâtée jusque-là.

– Cassia !

D'un coup sec, Ky casse une branche et se penche rapidement pour écrire dans l'humus épais. Il repousse une couche de feuilles, effrayant une araignée qui s'enfuit.

– Regarde !

Il me montre une nouvelle lettre. Le *k*.

Ravie qu'il interrompe mes lugubres pensées, je m'accroupis près de lui. Cette lettre est plus difficile et je dois m'y reprendre à plusieurs fois, pour un résultat médiocre. Mes mains sont habituées à taper sur un écran, pas à écrire. Finalement, je réussis à la tracer et Ky me sourit chaleureusement.

– Bien, dis-je, satisfaite, j'ai donc appris le *k*.

C'est bizarre, je pensais qu'on suivait l'ordre alphabétique.

– Tu as raison. Mais je crois que le *k* fait partie des lettres indispensables.

J'enchaîne avec ironie :

– Vraiment ? Et quelle est la suivante ? Ce ne serait pas le *y* par hasard ?

– Possible.

Il ne sourit plus mais son regard est malicieux.

Le sifflet retentit. Je me demande comment j'ai pu le confondre avec le chant d'un oiseau tout à l'heure. L'un produit un son métallique et artificiel alors que l'autre est clair, pur, tellement mélodieux.

Je soupire et balaye la terre de la main, ensevelissant les lettres. Puis je saisis une pierre pour faire un cairn et Ky m'aide. Petit à petit, nous construisons une tour.

Au moment où je place la dernière pierre, Ky pose sa main sur la mienne. Que je ne retire pas. Pour ne pas faire tomber le cairn et profiter de la chaleur de sa paume rugueuse et de la fraîcheur de la pierre lisse. Puis nous entrecroisons nos doigts.

– Je n'aurai jamais de Promise, m'annonce-t-il en contemplant nos mains. Je suis une Aberration.

Il attend ma réaction.

– Mais pas une Anomalie.

J'essaie de dire ça d'un air dégagé. C'est une erreur, on ne badine pas avec les sujets graves.

– Pas encore, réplique-t-il avec un sourire un peu forcé.

Faire ses choix est une chose, ne jamais en avoir eu l'occasion en est une autre.

Je sens brusquement une grande solitude au plus profond de moi. Comment peut-on vivre seul ? En sachant qu'il n'y a pas d'alternative ?

C'est alors que je prends conscience que je me moque des statistiques des Officiels. Beaucoup de gens dans notre Société sont heureux, je sais, tant mieux pour eux. Mais il y a Ky. Et s'il est le seul à rester sur le bas-côté de la route pendant que quatre-vingt-dix-neuf pour cent des autres sont comblés, alors je m'insurge. Je me fiche totalement de l'Officier qui arpente le sentier en contrebas et des autres stagiaires dans les broussailles et de tout le reste, et je comprends que tout ça est très dangereux.

Doucement, je lui demande :

– Si tu avais une Promise, tu penses qu'elle serait comment ?

– Comme toi, répond-il immédiatement. Ce serait toi.

Nous ne nous embrassons pas. Nous ne bougeons pas, nous restons là à respirer ensemble. Enfin, je sais. Maintenant, je ne peux plus continuer sans violence. Ni pour mes parents, ni pour ma famille.

Ni pour Xander.

22

Quelques jours plus tard, en cours de texte et langage, j'écoute l'instructrice nous rappeler de veiller à la concision de nos messages lorsque nous communiquons *via* le port. C'est alors que, comme pour illustrer ce qu'elle vient de dire, un message très concis arrive sur celui de la classe :

– Cassia Reyes. Procédure d'Infraction. Un Officiel arrive pour vous escorter au bureau.

Tout le monde se retourne vers moi. Un silence de plomb se fait dans la pièce. Les élèves arrêtent de taper sur leur scripteur, doigts en suspens. Même l'instructrice affiche un profond étonnement et n'essaie pas de poursuivre son cours. Cela fait bien longtemps que personne ici n'a commis d'Infraction. Et c'est encore plus rare que la procédure soit annoncée publiquement.

Je fourre scripteur et lecteur dans mon sac avec mon étui à pilules. Je tiens à être prête lorsque l'Officielle arrivera. Car je sais qui va venir me chercher. La première, celle de l'espace vert près de la salle de jeux, qui m'a dit que tout irait bien et qu'il n'y avait aucun problème concernant mon couplage.

M'a-t-elle menti ? Ou alors disait-elle la vérité et l'ai-je fait mentir par mes actes ?

Lorsque je quitte la pièce, l'enseignante incline la tête et j'apprécie sa courtoisie.

Le couloir est désert, interminable, avec son sol glissant qui vient d'être lavé. Encore un endroit où l'on ne peut pas courir.

Je n'attends même pas qu'ils viennent me chercher. Je marche droit devant moi, veillant à bien poser mes pieds à plat, à ne pas glisser, à ne pas trébucher, à ne pas courir, parce qu'ils me regardent.

Elle se tient dans l'espace vert qui jouxte l'école. Je dois prendre un sentier pour la rejoindre sur un banc, une fois encore. Elle m'attend.

Elle ne se lève pas pour me saluer. Et je ne m'assieds pas à côté d'elle. Le soleil brille, la blancheur de son uniforme, l'éclat métallique du banc m'éblouissent. Je me demande si nous voyons les choses différemment, elle et moi, maintenant que nous n'essayons pas de voir ce que nous souhaitons voir.

– Bonjour, Cassia.

– Bonjour.

– Votre nom est apparu dans les fichiers de nombreux départements, dernièrement.

Elle me fait signe de m'asseoir.

– Pour quelle raison, à votre avis ?

« Il y en a tellement. Je me demande par où commencer. J'ai caché des reliques, lu des poèmes volés, appris à écrire. Je suis tombée amoureuse d'un garçon qui n'est pas mon Promis. Et bien sûr, je n'en ai pas averti mon Promis. »

– Je ne sais pas trop…

Elle rit.

– Oh, Cassia, vous vous êtes montrée tellement franche avec moi la dernière fois. J'aurais dû me douter que ça ne durerait pas.

Elle tapote le banc à côté d'elle.

– Asseyez-vous.

J'obéis. Le soleil est juste au-dessus de nous au zénith. Un éclairage direct et peu flatteur. Sa peau parcheminée ruisselle de sueur. Elle paraît moins nette, moins impeccable dans son uniforme blanc, son insigne me semble plus petit, moins imposant que la dernière fois. Je tente de m'en convaincre pour ne pas paniquer, pour ne rien lui avouer, surtout pas au sujet de Ky.

– Inutile de jouer les modestes. Vous savez sûrement que vous avez très bien réussi votre épreuve de classement.

Mais… C'est pour ça qu'elle voulait me voir ? Je ne suis pas en Infraction ?

– Vous avez obtenu le meilleur score de l'année. Bien entendu, tous les départements se battent pour que vous soyez affectée à leur service. Au couplage, nous avons toujours besoin de personnes douées en classement.

Elle me sourit. Comme la dernière fois, elle veut me rassurer sur ma place dans la Société. Je me demande pourquoi je la déteste autant.

Je le découvre bientôt.

– Bien entendu, reprend-elle avec une note de regret dans la voix, j'ai dû prévenir les Officiels chargés des examens qu'à moins d'un changement significatif dans la nature de certaines de vos relations, nous ne pourrions envisager de vous embaucher. J'ai également dû préciser que vous ne conviendriez à aucun autre poste de classement si cela continue ainsi.

Elle dit cela sans me regarder, fixant la fontaine au centre de l'espace vert, qui – je viens de le remarquer – est à sec. Puis elle se tourne vers moi. Mon cœur s'accélère, je sens mon pouls jusque dans l'extrémité de mes doigts.

Elle sait. Peut-être pas tout. Mais assez.

– Cassia, les adolescents se laissent parfois emporter par leurs émotions. Et ont une tendance à la rébellion. C'est normal quand on grandit. En fait, j'ai vérifié votre dossier, et nous avions prédit que vous pourriez avoir cette tendance.

– Je ne vois pas de quoi vous parlez.

– Bien sûr que si, Cassia. Mais ne vous tracassez pas. Vous avez un petit faible pour Ky Markham en ce moment, mais il y a quatre-vingt-quinze pour cent de chances pour que cela vous passe d'ici à vos vingt et un ans.

– Ky est mon ami. Nous aimons marcher ensemble.

– Cela arrive souvent, vous savez, renchérit l'Officielle d'un ton amusé. Près de soixante-dix-huit pour cent des adolescents qui choisissent d'être couplés ont une amourette de jeunesse. Et cela se produit généralement dans l'année suivant leur banquet. C'est tout à fait banal.

C'est ce que je hais le plus chez les Officiels : quand ils font mine de tout savoir, de me connaître par cœur. Alors qu'ils ignorent tout de moi. Ils n'ont que des données sur un écran.

– En principe, dans ce genre de cas, on se contente de sourire et de laisser la situation se régler d'elle-même. Mais ici, l'enjeu est plus sérieux en raison du statut de Ky. Avoir un faible pour un citoyen ordinaire de la Société, c'est une chose. Mais pour vous deux, c'est différent. Si cela continue, vous risquez d'être également classée Aberration. Et Ky Markham serait évidemment renvoyé dans les Provinces lointaines.

Mon sang se glace, pourtant elle n'en a pas encore fini avec moi. Elle s'humidifie les lèvres, qui sont aussi sèches que la fontaine derrière elle.

– Vous comprenez ?

– Je ne peux pas arrêter de lui parler. On fait équipe en stage de randonnée. On habite le même faubourg…

Elle m'interrompt :

– Vous pouvez parler, bien entendu. Mais il y a des limites à ne pas franchir. S'embrasser, par exemple.

Elle me sourit.

– Vous ne voudriez pas que Xander soit au courant de tout ça, n'est-ce pas ? Vous n'avez pas envie de le perdre ?

Je suis furieuse et ça doit se lire sur mon visage. Elle a raison. Je ne veux pas perdre Xander.

– Cassia, regrettez-vous d'avoir choisi d'être couplée ? Auriez-vous préféré rester Célibataire ?

– Non, ce n'est pas ça.

– Alors, qu'est-ce que c'est ?

– Je trouve qu'on devrait pouvoir choisir son Promis, dis-je sans conviction.

– Mais cela n'aurait pas de fin, Cassia, répond-elle d'un ton patient. Ensuite, vous exigeriez sans doute que les couples puissent choisir combien d'enfants ils souhaitent et où ils veulent vivre. Ou même quand ils veulent mourir.

Je me tais, mais pas parce que je suis d'accord. Je pense à grand-père. « N'entre pas sans violence. »

– Quelle Infraction ai-je commise ?

– Pardon ?

– Quand on m'a convoquée en cours, le port a annoncé que j'avais commis une Infraction.

L'Officielle se met à rire. Un rire naturel et chaleureux qui me donne la chair de poule.

– Ah, c'était une erreur. À nouveau. Décidément, cela vous poursuit.

Elle se penche vers moi.

– Vous n'avez pas commis d'Infraction, Cassia. Pas encore.

Elle se lève. Je garde les yeux rivés sur la fontaine, regrettant qu'elle soit vide.

– C'est un avertissement, Cassia. Vous comprenez ?

– Je comprends.

Je ne mens pas vraiment. Je comprends son point de vue. Je sais qu'elle doit veiller au bon ordre et au respect des règles et, d'un certain côté, je le respecte. C'est ce qui m'énerve le plus.

Quand je croise enfin son regard, elle a l'air satisfaite. Elle sait qu'elle a gagné. Elle lit dans mes yeux que je ne veux pas risquer d'aggraver la situation de Ky.

– Tu as reçu un paquet, m'annonce Bram, tout content, en me voyant rentrer. Ça doit être une surprise. Un coursier l'a déposé, j'ai dû laisser mon empreinte digitale sur son infopod.

Il me suit dans la cuisine où un petit paquet m'attend sur la table. L'épais papier marron me fait penser à Ky, il pourrait écrire la suite de son histoire dessus. Mais non, c'est fini. C'est trop dangereux.

Pourtant, je l'ouvre avec précaution, lissant l'emballage du plat de la main. Mon frère bout d'impatience.

– Allez, dépêche-toi !

C'est rare que l'on reçoive quelque chose à la maison.

En découvrant ce qui se trouve dans le paquet, nous laissons échapper un soupir. Soupir de déception pour Bram ; quant au mien, je ne saurais le définir. Regret ? Nostalgie ?

C'est l'échantillon de ma robe de banquet. Comme le veut la tradition, ils ont placé la soie entre deux plaques de verre maintenues par un cadre argenté. La lumière s'y reflète, c'est éblouissant, ça me rappelle le miroir de mon poudrier. Je contemple le morceau de tissu, essayant de me remémorer la soirée de banquet, où nous étions toutes en rose, rouge, jaune, vert, violet et bleu.

Mon frère grommelle :

– C'est quoi ? Un bout de ta robe ?

– Qu'est-ce que tu croyais, Bram ?

L'amertume de ma voix me surprend.

– Qu'ils allaient nous renvoyer nos reliques ? Tu t'imaginais qu'il s'agissait de ta montre ? Eh bien, non. C'est fini, on ne les reverra plus. Ni le poudrier. Ni la montre. Ni grand-père.

Choqué, blessé, mon frère quitte la pièce sans attendre la suite.

– Bram ! Bram…

J'entends la porte de sa chambre claquer.

En ramassant le carton qui contenait le cadre, je m'aperçois que cela aurait effectivement pu être sa montre, c'était la bonne taille. Il a osé espérer et je me suis moquée de lui.

J'ai envie de prendre le cadre pour retourner au milieu de l'espace vert. Je resterais plantée devant la fontaine jusqu'à ce que l'Officielle vienne me voir. Et quand elle me demanderait ce que je fais là, je lui dirais, je dirais à tout le monde que j'ai compris : ils nous donnent des échantillons de vie au lieu de nous laisser vivre vraiment. Je lui dirais que je ne veux pas me contenter d'échantillons et de miettes. Me contenter de goûter sans jamais faire un vrai repas.

Ils ont porté à la perfection l'art de nous laisser juste assez de liberté, toujours à la limite. Quand nous sommes sur le point de craquer, ils nous jettent un os et nous roulons sur le dos, découvrant notre ventre, contents et apaisés, comme le chien que j'ai vu un jour chez mes grands-parents des Campagnes.

Ils ont eu des dizaines d'années pour

peaufiner leur système, alors pourquoi suis-je si surprise que cela fonctionne sur moi chaque fois, encore et toujours ?

J'ai beau avoir honte, je saisis l'os dans ma gueule. Je le ronge. Préserver la sécurité de Ky. C'est tout ce qui compte.

Je ne prends pas la pilule verte, je suis encore assez forte pour résister. Mais pas assez pour brûler la suite de l'histoire de Ky, qu'il m'a glissée au creux de la main dans la forêt ce matin.

Juste celle-ci. Après, c'est fini.

C'est une première : il y a des couleurs dans son dessin. Un soleil rougeoyant brille bas dans le ciel, pile sur le pli de la serviette, entre les deux garçons, les deux vies. Le jeune Ky a lâché les mots « père » et « mère », ils ont disparu. Oubliés, abandonnés, ou tellement ancrés en lui qu'il n'a plus besoin de les représenter. Il regarde le Ky plus âgé, tend la main vers lui.

C'était trop lourd à porter,
Alors je les ai laissés
Pour une nouvelle vie, une nouvelle terre,
Mais personne n'a oublié qui j'étais,
Ni moi
Ni ceux qui nous surveillent ;
Ils surveillent depuis des années,
Ils nous surveillent en ce moment.

Le Ky plus âgé, le Ky d'aujourd'hui, est menotté, encadré par deux Officiels. Il a colorié ses mains en rouge – j'ignore si c'est par souci de réalisme ou pour symboliser autre chose. Le sang de ses parents sur ses mains, même si ce n'est pas lui qui les a tués.

Les mains des Officiels sont également rouges. Je reconnais l'un des deux visages. Il a réussi à capturer son expression en quelques traits habiles.

Mon Officielle. Elle est passée le voir aussi.

23

Le lendemain matin, je suis réveillée par un cri si déchirant que je bondis hors de mon lit, arrachant les capteurs de ma peau.

– Bram !

Il n'est pas dans sa chambre.

Je cours dans celle de mes parents. Ma mère est rentrée de déplacement hier soir ; ils devraient être là tous les deux. Mais la chambre est vide également et, aux draps froissés et à la couverture gisant sur le sol, je devine qu'ils se sont levés précipitamment. Je recule d'un pas. Ça fait tellement longtemps que je n'ai pas vu leur lit défait que ça me gêne d'être ainsi témoin de leur intimité, malgré l'urgence de la situation.

– Cassia ?

C'est la voix de ma mère.

– Où êtes-vous ?

Mon cri paniqué résonne dans le couloir.

Elle me rejoint en courant, toujours en tenue de nuit. Ses longs cheveux blonds flottant dans son dos lui donnent un air presque irréel, jusqu'à ce qu'elle me serre contre elle dans une étreinte bien réelle.

– Qu'est-ce qui s'est passé ? s'inquiète-t-elle. Ça va ?

– Ces cris..., fais-je en regardant autour de moi pour en chercher l'origine.

C'est alors que je perçois un autre bruit : le choc du métal contre le bois.

– Personne n'a crié, explique tristement ma mère. Ce sont les scies que tu entends. Ils sont en train d'abattre les érables.

Je me rue sur le perron où se trouvent déjà mon père et mon frère. D'autres familles observent également la scène, en tenue de nuit, comme nous. Un tel déballage d'intimité au grand jour me choque profondément. Jamais je n'avais vu aucun de nos voisins dans un pareil accoutrement.

Si, peut-être une fois. Le jour où Patrick Markham est sorti dans la rue en pyjama juste après la mort de son fils. Le père de Xander l'a croisé et l'a raccompagné chez lui.

La scie mord dans le tronc de notre érable, le tranchant si vite et si net que j'ai à peine le temps de voir ce qui se passe. J'entends juste le cri strident. L'arbre reste un instant droit, on pourrait croire qu'il va bien, puis tombe brutalement, raide mort.

Je me tourne vers ma mère.

– Mais… pourquoi ?

Comme elle ne répond pas tout de suite, mon père lui passe le bras autour des épaules en m'expliquant :

– Ces érables sont source de nuisances. En automne, ils mettent des feuilles partout. Et puis, ils ne poussent pas uniformément. Par exemple, le nôtre est trop grand alors que celui d'Em est resté chétif. Certains sont malades, mieux vaut tous les abattre.

Je contemple notre arbre, les feuilles tendues vers le soleil, dans un vain effort pour se nourrir de lumière. Elles ignorent encore qu'elles sont mortes. Notre jardin n'a plus la même allure sans ce grand arbre devant la maison. Tout paraît plus petit.

Je me tourne vers chez Em. À l'inverse, la disparition de leur petit arbre misérable n'a pas changé grand-chose. C'était plus un bâton couronné d'une touffe de feuilles qu'un véritable érable.

Je remarque :

– Pour Em, ce n'est pas une grosse perte.

– C'est triste pour nous tous, rétorque ma mère avec véhémence.

Hier soir, comme je n'arrivais pas à dormir, j'ai tendu l'oreille pour l'écouter discuter avec mon père. Ils parlaient si bas que je ne distinguais pas ce qu'ils disaient, mais elle avait l'air abattue, épuisée. Finalement, j'ai abandonné et je me suis endormie. Aujourd'hui, elle paraît furieuse, plantée devant la maison, les bras croisés.

Les ouvriers sont déjà partis dans un autre jardin, maintenant qu'ils ont scié notre érable. C'était assez simple, mais le plus dur reste à venir : arracher les racines.

Mon père serre ma mère contre lui. Il ne partage pas son attachement profond aux arbres, mais il la comprend car il a vécu la même expérience : assister à la destruction de ce qu'on aime. Ma mère aime les plantes, mon père aime les objets qui ont une histoire.

Ils s'aiment.

Et je les aime tous les deux.

Si je commets une Infraction, je ferai non seulement du mal à Ky et à Xander, mais à tous les gens que j'aime.

– C'est un avertissement, murmure ma mère, comme pour elle-même.

– Je n'ai rien fait ! se défend Bram. Ça fait des semaines que je ne suis pas arrivé en retard à l'école.

– Pas pour toi, le rassure ma mère. Pour quelqu'un d'autre.

Mon père lui pose une main sur l'épaule et la regarde comme s'ils étaient seuls tous les deux.

– Molly, je te promets que je n'ai…

Au même moment, j'ouvre la bouche pour dire quelque chose – je ne sais même pas quoi –, avouer que tout est ma faute. Mais sans laisser mon père finir ni moi commencer, ma mère prend la parole :

– C'est pour moi, cet avertissement.

Elle tourne les talons et rentre à l'intérieur, en s'essuyant la joue d'un revers de main. La culpabilité se plante dans mon cœur comme la scie dans le tronc des arbres.

Je ne pense vraiment pas que cet avertissement lui soit destiné.

Si les Officiels voient réellement nos rêves, ils doivent être satisfaits de celui que j'ai fait cette nuit. Après avoir brûlé la fin de l'histoire de Ky dans l'incinérateur, je n'ai cessé de revoir la scène : un soleil rougeoyant brillait bas dans le ciel lorsque les Officiels venaient le chercher.

Dans mon sommeil, j'ai donc vu et revu Ky cerné par des Officiels en uniforme blanc, avec un ciel rouge en toile de fond et un soleil à demi caché à l'horizon. Soleil levant, soleil couchant ? Impossible à dire. Jamais Ky ne montrait aucun signe de peur. Ses mains ne tremblaient pas. Il semblait calme. Pourtant, je savais qu'il était terrifié et, baigné par le soleil rouge, son visage paraissait en sang.

Je n'ai pas envie d'assister à cette scène pour de vrai. Mais il faut que j'en apprenne davantage. Comment s'en est-il sorti la dernière fois ? Que s'est-il passé ?

Deux désirs s'affrontent en moi : celui de

protéger ce qui peut l'être et celui de savoir. J'ignore lequel l'emportera.

Dans l'aérotrain qui nous conduit à l'arboretum, ma mère parle à peine. Elle me regarde et me sourit de temps à autre, mais je vois bien qu'elle est plongée dans ses pensées. Quand je lui pose des questions sur ce voyage, elle choisit ses mots avec prudence. Je finis par abandonner.

Ky est dans la même rame, nous nous rendons tous les deux au pied de la Colline. J'essaie de me montrer sympathique, mais réservée, comme autrefois, alors que je brûle d'envie de lui prendre la main, de le regarder dans les yeux et de lui demander ce qui s'est passé après. La suite de son histoire.

Au bout de quelques secondes à l'abri des arbres, je craque. Je lui pose la main sur le bras tandis que nous rejoignons l'endroit que nous avons marqué la dernière fois. Il me sourit, ça me réchauffe le cœur et j'ai l'impression que je ne pourrai plus jamais le lâcher, plus jamais le quitter. Même si je sais ce qu'il risque, je ne suis pas sûre d'y arriver.

– Ky, une Officielle est venue me voir hier. Elle est au courant. Ils sont au courant pour nous deux.

Il hoche la tête.

– Évidemment.

– Ils t'ont contacté aussi ?

– Oui.

Pour quelqu'un qui a passé sa vie entière à éviter d'attirer l'attention des Officiels, il conserve un calme remarquable. Son regard est aussi profond que d'habitude, mais il semble apaisé.

– Ça ne t'inquiète pas ?

Ky ne répond pas. À la place, il tire un papier de sa poche. Plus blanc, plus lisse que les serviettes et les emballages qu'il a utilisés jusque-là. Je ne reconnais pas son écriture, cela vient d'un port ou d'un scripteur, mais d'un genre étrange.

– Qu'est-ce que c'est ?

– Un cadeau d'anniversaire en retard. Un poème.

J'en reste bouche bée. Un poème ? Comment...

Ky s'empresse de me rassurer :

– Ne t'en fais pas. On le détruira vite pour ne pas avoir d'ennuis. Il ne devrait pas être long à mémoriser.

Un bonheur intense éclaire son visage. Il ressemble un peu à Xander, quand il a cette expression joyeuse, détendue. Ça me rappelle le jour où leurs photos se sont succédé sur l'écran, après le banquet, lorsque j'ai vu Xander, puis Ky.

Maintenant, je ne vois que Ky. Ky et personne d'autre.

Un poème !

– C'est toi qui l'as écrit ?

– Non, mais il est du même auteur que l'autre, *N'entre pas sans violence*…

– Comment ça ?

C'est impossible, il n'y avait pourtant pas d'autres poèmes de Dylan Thomas quand j'ai consulté la liste sur le port de l'école.

Ky secoue la tête, éludant ma question.

– Il n'est pas entier, je n'avais pas les moyens. J'ai juste pu avoir un bout de strophe.

Sans me laisser le temps de demander ce qu'il a dû donner en échange, il s'éclaircit la voix un peu nerveusement et baisse les yeux.

– Il m'a plu parce qu'il parle d'un anniversaire, et qu'il m'a fait penser à toi. Ça m'a rappelé ce que j'avais éprouvé en te voyant pour la première fois, à la piscine.

Il a l'air déçu, son visage s'assombrit.

– Il ne te plaît pas ?

Je prends le papier mais les larmes me brouillent la vue, je ne parviens pas à le déchiffrer.

– Tiens, dis-je en le lui rendant, tu peux me le lire ?

Je fais volte-face pour m'enfoncer entre les arbres, titubant presque, bouleversée par son cadeau. J'ai le vertige en pensant à tout ce qui serait possible, tout ce qui est impossible…

La voix de Ky s'élève dans mon dos. Je me fige pour l'écouter.

Mon anniversaire commença avec les oiseaux
Aquatiques et forestiers emportant mon nom
Au-dessus des fermes et des chevaux blancs
Et je me dressai
Dans l'automne pluvieux
Et arpentai le pays étranger dans l'averse
de tous mes jours.*

Je me remets en marche, sans me soucier des cairns, des chiffons ou de quoi que ce soit qui pourrait me ralentir. Je fonce droit devant, dérangeant une nuée d'oiseaux qui s'envolent devant nous. Blancs sur le bleu du ciel, comme le Dôme municipal. Comme les anges.

– Ils emportent ton nom au-dessus de la Ville, commente Ky derrière moi.

Je me retourne. Il est là, au milieu de la forêt, son papier blanc à la main.

Les cris des oiseaux s'éloignent avec eux dans les airs. Dans le silence qui s'ensuit, je ne sais pas qui fait le premier pas, de Ky ou de moi, mais nous nous retrouvons face à face, si près que nos souffles s'entremêlent, sans qu'on se touche, sans qu'on s'embrasse.

Ky se penche vers moi, sans me quitter des yeux, si près que j'entends le papier craquer quand il bouge.

* NdT : *Poème en octobre*, Dylan Thomas, *Vision et prière*, traduction d'Alain Suied, Poésie Gallimard.

Je ferme les yeux lorsque ses lèvres chaudes se posent sur ma joue. Je pense à la graine de peuplier qui m'a effleurée l'autre jour dans l'aérotrain. Si légère, si douce, chargée de promesses.

24

Ky m'offre trois cadeaux d'anniversaire. Un poème, un baiser, et le fol, le magnifique espoir que tout pourrait s'arranger.

En rouvrant les yeux, je pose la main sur ma joue, à l'endroit où il m'a embrassée.

– Je ne t'ai rien offert pour ton anniversaire, moi. Je ne sais même pas quand c'est.

– Ne t'inquiète pas pour ça, dit-il.

– Qu'est-ce que je dois faire ?

Il me répond :

– Laisse-moi croire, croire en tout ça et, toi aussi, crois…

Je crois.

Durant toute la journée, je sens son baiser me brûler la joue, brûler dans mon sang. Je ne peux chasser ce souvenir de mon esprit. Il ne s'agit pourtant pas de mon premier baiser. Mais il est spécial. C'est un jour à marquer d'une pierre blanche, plus encore que mon véritable anniversaire, le jour du banquet. Ce baiser, ces mots que nous avons échangés, j'ai l'impression que c'est le début de quelque chose.

Je me surprends à imaginer des projets impossibles, un avenir à deux. Même au stage de classement, j'accomplis ma tâche en me figurant que chaque nombre est un code, un message secret que j'envoie à Ky. Je ferai en sorte qu'il ne nous arrive rien. Chaque classement réussi détourne l'attention de ceux qui nous surveillent.

Par chance, ce n'est pas à mon tour de porter les capteurs, cette nuit, je peux donc laisser libre cours à mes rêves. À mon grand étonnement, je ne rêve pas de Ky sur la Colline. Je nous vois assis sur mon perron, en train de regarder le vent dans les feuilles de l'érable. Je nous vois au salon de dégustation, il tire galamment ma chaise pour que je m'asseye, en se penchant si près de moi que même la flamme des fausses bougies vacille.

Je nous imagine en train de creuser dans son parterre de néoroses, puis il m'apprend comment utiliser sa relique.

Je sais que je rêve parce que ce sont ces choses simples du quotidien que nous ne pourrons jamais partager.

Le lendemain, une fois que nous nous sommes enfoncés dans la forêt où personne ne peut nous entendre, je lui demande :

– Comment faire pour croire que ça pourrait s'arranger ? Tu n'as pas entendu l'Officielle ? Elle a menacé de te renvoyer dans les Provinces lointaines, Ky !

Il ne répond pas tout de suite ; c'est comme si j'avais hurlé alors que j'ai parlé le plus bas possible. Lorsque nous passons devant le cairn que nous avons bâti la dernière fois, il me regarde droit dans les yeux et j'ai l'impression qu'il m'embrasse à nouveau, mais cette fois sur la bouche, pas sur la joue.

– Tu as déjà entendu parler du dilemme du prisonnier ? me demande-t-il.

– Évidemment. Tu y as joué avec Xander, l'autre jour. Tout le monde connaît ce jeu.

– Non, pas le jeu. La Société en a modifié les règles. La théorie qui sous-tend le jeu.

Je ne vois pas de quoi il parle.

– Non, je ne crois pas.

– Si deux personnes commettent un crime ensemble, se font prendre, puis sont interrogées séparément, que se passe-t-il ?

Je suis perdue.

– Je ne sais pas…

– Ils sont face à un dilemme. Vont-ils dénoncer leur complice dans l'espoir que les Officiels se montreront plus indulgents à leur égard, conclure une sorte d'arrangement ? Ou vont-ils refuser de dire quoi que ce soit pour ne pas trahir l'autre ? Le meilleur scénario pour les deux est de ne rien dire. Pour se protéger mutuellement.

Nous nous sommes arrêtés près d'un groupe de troncs couchés.

– Se protéger…

Ky acquiesce.

– Sauf que ça n'arrive jamais.

– Pourquoi ?

– Parce que l'un des deux prisonniers finit toujours par trahir l'autre. Il dit ce qu'il sait pour qu'on le laisse tranquille.

Je crois deviner où il veut en venir. Je commence à savoir déchiffrer son regard, lire dans ses pensées. Peut-être parce que je connais son histoire, que j'en sais davantage à son sujet. Je lui tends un chiffon rouge, nous n'essayons même plus d'éviter de nous toucher, de nous prendre la main, de nous étreindre un instant.

Ky poursuit :

– Mais dans l'idéal, aucun des deux ne devrait dire quoi que ce soit.

– Et tu penses qu'on pourrait procéder ainsi ?

– On ne sera jamais en sécurité, affirme-t-il en m'effleurant le visage. J'ai fini par le comprendre. Mais j'ai confiance en toi. On peut essayer de se protéger l'un l'autre aussi longtemps que possible.

Ce qui signifie que nous devons nous contenter de promesses de baisers. Comme la première fois, sur ma joue, comme tout à l'heure lorsque je l'ai embrassé au creux de la main. Nos lèvres ne doivent pas se toucher. Pas encore. Car, à ce moment-là, nous commettrions une Infraction. Nous trahirions la Société. Et Xander également. Nous le savons tous les deux. Combien de temps pouvons-nous espérer gagner ? Combien de temps pourrons-nous patienter ? Car je lis dans ses yeux qu'il a autant envie que moi de ce baiser.

Notre vie est bien remplie par ailleurs : Ky travaille beaucoup, je vais en cours et à mon stage. Mais je sais que je ne garderai en mémoire que les instants que je partage avec Ky, à marcher sur la Colline.

Sauf une soirée pénible, à la salle de projection, où Xander me tient la main et où Ky fait comme si de rien n'était. À la fin de la séance, quand les lumières se rallument, l'Officielle de l'espace vert se retourne, scrutant la salle. Elle croise mon regard et, voyant ma main dans celle de mon Promis, elle m'adresse un petit sourire avant de s'éclipser. Je jette alors un coup d'œil à Xander et une sensation de manque si vive me traverse, si profonde, si intense, si douloureuse que je ne l'oublierai jamais. Ce n'est pas Xander qui me manque, c'est notre relation d'autrefois. Sans secrets, sans complications.

Mais peu importe. Même si je me sens coupable vis-à-vis de lui, même si je m'inquiète pour lui, ma vie entière est consacrée à Ky. À apprendre la suite de son histoire, à écrire d'autres lettres de l'alphabet.

Parfois, il me demande de lui raconter mes souvenirs.

– Tu te rappelles le premier jour d'école de Bram ? me questionne-t-il alors que nous courons dans la forêt pour rattraper le temps que nous avons passé à écrire.

Je réponds d'une voix haletante, aussi essoufflée par l'effort que par le contact de sa main sur la mienne :

– Bien sûr. Il voulait rester à la maison. Il a fait une scène à la station d'aérotrain. Tout le quartier s'en souvient !

Les enfants vont à l'école primaire au mois de septembre suivant leur sixième anniversaire. C'est un rite de passage très important, qui préfigure les banquets à venir. À la fin de la journée, ils rapportent chez eux un petit gâteau à manger après le dîner et un bouquet de ballons multicolores. Je ne sais pas ce qui réjouissait le plus mon frère – le gâteau, friandise rare, ou les ballons qui ne sont offerts qu'en cette unique occasion. C'était également le jour où on allait lui confier son lecteur et son scripteur, mais ça, il s'en moquait complètement.

Au moment de monter dans l'aérotrain, Bram s'est mis à crier :

– Je ne veux pas y aller. Je veux rester à la maison.

C'était le matin, la station était bondée de gens qui se rendaient à l'école ou au travail. Certains se sont retournés pour nous regarder. Mon père était contrarié, mais ma mère ne s'est pas laissé décontenancer.

– Ne t'inquiète pas, m'a-t-elle glissé, les Officielles du jardin maternel m'avaient prévenue qu'il risquait d'avoir un peu de mal à franchir cette étape.

Elle s'est agenouillée à côté de lui pour lui parler :

– Allez, on monte dans le train, Bram. Pense aux beaux ballons, pense au bon gâteau que tu auras ce soir.

– J'en veux pas !

Et, à la surprise générale, il a fondu en larmes. Bram ne pleurait jamais, même tout petit. Le visage de ma mère s'est décomposé, elle l'a pris dans ses bras et l'a serré très fort. Bram est le deuxième enfant qu'elle a tant désiré. Elle, qui n'avait eu aucun mal à tomber enceinte de moi, a dû attendre des années pour l'avoir. Il est né quelques semaines avant ses trente et un ans, l'âge limite pour avoir des enfants. Nous étions tous très heureux, mais ma mère encore plus.

Je savais que, s'il continuait à sangloter, nous risquions d'avoir des ennuis. À l'époque, avant les réductions d'effectifs, il y avait un Officiel résidant dans chaque rue, chargé de régler les divers problèmes qui pouvaient se présenter.

Alors, j'ai dit à mon frère :

– C'est dommage, Bram. Tu n'auras pas de lecteur, pas de scripteur. Tu ne sauras jamais lire ni écrire.

– C'est pas vrai ! a-t-il protesté. Je vais apprendre !

– Comment ?

Il faisait la tête mais, au moins, il avait arrêté de pleurer.

– Je m'en fiche de pas savoir lire ni écrire.

– D'accord, ai-je fait en voyant du coin de l'œil quelqu'un frapper à la porte de l'Officiel qui habitait près de la station.

Non, non, il a déjà été cité assez souvent au jardin maternel.

Au moment où la rame s'est arrêtée devant nous, j'ai su ce que je devais faire.

J'ai pris son cartable, je l'ai brandi dans les airs et, en le regardant droit dans les yeux, je lui ai dit :

– Tu peux choisir de grandir ou rester un bébé. À toi de décider.

Bram était vexé. Je lui ai rendu son sac en lui glissant à l'oreille :

– Je t'apprendrai à jouer sur le scripteur.

– C'est vrai ?

J'ai hoché la tête.

Le visage de mon frère s'est éclairé. Il a mis son cartable sur son dos et a franchi les portes de l'aérotrain sans même jeter un regard en arrière. Avec mes parents, nous l'avons suivi et ma mère a serré ma main dans la sienne.

– Merci, Cassia.

Bien sûr, il n'y a pas de jeux sur le scripteur, j'ai dû en inventer. Mais j'étais déjà douée en classement. Il s'est écoulé des mois avant que Bram ne s'aperçoive qu'il était le seul à jouer à retrouver des images cachées dans un écran plein de lettres pendant que sa sœur le chronométrait.

C'est ainsi que j'ai su avant les autres que Bram ne ferait jamais du classement son métier. Mais j'ai continué pendant des mois à lui imaginer des épreuves, des niveaux, passant presque tout mon temps libre à élaborer des jeux qui lui plairaient. Et même quand il a su la vérité, il ne m'en a pas voulu. On s'était bien amusés, tous les deux. Et puis, je ne lui avais pas menti. Je savais jouer avec le scripteur.

– C'était ce jour-là, déclare Ky en s'immobilisant.

– Ce jour-là que quoi ?

– Le jour où je t'ai vraiment remarquée.

– Pourquoi ? dis-je, un peu blessée. Parce que

tu as vu que je suivais les règles, que je poussais mon frère à les suivre également ?

– Mais non, se défend-il comme si c'était évident. J'ai vu à quel point tu aimais ton frère, tu déployais des trésors d'astuce pour le protéger.

Il me sourit.

– Je t'avais déjà aperçue, mais c'est ce jour-là que j'ai vraiment vu qui tu étais.

– Oh…

– Et toi ?

– Comment ça ?

– Quand est-ce que tu m'as remarqué ?

Impossible. Je ne peux pas le lui dire. Je ne peux pas lui dire que son visage est apparu sur l'écran le lendemain de mon Banquet de couplage, par erreur. Et que c'est à partir de là que mon regard sur lui a changé. Je ne peux pas lui avouer que je ne l'avais pas remarqué avant qu'on oriente mon regard.

– Au sommet de la petite colline, dis-je.

Et ça me coûte tellement de devoir lui mentir, lui à qui j'ai livré toute ma vérité, plus qu'à tout autre au monde.

Plus tard dans la soirée, je m'aperçois qu'il ne m'a pas donné la suite de son histoire et que je ne la lui ai pas réclamée. Sans doute parce que, maintenant, je la vis de l'intérieur. Je fais partie de son histoire et il fait partie de la mienne. Et j'ai parfois l'impression que l'histoire que nous écrivons ensemble est dorénavant la seule qui compte.

Pourtant, une question continue à me hanter : que s'est-il passé lorsque les Officiels l'ont emmené alors que le soleil rougeoyait très bas dans le ciel ?

25

Le temps que nous passons ensemble a la puissance d'une tempête, vent déchaîné et pluie torrentielle, trop forte pour être maîtrisée, trop puissante pour y échapper. Elle souffle autour de moi, me décoiffe, me trempe le visage, et me fait sentir vivante, vivante, tellement vivante. Il y a des moments d'accalmie, de pause, comme dans toute tempête, et des moments où nos paroles fourchent les éclairs.

Nous gravissons vite la Colline ensemble, nos mains s'effleurent, nous frôlons les arbres. Sans cesser de parler. Ky a des choses à me dire, j'ai des choses à lui dire, nous n'avons pas assez de temps, jamais assez de temps.

– Il existe des personnes qui se font appeler des Archivistes. Quand la Commission des cent a établi les différentes listes, ces gens-là ont tout de suite deviné que les œuvres qui n'étaient pas sélectionnées prendraient une grande valeur. C'est pourquoi ils en ont conservé certaines. Ils possèdent des ports illégaux qu'ils ont assemblés eux-mêmes pour y stocker ces données. C'est grâce à eux que j'ai obtenu la strophe de Dylan Thomas.

– Je n'étais pas au courant…

Je suis stupéfaite qu'ils aient pu être assez prévoyants pour conserver certains poèmes. Grand-père connaissait-il leur existence ? Je n'en ai pas l'impression. Il ne leur a pas confié ses poèmes.

Ky me pose la main sur le bras.

– Les Archivistes ne sont pas des altruistes, tu sais, Cassia. Ils ont trouvé une occasion de s'enrichir et ils l'exploitent, c'est tout. Ils font affaire avec quiconque est prêt à payer et pratiquent des prix exorbitants.

Il s'interrompt comme s'il regrettait d'avoir évoqué ce que le poème lui a coûté.

Prise de panique, je demande :

– Qu'est-ce que tu leur as donné ?

Pour autant que je sache, Ky possède deux choses de valeur : sa relique et les vers de *N'entre pas sans violence* que je lui ai appris. Pourvu qu'il ne se soit pas séparé de sa relique, le dernier lien avec son ancienne vie. Et l'idée qu'il ait confié notre poème à ces gens me révulse. Très égoïstement, je n'ai pas envie que n'importe qui puisse y avoir accès. Finalement, je ne vaux pas mieux que les Officiels.

– Quelque chose, répond-il, les yeux brillants de malice. Ne t'en fais pas.

– Ta relique…

– Non, ne t'inquiète pas. Je ne leur ai donné ni ma relique, ni notre poème. Mais Cassia, si jamais tu en avais besoin, ils ne connaissent pas ce poème. Je leur ai demandé combien d'œuvres de Dylan Thomas ils possédaient et ils n'ont que celui qui parle d'anniversaire et un récit. C'est tout.

– Si jamais j'avais besoin de quoi ?

– De quelque chose à échanger. Les Archivistes possèdent de nombreux contacts, ils ont accès à une multitude d'informations. Tu pourrais leur donner l'un des poèmes de ton grand-père.

Il fronce les sourcils.

– Le seul problème serait d'en prouver l'authenticité puisque tu n'as plus le papier d'origine… mais enfin, je suis sûr que ça vaut quand même quelque chose.

– J'aurais bien trop peur de faire affaire avec ce genre de personnes, dis-je.

Je le regrette aussitôt, je ne voudrais pas qu'il me prenne pour une peureuse.

– Ils ne sont pas monstrueux, affirme-t-il. Tu sais, ils ne sont ni pires ni meilleurs que les autres. Ni pires ni meilleurs que les Officiels. Il faut être prudent avec eux, comme avec n'importe qui.

– Où peut-on les trouver ?

Son insistance m'effraie un peu. Qu'a-t-il en tête ? Pourquoi s'imagine-t-il que j'aurai un jour besoin de leur vendre notre poème ?

– Au musée. Dans la salle du rez-de-chaussée, il faut faire semblant de s'intéresser à la vitrine sur la Glorieuse Histoire de la Province d'Oria. Personne n'y va jamais. Si tu restes assez longtemps, quelqu'un viendra te demander si tu veux en savoir plus sur l'histoire d'Oria. Tu réponds oui et ils comprendront que tu veux voir un Archiviste.

– D'où tiens-tu tout ça ?

Je n'en reviens pas. Il connaît tellement de choses.

Il secoue la tête.

– Mieux vaut que tu l'ignores.

– Et si un visiteur qui regarde cette vitrine veut vraiment en savoir plus ?

Ma question le fait rire.

– Ça n'arrive jamais. Personne ne s'intéresse au passé.

Nous poursuivons notre chemin, en nous effleurant à travers les branches. Ky fredonne l'une des Cent Chansons, celle que nous avons entendue ensemble à l'auditorium.

– J'adore ce morceau. La cantatrice a une si belle voix.

– Dommage qu'elle n'existe pas, réplique-t-il.

– Qu'est-ce que tu racontes ?

Il me dévisage, surpris.

– Il s'agit d'une voix synthétique. Une voix parfaite. Il n'y a pas de chanteurs, jamais, pour aucun morceau. Tu ne le savais pas ?

Je secoue la tête, incrédule.

– Ce n'est pas possible. Quand elle chante, j'entends sa respiration.

– Ça fait partie du jeu, répond Ky, les yeux dans le vague, perdu dans ses souvenirs. Ils savent qu'on aime avoir une impression d'authenticité, qu'on aime les entendre respirer.

– Comment le sais-tu ?

– J'ai déjà entendu de vraies personnes chanter.

– Moi aussi, à l'école. Et mon père me chantait des comptines autrefois.

– Moi, j'ai déjà entendu des gens chanter à tue-tête, à pleine voix, quand ils en ont envie. Mais jamais ici. Et je te dis que même la plus belle voix du monde n'atteindra jamais la perfection de celle de l'auditorium.

L'espace d'une seconde, je l'imagine là-bas, dans le paysage qu'il m'a dessiné, en train d'écouter les autres qui chantent. Ky lève les yeux vers le soleil qui brille au-dessus des arbres, tentant d'estimer l'heure qu'il est. Il fait davantage confiance au soleil qu'à sa montre, je l'ai déjà remarqué. En le voyant ainsi, une main en visière au-dessus des yeux, un nouveau vers du poème de Thomas me revient en mémoire : *Les hommes violents qui prirent et chantèrent le soleil en plein vol**.

* NdT : « Wild men who caught and sang the sun in flight », *Do not go gentle into that good night - N'entre pas sans violence dans cette bonne nuit*, Dylan Thomas, 1951, **Vision et prière**, traduction d'Alain Suied, Poésie Gallimard.

J'aimerais entendre Ky chanter.

Il tire de sa poche l'autre poème de Thomas, celui qu'il m'a offert pour mon anniversaire.

– Tu l'as mémorisé ?

Il a raison. Il est temps de le détruire. Ce serait dangereux de le garder trop longtemps.

– Oui, mais laisse-moi le regarder une dernière fois.

Je le lis du début à la fin avant de relever les yeux.

– C'est moins triste de détruire celui-là, parce que d'autres gens le connaissent, dis-je comme pour m'en convaincre.

Il hoche la tête.

– Tu veux que je l'emporte chez moi pour l'incinérer ?

– J'avais pensé qu'on pourrait l'enterrer ici.

Ça me rappelle quand on a planté des fleurs, avec Xander. Sauf que ce poème n'a pas de racines, il a été tranché, propre et net, coupé de ses origines. Nous ne connaissons que le nom de l'auteur, mais rien d'autre à son sujet. Nous ignorons le sens qu'il voulait donner à son poème, à quoi il pensait en le composant, dans quelles conditions il l'a écrit. Y avait-il des scripteurs à l'époque ? Je ne me souviens pas de l'avoir appris dans les Cent Pages d'Histoire. Ou bien l'a-t-il écrit comme Ky, à la main ? Le poète réalisait-il sa chance d'avoir en lui des mots si beaux, de posséder le moyen de les exprimer et de les conserver ?

Ky me le prend des mains.

– Attends, dis-je, on n'est pas obligés de l'enterrer en entier.

Il me le rend, le déposant à plat dans ma paume. Il n'est pas long, juste une strophe, facile à détruire. Je découpe soigneusement le premier vers :

Mon anniversaire commença avec les oiseaux

Je le déchire en morceaux minuscules et légers que je jette au vent, les regardant flotter dans les airs un moment. Ils sont si petits que j'ai du mal à les suivre des yeux. J'en repère un posé sur une branche, tout près de moi. Un oiseau l'utilisera peut-être pour faire son nid, le gardera rien que pour lui, comme j'ai fait avec l'autre poème de Thomas.

Subitement, alors que nous enterrons le reste du poème, je réalise que, en réalité, nous connaissons cet auteur. Grâce à ce qu'il a écrit.

Un jour, je serai obligée de partager ces poèmes. Je le sais. Et un jour, je serai obligée d'avouer à Xander ce que nous faisons là-haut sur la Colline.

Mais pas tout de suite. J'ai brûlé la poésie de grand-père par peur des ennuis. J'en suis incapable désormais. Je veux conserver la poésie de nos moments, les protéger, nous protéger. Tous.

– Raconte-moi ton Banquet de couplage, me demande Ky un autre jour.

Il veut que je lui parle de Xander ?

– Ce n'est pas Xander qui m'intéresse, précise-t-il comme s'il lisait dans mes pensées.

Il sourit. J'adore. Même maintenant qu'il sourit plus souvent, je ne m'en lasse pas. Parfois, je tends la main pour effleurer ses lèvres. C'est d'ailleurs ce que je fais maintenant, je les sens bouger tandis qu'il articule :

– Je veux savoir ce que toi, tu as ressenti.

– J'étais stressée, surexcitée…

Je m'interromps.

– Tu pensais à quoi ?

J'aimerais pouvoir lui dire que je pensais à lui, mais je lui ai menti une fois et je n'ai pas l'intention de recommencer. En outre, je ne pensais pas à Xander non plus.

– Je pensais aux anges.

– Aux anges ?

– Tu sais, ces personnages légendaires qui volaient dans les cieux.

– Tu crois qu'il y a encore des gens qui y croient ?

– Je ne sais pas. Non… Tu y crois, toi ?

– Je crois en toi, murmure-t-il d'une voix douce, presque admirative. Je ne pensais pas avoir à ce point foi en quelque chose ou en quelqu'un.

Nous slalomons entre les arbres. Je sens que nous approchons du sommet. Un jour, nous aurons rempli notre mission, et ce sera fini. C'est déjà moins difficile de se déplacer dans le bas de la Colline, nous avons dompté les broussailles, signalé les obstacles. Maintenant, on voit où on va. Mais il reste du terrain à explorer. Des choses à découvrir. Et j'en suis ravie. À tel point que j'aimerais pouvoir croire aux anges pour avoir quelqu'un à remercier. À qui exprimer ma reconnaissance.

– Allez, raconte, insiste Ky.

– Je portais une robe verte.

– Verte…, dit-il en me détaillant. Je ne t'ai jamais vue en vert.

– Tu ne m'as vue qu'en marron ou en noir. Tenue de jour marron, maillot de bain noir.

Je rougis.

– Je retire ce que j'ai dit, reprend-il juste au moment où le sifflet retentit. Je t'ai déjà vue en vert ! Je te vois en vert tous les jours, ici dans la forêt, au milieu des arbres.

Le lendemain, je lui demande :

– Tu peux me dire pourquoi tu as pleuré à la projection ?

– Tu as remarqué ?

J'acquiesce.

– Je n'ai pas pu retenir mes larmes.

Ses yeux se perdent dans le vague. Son regard se durcit.

– Je ne savais pas qu'ils possédaient ce genre d'images. Ça aurait pu être mon village. En tout cas, ça se passait dans les Provinces lointaines.

Je l'interromps, revoyant les gens affolés, les silhouettes sombres prenant la fuite.

– Attends… Tu veux dire que c'était…

– Vrai, complète-t-il. Oui, ce ne sont pas des acteurs. Ce n'est pas du cinéma. Ça arrive dans toutes les Provinces lointaines. Quand je suis parti, c'était de plus en plus fréquent.

Oh, non.

Le sifflet va bientôt retentir, je le sens. Ky le sait également. Malgré tout, je le prends dans mes bras, là, au milieu de la forêt. Les arbres nous cachent, le chant des oiseaux couvre nos voix. Toute la Colline est complice de notre étreinte.

Je m'écarte la première parce que je veux écrire quelque chose avant de redescendre. Je me suis entraînée dans les airs, maintenant je veux graver mes lettres dans la terre.

– Ferme les yeux, Ky, dis-je en me penchant. Voilà, ça y est.

Je m'écarte pour le laisser regarder, toute gênée. Comme une petite fille de primaire qui a tapé ces mots sur son scripteur pour les faire lire à un garçon de sa classe.

En plus, mon écriture est tremblante, toute de travers, comparée à celle de Ky, si belle et ronde.

Cependant certaines choses sont plus faciles à écrire qu'à dire.

C'est tout de même très courageux de s'exposer ainsi, car ces mots, je ne peux plus les effacer. Mes premiers mots à moi, en dehors de nos prénoms. On est encore loin du poème, mais je pense que grand-père serait fier de moi.

Ky me dévisage. Pour la première fois depuis la projection, je vois des larmes briller dans ses yeux.

Mal à l'aise, je m'empresse de préciser :

– Pas la peine de me l'écrire aussi. Je voulais juste que tu le saches.

– Je n'ai pas envie de t'écrire la même chose, répond-il.

Et à la place, il le dit, là, sur la Colline. De tous les mots que j'ai cachés, mémorisés en secret, chéris, ceux-là sont les plus importants.

– Je t'aime.

L'éclair. Une fois qu'il a fourché, blanc aveuglant, tombant du ciel, on ne peut plus faire machine arrière.

C'est l'heure. Je le sens, je le sais. Les yeux dans les yeux, nous respirons à l'unisson, las de patienter. Ky ferme les paupières, pas moi. Quel sera le goût de ses lèvres sur les miennes ? Le goût du secret révélé, de la promesse tenue ?

Comme ce vers dans le poème – *l'averse de tous mes jours* –, une pluie d'argent tombant tout autour de moi alors que la foudre frappe la terre ?

Le sifflet retentit, rompant la magie de l'instant.

Nous n'avons pas franchi la ligne.

Pour l'instant.

26

Nous dévalons la Colline en courant. J'aperçois des taches blanches à travers les arbres et je sais que ce ne sont pas les oiseaux que nous avons croisés tout à l'heure. Ces silhouettes immaculées ne volent pas.

Je murmure :

– Les Officiels.

Ky acquiesce.

Nous rejoignons notre superviseur, que la présence de ces visiteurs met visiblement mal à l'aise. Une fois de plus, je me demande comment il a atterri à ce poste. Cette mission de marquage des obstacles ne semble pas digne de ses compétences. Son visage durci par des années de discipline témoigne qu'il n'est plus tout jeune.

En approchant, je me rends compte que je connais ces Officiels. Ce sont ceux qui m'ont fait passer le test de classement. Cette fois, la jeune femme blonde prend la parole – apparemment, c'est son domaine.

– Bonjour, Cassia, nous sommes venus vous chercher pour votre test de classement en milieu réel. Pourriez-vous nous suivre ?

En disant cela, elle consulte l'Officier superviseur d'un regard plein de déférence.

– Allez-y, vous pouvez tous y aller, annonce-t-il en s'adressant à tout le groupe. On se retrouve demain matin.

Les autres me dévisagent avec curiosité, mais sans inquiétude. Nous sommes nombreux à attendre notre affectation finale et il semble que cela se déroule toujours en présence d'Officiels.

– Nous allons prendre l'aérotrain, reprend la jeune femme blonde. Le test ne durera que quelques heures, vous serez rentrée chez vous pour le dîner.

Je me dirige vers la station avec deux Officiels à ma droite et un à ma gauche. Aucun moyen de leur échapper. Je n'ose pas regarder Ky. Pas même lorsque je le vois monter à bord de notre aérotrain. Quand il passe près de moi, son « salut » est parfaitement détaché et amical. Il avance jusqu'à l'autre bout de la voiture et s'assoit près de la fenêtre. Personne ne pourrait se douter qu'il y a quelque chose entre nous. Il réussirait presque à m'en convaincre.

Nous ne descendons pas à la station Dôme-Municipal ni à l'un des arrêts du centre-ville. Nous continuons. De nombreux passagers en tenue de travail bleue montent, riant, discutant.

L'un d'eux donne une bourrade à Ky qui sourit. Je ne repère pas d'autres Officiels, ni d'autres élèves en marron, à part moi. Nous sommes assis au milieu d'une marée bleue, le train ondule et serpente comme une rivière, et je réalise à quel point il est difficile de lutter contre un courant aussi fort que celui de la Société.

En apercevant ce qui défile à la fenêtre, j'ai soudain un doute. Oh, non ! pourvu, pourvu que ce ne soit pas ça. J'espère de tout mon cœur que nous n'allons pas au même endroit. Que je ne vais pas devoir classer Ky.

Ils nous surveillent ou quoi ? Ils veulent voir notre réaction ? « Question idiote. De toute façon, ils nous surveillent en permanence. »

Dans cette partie de la Ville se dressent d'imposants bâtiments gris. Je vois des panneaux, mais l'aérotrain va trop vite, je n'ai pas le temps de les déchiffrer. Une chose est sûre : nous sommes dans la zone industrielle.

À l'autre bout de la voiture, je vois Ky s'agiter, se lever. Sans se cramponner aux poignées pendues au plafond, il garde l'équilibre tandis que le train ralentit et s'arrête. J'ai un instant l'espoir que ça va aller. Nous allons continuer, laisser ces gros blocs gris derrière nous, dépasser l'aéroport, ses pistes d'atterrissage et ses drapeaux rouges flottant au vent comme des cerfs-volants, comme nos chiffons sur la Colline. Poursuivre jusqu'aux Campagnes où les Officiels me demanderont de classer de simples plantes ou des moutons.

Mais ils se lèvent et je n'ai pas d'autre choix que de les suivre. « Ne panique pas. Regarde tous ces employés, tous ces bâtiments, il y a tant de choses que tu pourrais classer. Ne tire pas de conclusions hâtives. »

Ky ne vérifie pas si je suis également descendue. J'étudie son dos, ses mains, cherchant des signes de la tension qui m'étreint. Mais il est détendu et marche d'un pas souple vers l'entrée du personnel. Un flot d'employés en bleu franchit la même porte. Ky a les bras le long du corps, les mains vides.

Tandis qu'il s'engouffre dans le bâtiment, l'Officielle aux cheveux blonds me fait passer par l'accès principal et me conduit dans une sorte de vestiaire. Les autres lui tendent des capteurs qu'elle pose derrière mes oreilles, sur mes poignets, dans l'encolure de ma chemise. Elle est rapide, efficace. Maintenant que mon pouls est enregistré, j'ai encore plus de mal à me relaxer. Je ne veux pas paraître trop nerveuse. J'inspire profondément en changeant les mots du poème. Je me dis d'entrer sans violence dans cette épreuve, pour une fois.

– Nous sommes au Centre de préparation nutritionnelle de la Ville, m'informe l'Officielle. Comme nous vous l'avons expliqué, le but de cette épreuve en milieu réel est de vérifier que vous pouvez classer des personnes et des situations existantes dans certaines conditions. Nous verrons ainsi si vous pouvez aider le Gouvernement à améliorer le fonctionnement et l'efficacité de ses services.

– Je comprends, dis-je alors que rien n'est moins sûr.

– Alors, allons-y.

Elle pousse une porte et un autre Officiel vient nous accueillir. Sans doute le responsable des lieux. Les galons orange et jaune ornant sa chemise indiquent qu'il travaille pour l'un des départements les plus importants, le Département nutritionnel.

– Il y en a combien aujourd'hui ? demande-t-il.

L'idée que d'autres stagiaires viennent passer leur test ici me rassure un petit peu.

– Une seule, répond-elle, celle qui a obtenu le meilleur score.

– Parfait. Prévenez-moi quand vous aurez fini.

Alors qu'il s'éloigne à grands pas, je reste figée, submergée par ce que je découvre autour de moi. Les odeurs. La chaleur.

Nous sommes dans une pièce immense, plus vaste que le gymnase de l'école secondaire. On dirait un conteneur en métal : un sol métallique muni de rigoles, des murs en béton gris et, tout du long, des équipements en inox étincelant divisant la pièce en multiples rangées. La vapeur forme comme un brouillard dans toute la pièce, malgré les aérateurs placés au plafond et sur les murs. Il n'y a pas de fenêtres. Les appareils, les plateaux et les barquettes en alu, l'eau brûlante coulant des robinets : tout est gris.

Mis à part les employés en bleu marine, aux mains rougies.

Un coup de sifflet retentit, annonçant l'arrivée d'une nouvelle équipe par la gauche tandis que la précédente s'éclipse par la droite. Ils ont l'air épuisés, le pas traînant, les épaules voûtées. Ils s'essuient le front et quittent leur lieu de travail sans un regard en arrière.

– L'équipe de relève est passée en chambre de stérilisation pour éviter toute contamination, m'explique l'Officielle d'un ton badin. C'est là qu'ils ont pris un numéro à coller sur leur uniforme. C'est à eux que vous allez vous intéresser.

Elle lève le bras, désignant plusieurs postes d'observation à travers la salle : de petites tours en acier où sont perchés des Officiels. Il y en a trois, celle du milieu est inoccupée.

– Nous allons nous installer là-bas.

Je la suis sur un escalier métallique, du même genre que dans les stations d'aérotrain. Sauf que celui-ci débouche sur une plateforme minuscule où nous tenons à peine tous les quatre. L'Officiel aux cheveux grisonnants est déjà écarlate et en nage. Des mèches me collent dans la nuque. Et encore, nous n'avons qu'à observer, pas à nous activer.

Je me doutais que le travail de Ky était pénible, mais je n'imaginais pas à quel point.

Des cuves débordant de vaisselle sale s'entassent sur les stations en inox, équipées d'éviers et de tuyaux de recyclage. Un flot continu de barquettes usagées issues des containers de recyclage de nos cuisines et réfectoires arrive sur une sorte de grand tapis roulant au bout de la salle. Les employés portent des gants mais je suis étonnée que le latex ne fonde pas lorsqu'ils aspergent les barquettes d'eau brûlante, avant de les jeter dans les tuyaux de recyclage, une fois nettoyées.

C'est sans fin, la vapeur, l'eau brûlante, l'alu, ce courant perpétuel me donne le tournis, m'abrutit, comme lorsque je suis confrontée à un classement particulièrement difficile. Sauf que, cette fois, ce ne sont pas des numéros sur un écran, ce sont des gens.

C'est Ky.

Je m'efforce donc de rester concentrée, de résister à l'abêtissement. Je me force à regarder ces dos courbés, ces mains brûlées, le gigantesque serpent argenté qui ondule entre leurs rangs.

L'un des employés lève la main. Un Officiel descend de son perchoir pour le voir. L'homme lui tend une barquette en alu dont l'Officiel scanne le code-barres avec son infopod avant de l'emporter dans un bureau au bout de la salle. L'employé a déjà repris le travail.

L'Officielle me regarde comme si elle guettait ma réaction.

– Qu'en pensez-vous ?

Ignorant ce qu'elle attend de moi, je tente :

– Ce serait sans doute plus efficace de mécaniser cette tache…

– Impossible, réplique-t-elle. La préparation et la distribution de la nourriture doivent être effectuées par des employés en chair et en os. C'est la règle. Cependant nous aimerions libérer certains d'entre eux pour d'autres projets.

– Je ne vois pas comment on pourrait améliorer le processus, dis-je. À moins de les faire travailler plus longtemps… mais ils ont déjà l'air éreintés…

Ma voix se perd comme un filet de vapeur dans cette grande salle.

– Nous ne vous demandons pas de trouver une solution, intervient l'Officielle, amusée. Des personnes bien plus haut placées s'en sont déjà occupées. Les horaires d'activité seront étendus. Nous supprimerons les pauses, ainsi nous pourrons réaffecter certains employés de ce service à d'autres postes.

Je commence à voir où ils veulent en venir et je préférerais ne pas comprendre.

– Si vous ne voulez pas un classement des variables de la situation de travail, c'est donc que vous me demandez de…

– Classer les employés.

J'ai la nausée.

Elle me tend un infopod.

– Vous avez trois heures. Observez-les bien, puis notez les numéros des employés les plus efficaces – ceux que nous devrions affecter à d'autres projets.

Je fixe les chiffres sur le dos des travailleurs. En fait, c'est comme sur un écran. Je dois repérer les schémas d'action les plus rapides. Ils veulent voir si mon esprit les détecte automatiquement. Un ordinateur pourrait s'en charger, c'est sans doute déjà fait. Maintenant, ils veulent vérifier que j'en suis également capable.

L'Officielle s'arrête sur l'escalier métallique pour préciser :

– Nous suivrons vos recommandations, Cassia. Cela fait partie du test. Voir si vous pouvez prendre de bonnes décisions en sachant qu'elles auront des conséquences réelles.

Elle scrute mon visage pour vérifier que je ne suis pas trop bouleversée avant de poursuivre. Je me rends bien compte qu'elle s'efforce d'être gentille.

– Le test ne porte que sur une équipe de travailleurs subalternes, Cassia. Ne vous inquiétez pas, faites de votre mieux.

– Mais à quel autre projet seront-ils affectés ? Devront-ils quitter la Ville ?

Ma question a l'air de la choquer.

– Je ne peux pas répondre. C'est sans rapport avec le processus de classement.

L'Officiel aux cheveux grisonnants, essoufflé de devoir redescendre des marches qu'il a peiné à monter, se retourne pour voir ce qui se passe. Elle lui fait signe qu'elle le rejoint, puis me dit doucement :

– Les meilleurs employés obtiendront de meilleurs postes, c'est tout ce que vous devez savoir, Cassia.

Je n'ai pas envie d'effectuer ce classement. L'espace d'un instant, j'envisage de jeter l'infopod dans l'un des éviers pour qu'il coule à pic.

Que ferait Ky s'il était perché ici, à ma place ?

Je respire à fond. J'ai le dos trempé de sueur et les cheveux dans les yeux. Repoussant ma mèche d'une main, je me redresse pour mieux observer les employés. Mes yeux vont de l'un à l'autre. J'essaie de ne pas regarder leur visage, juste leur numéro. Je repère les plus rapides et les plus lents, et je commence à les classer.

Le plus dérangeant là-dedans, c'est que je me débrouille très bien. Une fois que je me suis décidée à faire ce que ferait Ky, je ne reviens plus en arrière. Je me concentre sur la cadence, le tempo, l'endurance. Je remarque ceux qui sont moins rapides, mais plus organisés, qui en font plus qu'on ne pourrait croire au premier coup d'œil. Je détecte les plus rapides, les plus habiles, les meilleurs. Je note aussi ceux qui n'arrivent pas à suivre le rythme. Je vois leurs mains rougies s'agiter dans la vapeur, les piles de barquettes en aluminium traverser le voile argenté, y entrer sales et ressortir propres.

Mais je ne vois pas d'individus. Je ne vois pas de visages.

Au bout des trois heures, j'ai pratiquement achevé mon classement et je sais qu'il est valable. J'ai trié les employés en fonction de leur efficacité.

Mais je ne peux pas résister. Je regarde le numéro que porte celui qui est pile au milieu de la liste, ni le meilleur, ni le pire.

Je lève les yeux. C'est celui de Ky.

J'ai envie de rire et de pleurer à la fois. C'est comme s'il m'envoyait un message. Nul n'est aussi doué que lui pour se fondre dans la masse, pile dans la norme. Durant quelques secondes, j'observe ce garçon aux cheveux bruns, dans sa tenue bleue. Mon instinct me souffle de le remonter de quelques rangs pour qu'il soit classé parmi les meilleurs, je sais qu'il le mérite. Ceux-là seront réaffectés. Même s'il est contraint de quitter la Ville, au moins il ne passera pas sa vie enfermé dans cette étuve. Pourtant, je ne peux pas me résoudre à le faire. Que deviendrai-je s'il part ?

Je m'imagine descendant de mon perchoir pour aller l'embrasser au beau milieu de la vapeur et du vacarme. Puis j'ai une meilleure idée encore, je marcherais vers lui, je lui prendrais la main et je le tirerais hors d'ici, à l'air libre.

Je peux le faire. Si je le classe parmi les meilleurs, il n'aura plus à travailler ici. Il aura une meilleure vie. J'ai le pouvoir de changer son existence. Et soudain, cette envie de l'aider l'emporte sur le désir égoïste de le garder auprès de moi.

Mais je pense au garçon de son histoire. Le garçon passé maître dans l'art de la survie. Lui, vers quoi le pousserait son instinct ?

Il préférerait que je le laisse dans la norme.

– Vous avez bientôt fini ? me demande l'Officielle.

Elle m'attend sur l'escalier, quelques marches plus bas. Je hoche la tête. Tandis qu'elle me rejoint, je me fixe sur un autre numéro proche du milieu de la liste, pour ne pas qu'elle sache que je regardais Ky.

Elle se tient à côté de moi, compréhensive.

– Ceux qui sont juste dans la moyenne sont les plus durs à classer. C'est une décision difficile.

J'acquiesce, mais elle n'a pas terminé.

– Généralement, les employés subalternes n'atteignent pas leurs quatre-vingts ans, enchaîne-t-elle un ton plus bas. Ce n'est pas la préoccupation première de la Société de les garder en vie jusqu'à l'âge optimal. Ils meurent souvent prématurément. Pas trop tôt, évidemment, pas comme avant la Société, pas comme dans les Provinces lointaines. Mais aux alentours de soixante, soixante-dix ans. Ces postes sous-qualifiés dans les services nutritionnels sont particulièrement exposés malgré toutes nos précautions.

– Mais…

Mon expression scandalisée ne la surprend pas. Cela doit également faire partie du test. Une révélation soudaine dans les derniers instants du classement, juste au moment où l'on pensait avoir fini. Soudain, je m'interroge : « Qu'est-ce qui se passe ? Quel est le véritable enjeu de cette épreuve ? »

J'ai l'impression qu'il se trame quelque chose. Quelque chose qui me dépasse, qui dépasse Ky.

– Bien entendu, il s'agit d'informations confidentielles, me précise-t-elle.

Puis elle consulte son infopod.

– Il vous reste deux minutes.

J'essaie de me concentrer, mais mon cerveau a basculé sur une autre tâche. Les questions se succèdent dans mon esprit, dessinant une réponse en creux :

Pourquoi les employés subalternes meurent-ils si jeunes ?

Pourquoi n'avons-nous pas eu le droit de partager le dernier repas de grand-père ?

Pourquoi y a-t-il tant d'Aberrations qui travaillent ici ?

La nourriture qu'ils servent aux personnes âgées est empoisonnée.

C'est très clair maintenant. Notre Société se glorifie de ne pas tuer car elle a supprimé la peine de mort, mais d'après ce que je vois ici et ce qu'on m'a raconté sur les Provinces lointaines, elle a trouvé d'autres moyens pour régler la question. Seuls les plus forts survivent. C'est la sélection naturelle. Avec l'aide de nos dieux, évidemment – les Officiels.

Puisque l'occasion m'est offerte de jouer les dieux, ou les anges, autant faire ce qu'il y a de mieux pour Ky. Je ne veux pas l'abandonner à une mort prématurée. Je ne peux pas le laisser passer une vie écourtée dans cette salle. Une existence meilleure l'attend ailleurs. J'ai encore assez foi en notre Société pour le croire. J'ai vu de nombreuses personnes autour de moi mener une vie heureuse, c'est ce que je veux pour Ky. Que j'en fasse ou non partie.

Je classe donc Ky parmi les meilleurs avant de refermer l'infopod comme si de rien n'était.

Mais à l'intérieur, je hurle.

J'espère que j'ai fait le bon choix.

Le lendemain, sur la Colline, je lui demande :

– Tu pourrais me parler de l'endroit d'où tu viens ?

J'espère qu'il ne sent pas à quel point je suis désespérée, j'espère qu'il ne va pas me poser de questions sur le test. Il faut que j'en sache davantage sur son histoire. Pour être sûre d'avoir fait le bon choix. Ce classement a changé notre relation. Comme si nous étions surveillés, même ici, au milieu de la forêt. Nous parlons à voix basse, sans oser nous regarder trop longtemps.

– Là-bas, c'est orange, rouge. Des couleurs qu'on ne voit pas souvent par ici.

– C'est vrai.

J'essaie de trouver des choses rouges. Certaines robes du Banquet de couplage. Le feu qui brûle dans les incinérateurs. Le sang.

– Pourquoi y a-t-il tant de vert, de marron et de bleu, ici ? me questionne-t-il.

– Peut-être parce que ce sont les couleurs de la nature, et que notre Province est en grande majorité boisée. Le bleu, c'est l'eau ; le marron, la terre, le vert, c'est le printemps.

– C'est ce qu'on dit. Mais la première couleur du printemps, c'est le rouge. Ça, c'est la couleur du renouveau.

Il a raison. C'est la couleur des premiers boutons serrés qui apparaissent sur les branches. La couleur de ses mains au Centre de préparation nutritionnelle, la couleur du nouveau départ que j'espère lui avoir offert.

27

« Attention. Attention. » Le voyant lumineux du pisteur clignote tandis que les mots défilent sur l'écran. « Vous avez atteint la vitesse maximum recommandée pour cette séance d'entraînement. »

J'appuie sur les boutons pour augmenter encore le rythme.

D'habitude, je m'arrête à temps. Je frôle la limite, mais je ne la franchis pas. Si je frôle la limite trop souvent, je vais finir par basculer de l'autre côté.

Peut-être le moment est-il venu ? Mais alors j'entraînerai tous les gens que j'aime avec moi.

Attention. Attention.

Je vais trop vite. Je suis trop fatiguée. Pourtant, je suis surprise de tomber.

Mon pied dérape sur le pisteur et, avant d'avoir compris ce qui m'arrive, je me retrouve à plat ventre avec le tapis qui continue à tourner et me brûle la peau. Je reste étendue là un moment, hébétée et meurtrie, puis je roule sur le côté. Le pisteur poursuit sans moi, mais il va finir par remarquer mon absence. Il va s'arrêter et alors ils sauront que je n'ai pas tenu le coup. Alors que si je remonte aussitôt, personne n'en saura rien. Je jette un coup d'œil à ma peau, mise à vif par le tapis. Toute rouge.

Je me relève d'un bond. Je prends mon élan et saute pile au bon moment sur le tapis. *Poum poum poum poum.*

J'ai les coudes et les genoux en sang, les larmes aux yeux, mais je continue. Demain, ma tenue de jour cachera les écorchures, personne ne saura que je suis tombée. Personne ne saura ce qui s'est passé avant qu'il ne soit trop tard.

Lorsque je remonte après ma séance de course, mon père désigne le port.

– Tu arrives juste à temps. Il y a une communication pour toi.

Les Officiels qui m'ont fait passer le test m'attendent sur l'écran.

– Votre classement me paraît excellent, m'annonce la jeune femme blonde. Vous avez réussi l'épreuve avec succès, félicitations. Je suis sûre que vous obtiendrez prochainement votre affectation.

Je hoche la tête, la sueur dégoulinant sur mon front, le sang sur mes tibias et mes bras. Elle ne voit que la sueur. Je tire un peu sur mes manches pour bien couvrir mes blessures.

– Merci, dis-je. J'ai hâte de savoir.

Puis je recule, persuadée que notre conversation est terminée, mais elle a encore une question à me poser :

– Vous êtes sûre que vous ne souhaitez apporter aucune modification à votre classement avant qu'il ne soit mis à exécution ?

Une dernière chance de revenir en arrière. Je me rappelle le numéro de Ky, je n'ai qu'à le prononcer. Mais le discours de l'Officielle sur l'espérance de vie me revient en mémoire, les mots se changent en pierres dans ma bouche, je ne peux plus les dire.

– Cassia ?

– Je suis sûre.

Je tourne les talons, manquant de bousculer mon père.

– Félicitations ! dit-il. Désolé, j'espère que tu ne m'en veux pas d'avoir écouté, ils n'ont pas précisé que c'était une conversation privée.

– Ce n'est pas grave. Dis, papa, est-ce que tu t'es déjà demandé… ?

Je m'interromps, hésitant sur la formulation de ma question. Comment lui demander s'il a déjà eu des doutes au sujet de son couplage avec ma mère ? S'il a déjà désiré quelqu'un d'autre ?

– Est-ce que je me suis déjà demandé quoi ?

– Non, rien, dis-je finalement, parce que je connais déjà la réponse.

Il n'a jamais eu le moindre doute. Ils sont

tombés amoureux au premier regard et n'ont jamais jeté un seul coup d'œil en arrière.

Une fois dans ma chambre, j'ouvre mon placard. Avant, j'y rangeais mon poudrier et mon poème. Maintenant, il ne contient que mes tenues de rechange et l'échantillon de ma robe dans son petit cadre. J'ignore où est mon écrin en argent. Je panique. Et s'ils l'avaient emporté par mégarde le jour où ils ont confisqué les reliques ? Non, impossible. Ils savent bien ce qu'est un écrin. Ils ne peuvent pas les confondre avec un objet venu du passé. Les écrins qu'on nous remet au Banquet de couplage sont un gage pour le futur.

Je suis en train de fouiller dans mes maigres affaires lorsque ma mère pénètre dans la pièce. Elle est rentrée très tard hier soir de son troisième déplacement hors de notre Province.

– Tu cherches quelque chose ? me demande-t-elle.

Je me redresse en annonçant :

– Je l'ai trouvé.

Je brandis le morceau de soie dans son cadre, sans oser lui avouer que j'ai perdu mon écrin.

Elle prend le cadre pour le lever à la lumière du jour.

– Tu sais qu'autrefois, on faisait des vitres en verre coloré ? Pour décorer des lieux sacrés, ou même des maisons.

J'acquiesce.

– Des vitraux. Papa m'en a déjà parlé.

Ça devait être magnifique ; la lumière traversait le verre teinté, transformant les fenêtres en véritables œuvres d'art.

– Évidemment, s'esclaffe ma mère. Ah là là, j'ai remis mon rapport aujourd'hui et je suis tellement fatiguée que j'ai l'esprit embrouillé.

– Tout va bien ?

J'aimerais lui demander pourquoi elle a affirmé l'autre jour qu'ils abattaient les érables pour lui lancer un avertissement. Mais en fait, je n'ai pas vraiment envie de savoir. Ce que j'ai appris lors du classement en milieu réel m'a bouleversée, j'ai l'impression d'en savoir déjà trop. En plus, ma mère semble enfin plus détendue que ces dernières semaines et je ne veux pas lui gâcher sa joie.

– Oui, je pense que ça va aller, dit-elle.

– Tant mieux.

Nous nous taisons un moment, admirant l'échantillon de ma robe dans son sous-verre.

– Tu vas devoir repartir ?

– Non, je ne crois pas. À mon avis, c'est fini. Enfin, j'espère.

Elle a l'air éreintée, mais soulagée d'avoir remis son rapport.

En lui reprenant mon cadre, j'ai soudain une idée.

– Je pourrais voir l'échantillon de ta robe ?

La dernière fois que je l'ai regardé, c'était la veille de mon banquet. Comme j'étais un peu stressée, elle m'a apporté son morceau de tissu et les deux écrins argentés, le sien et celui de mon père, qui avaient contenu leurs microcartes, et ensuite leurs anneaux de mariage. C'est simplement pour la cérémonie, on ne les garde pas. Et on doit rendre les microcartes aux Officiels lors de la signature du contrat. Ce qui fait que les écrins de mes parents sont vides.

Je lève son cadre à la lumière. Sa robe était bleue et, grâce aux techniques de conservation, sous le verre, la soie a toujours le même éclat.

Je pose les deux cadres côte à côte sur l'appui de fenêtre. On dirait un peu un vitrail, la lumière qui les illumine ravive les couleurs. On pourrait presque regarder à travers et imaginer un monde merveilleux complètement différent.

Ma mère comprend où je veux en venir.

– Oui, ça devait ressembler à ça.

J'aimerais tout lui avouer, mais c'est impossible. Pas maintenant. Je suis trop fragile. Comme si j'étais prisonnière du verre, j'aimerais le briser pour respirer enfin, mais je n'ose pas, j'ai trop peur que ça fasse trop mal.

Ma mère me prend par les épaules.

– Tu ne veux pas me dire ce qui ne va pas ? demande-t-elle d'une voix douce. C'est à cause de ton couplage ?

Je reprends mon cadre sur la fenêtre, il ne

reste plus que le sien. Je n'ai pas le courage de parler, je me contente de secouer la tête. « Non. » Comment expliquer ce qui m'arrive à ma mère, elle que son couplage a rendue si heureuse ? Lui avouer les risques que j'ai pris ? Et que je suis prête à prendre encore ? Lui dire que j'ai en horreur le système qui lui a donné le bonheur, l'amour, une famille... moi...

Au lieu de ça, je demande :

– Comment le sais-tu ?

Elle reprend également son cadre.

– J'ai bien vu que tu étais de plus en plus amoureuse. Mais je ne me faisais aucun souci parce que je pensais que ton Promis était parfait pour toi. Xander est un garçon formidable. En plus, ça voulait dire que tu resterais à Oria. En tant que mère, je ne pouvais espérer mieux.

Elle marque une pause pour me dévisager.

– Et puis, j'ai été très prise par mon travail. Finalement, je ne l'ai compris qu'aujourd'hui. Ce n'est pas à Xander que tu pensais.

Je la supplie du regard. « Ne le dis pas. Ne dis pas que je suis amoureuse d'un autre. Je t'en prie. »

– Cassia..., reprend-elle.

Je lis tant d'amour dans ses yeux que ses mots m'atteignent au plus profond, car elle sait d'instinct ce qui est mieux pour moi.

– J'ai un mari merveilleux, deux beaux enfants, un travail qui me plaît. Une vie heureuse.

Elle agite son échantillon de soie bleue.
– Tu sais ce qui se produirait si je cassais ce cadre ?

Je hoche la tête.

– Le tissu se désagrégerait. Il serait fichu.
– Oui, il serait fichu. Tout serait fichu.

Elle me pose la main sur le bras.

– Tu te souviens de ce que j'ai dit le jour où ils ont abattu les érables ?

Bien sûr que je m'en souviens.

– Qu'ils t'envoyaient un avertissement.

Elle rougit.

– Oui, ça m'a tellement bouleversée que je n'avais pas les idées claires. Ce n'était pas un avertissement, il fallait juste couper ces arbres, c'est tout.

À sa voix, je sens qu'elle essaie désespérément de s'en convaincre, qu'elle y croit presque. J'aimerais avoir plus de détails mais je n'ose pas trop insister.

– Qu'est-ce qu'il avait de si important, ce rapport ? Tu en as pourtant fait beaucoup d'autres…

Ma mère soupire. Elle ne répond pas vraiment.

– Je ne sais pas comment font les gens qui travaillent au Centre médical pour soigner les malades ou faire naître les bébés. C'est trop difficile d'avoir la vie des autres entre les mains.

La question que je ne pose pas flotte dans les airs :

« Qu'est-ce que tu veux dire ? »

Elle hésite à me répondre. Je me tiens parfaitement immobile jusqu'à ce qu'elle reprenne la parole. Distraitement, elle essuie son cadre avec un pan de sa chemise.

– Des citoyens ont remarqué d'étranges plantes qui poussaient. À Grandia, c'était au sein même de l'arboretum, dans un champ qui était en friche depuis longtemps. Dans l'autre, c'était dans les Campagnes. Le Gouvernement nous a demandé, à deux autres spécialistes et à moi, de nous rendre sur place pour établir un rapport. Nous devions répondre à deux questions : ces plantes étaient-elles exploitables en tant que nourriture ? Et ceux qui les avaient fait pousser avaient-ils des projets de rébellion ?

J'en ai le souffle coupé. Il est formellement interdit de cultiver des plantes comestibles sans autorisation expresse du Gouvernement. En contrôlant l'alimentation, ils nous contrôlent. Certaines personnes savent cultiver les plantes, d'autres les récolter, d'autres les transformer et d'autres enfin les faire cuire. Mais personne ne maîtrise le processus dans son entier. De cette façon, aucun de nous ne serait capable de survivre seul.

– Tous les trois, nous sommes tombés d'accord sur le fait que ces plantes étaient effectivement comestibles. À l'arboretum de Grandia, il s'agissait de carottes sauvages.

Soudain, le visage de ma mère s'éclaire.

– Oh, Cassia ! C'était tellement beau. Jusqu'à présent, je n'en avais vu qu'un ou deux pieds isolés, mais là, c'était un champ entier qui ondulait sous la brise.

– De petites fleurs blanches étoilées…, dis-je en me souvenant de ce qu'elle m'a raconté.

– Dans l'autre Province, il s'agissait d'une plante que je ne connaissais pas, avec des fleurs blanches encore plus belles que la première. Un lys papillon d'après l'un des autres spécialistes. Leur bulbe est comestible. Les deux personnes qui les avaient fait pousser ont prétendu ignorer qu'on pouvait consommer ces plantes. Elles ont affirmé ne s'intéresser qu'à leurs fleurs et les cultiver dans un but de recherche.

Sa voix, qui avait pris une tonalité mélancolique en évoquant les carottes sauvages, est maintenant plus affirmée.

– En revenant du second déplacement, nous avons beaucoup discuté. L'un des experts était convaincu qu'ils disaient la vérité, l'autre qu'ils mentaient. Ils ont donc rendu des rapports divergents, c'est pourquoi tout le monde attendait le mien. J'ai demandé à repartir sur place une troisième fois pour être sûre. Après tout, en fonction de nos conclusions, ces cultivateurs seront soit simplement relogés, soit envoyés en camp de travail. Et c'est mon rapport qui fera pencher la balance d'un côté ou de l'autre.

Elle cesse de frotter le cadre pour examiner

le morceau de soie bleue, comme si un message y était inscrit. Et effectivement, à ses yeux, cet échantillon représente le soir où elle a été promise à mon père. Elle y lit l'histoire de sa vie, une vie qu'elle aime.

– Je l'ai compris tout de suite, reprend-elle dans un murmure. Je l'ai lu dans leurs yeux affolés le jour où nous sommes arrivés. Ils savaient parfaitement ce qu'ils faisaient. Et l'attitude du cultivateur de carottes sauvages lors de notre deuxième visite a confirmé mes soupçons. Il a fait comme s'il n'avait jamais vu cette fleur en dehors de l'écran de son port de communication. Mais nous avons passé notre enfance dans le même coin, et elles poussaient au détour de tous les chemins. Pourtant, j'hésitais. Quand je suis rentrée et que je vous ai tous retrouvés, j'ai réalisé que je devais dire la vérité. Je devais accomplir mon devoir envers la Société pour assurer notre bonheur. Et notre sécurité.

Elle chuchote le dernier mot, sécurité, dans un bruissement de soie.

– Je comprends, dis-je.

Et je suis sincère. L'influence qu'elle a sur moi est bien plus grande que celle des Officiels, parce que je l'aime et je l'admire.

Dans ma chambre, je retrouve finalement mon écrin argenté, tombé dans l'une de mes bottes d'hiver. Je l'ouvre pour en sortir la microcarte comprenant la présentation de Xander et le guide relationnel. S'il n'y avait pas eu d'erreur, si j'avais juste vu son visage comme prévu, rien de tout ceci ne serait arrivé. Je ne serais pas tombée amoureuse de Ky et je n'aurais pas été confrontée à un tel dilemme pour mon test de classement. Tout aurait été pour le mieux.

Mais tout peut encore s'arranger. Si le classement a bien l'issue que j'espère, s'il permet à Ky de partir mener une vie meilleure ailleurs, alors je pourrai recoller les morceaux de mon existence. Je n'aurai sans doute pas trop de mal à construire ma vie avec Xander. Je serai même capable de l'aimer. Car je l'aime. Et c'est pour ça que je dois lui parler de Ky. Ça ne me dérange pas de trahir la Société. Mais je ne veux pas continuer à trahir Xander. Même si c'est douloureux, je dois le lui dire. Car quelle que soit la vie que je bâtirai finalement, elle devra être fondée sur la vérité, et non sur des mensonges.

La perspective de tout avouer à Xander me bouleverse presque autant que celle de perdre Ky. Je m'affale sur mon lit avec la microcarte dans une main et mon étui à pilules dans l'autre.

Pense à autre chose.

Je me remémore la première fois où j'ai vu Ky au sommet de la petite colline, la tête en arrière, offert au soleil. C'est là que je suis tombée amoureuse de lui. Je ne lui ai pas menti finalement. Mon regard sur lui n'a pas changé parce que j'avais vu son visage sur l'écran de mon port, mais parce que je l'ai vu en pleine nature et que, pour une fois, il avait baissé la garde. Ses yeux avaient la couleur du ciel au crépuscule. Et j'ai remarqué qu'il m'avait remarquée.

Corps et âme las et meurtris, je me retourne dans mon lit. Les Officiels ont raison. Dès qu'on veut quelque chose, tout change. Maintenant, je veux tout. J'en veux toujours plus. Je veux choisir mon poste de travail. Je veux choisir mon Promis. Je veux manger du gâteau au petit déjeuner et courir dans la rue au lieu de faire du surplace sur mon pisteur. Je veux aller vite quand j'en ai envie et lentement si le cœur m'en dit. Décider quels poèmes j'ai envie de lire, quels mots j'ai envie d'écrire. Je veux tellement de choses. J'ai l'impression de n'être plus qu'un torrent de désir sous les traits d'une fille.

Et plus que tout, je veux Ky.

– On n'a plus beaucoup de temps, m'annonce-t-il.

– Je sais.

Je compte également les jours. Même si Ky est affecté à un nouveau poste en Ville, notre stage d'été est bientôt terminé. Je ne le verrai plus aussi souvent. Je m'autorise à rêvasser un instant : et si son nouveau travail lui laissait plus de temps libre ? Il pourrait participer aux activités du samedi soir.

– Plus que deux semaines de randonnée.

– Non, je ne parle pas de ça, dit-il en s'approchant de moi. Tu n'as rien remarqué ? Tous ces changements… Il se trame quelque chose.

Bien sûr que si, j'ai remarqué. Pour moi, tout a changé.

Mais il a l'air sur le qui-vive, comme s'il se savait sous étroite surveillance.

– C'est grave, Cassia, reprend-il dans un murmure. J'ai l'impression que la Société est en difficulté dans les combats qu'elle mène aux frontières.

– Qu'est-ce qui te fait penser ça ?

– J'ai un pressentiment. Il y a ce que t'a raconté ta mère. Et puis les réductions d'effectif pour surveiller les heures de quartier libre. Je sens aussi qu'il va y avoir du changement au travail.

Il me jette un regard, je baisse la tête.

– Tu ne veux pas me dire ce que tu faisais là-bas ?

J'avale ma salive. Je me demandais quand il me poserait la question.

– C'était un test en milieu réel. J'ai dû classer les employés par rangs d'efficacité.

– Je vois…

Il attend que j'en dise davantage.

J'aimerais mais je n'arrive pas à trouver mes mots. À la place, je remarque :

– Tu ne m'as pas donné la suite de ton histoire. Que s'est-il passé lorsque les Officiels sont venus te chercher ? Ça s'est produit quand ? Je sais que ça ne doit pas faire longtemps, parce que…

Je laisse ma phrase en suspens.

Ky noue un chiffon rouge autour d'un tronc, soigneusement, avant de lever les yeux. Après n'avoir aperçu qu'un sourire de façade sur son visage pendant des années, je suis parfois surprise par la variété des expressions que j'y lis maintenant.

– Qu'y a-t-il ?

– J'ai peur, répond-il simplement. De ce que tu pourrais penser.

– À quel sujet ? De ce qui s'est passé ?

Après tout ce qu'il a traversé, il craint mon jugement ?

– C'était au printemps. Ils sont venus me voir au travail, ils m'ont pris à part dans une petite pièce. Et là, ils m'ont demandé si j'avais déjà imaginé ce que serait ma vie si je n'étais pas classé Aberration.

Il serre les dents, ça me fait mal pour lui. Mais mon regard compatissant le crispe encore plus. Il ne veut pas de ma pitié. Alors je détourne la tête pour l'écouter.

– J'ai répondu que je n'y avais jamais vraiment réfléchi. Que puisque je ne pouvais rien y changer, je préférais ne pas me tracasser avec ça. Alors, ils m'ont révélé que, par erreur, mon dossier avait été intégré au panel de couplage.

– Ton dossier ?

Pourtant l'Officielle m'a dit qu'il s'agissait d'une erreur sur ma microcarte. Que la photo de Ky n'aurait pas dû s'y trouver. Elle a affirmé qu'il ne faisait pas partie du panel de couplage. Elle m'a menti. Elle a minimisé le problème, c'était plus important qu'elle ne le prétendait.

Ky continue à parler :

– Je ne suis même pas un citoyen à part entière. Ils ont dit que c'était un incident inexplicable.

Il sourit. Ses lèvres ont un pli amer qui me bouleverse.

– Puis ils m'ont montré une photo de la fille qui aurait été ma Promise si je n'étais pas ce que je suis.

Il déglutit péniblement.

– Et c'était qui ?

Ma voix est coupante.

« Ne dis pas que c'était moi, ne le dis pas. Parce que je saurai alors que tu m'as remarquée parce qu'ils ont orienté ton regard. »

– Toi.

Son amour, que je croyais pur et sans aucun rapport avec les Officiels et leur système, ça aussi, ils l'ont perverti.

J'ai l'impression d'une perte irrémédiable. Tout est gâché, fichu.

Si les Officiels ont même orchestré notre histoire d'amour, la seule chose dans ma vie qui, selon moi, leur avait échappé, alors…

Je ne peux même pas achever ma pensée.

Autour de moi, la forêt n'est plus qu'un brouillard verdâtre, flou. Sans chiffons rouges pour me repérer, je ne pourrais même pas retrouver mon chemin. Je me jette dessus pour les arracher.

– Cassia, fait Ky dans mon dos, Cassia, qu'est-ce que ça peut faire ?

Je secoue la tête.

– Cassia… Toi aussi, tu me caches quelque chose.

Un coup de sifflet retentit. Nous sommes allés si loin sans atteindre le sommet. Jamais.

– Je pensais que tu déjeunais à l'arboretum, me dit Xander tandis que nous nous asseyons face à face dans le réfectoire de l'école secondaire.

– J'ai changé d'avis. J'avais envie de manger ici, aujourd'hui.

Le responsable de la nutrition a froncé les sourcils lorsque je lui ai demandé un des repas supplémentaires qu'ils gardent au cas où. Mais après avoir consulté mon dossier, il m'a tendu mon plateau sans autre commentaire. Il a dû voir que ça ne m'arrivait pas souvent. Ou alors, il y a autre chose sur ma fiche, mais je ne vois pas quoi. Pas après la révélation de Ky.

Ma barquette en aluminium est bien remplie, pour une fois ; comme ce n'est pas un plateau spécialement préparé pour moi, j'ai droit à la portion normale. Donc, j'avais raison : ils me rationnent. « Mais pour quelle raison ? Dans quel but ? Je suis trop grosse ? » Je baisse les yeux vers mes bras et mes jambes, musclés par la randonnée. Il ne me semble pas. Mes parents doivent être vraiment préoccupés en ce moment car, en d'autres circonstances, ils auraient remarqué qu'on réduisait mes doses et auraient contacté les services de nutrition.

Rien ne va plus nulle part.

Je repousse ma chaise.

– Tu viens avec moi ?

Xander regarde l'heure.

– Où ? On a bientôt cours.

– Je sais. Pas très loin. S'il te plaît.

– D'accord, dit-il, l'air perplexe.

Il me suit dans un couloir. Au bout, je pousse une porte qui donne sur un petit patio avec un bassin au centre. C'est notre mare d'études botaniques pour le cours de sciences appliquées. Nous sommes seuls.

Il faut que je lui dise. C'est Xander. Il mérite d'apprendre ce qui se passe avec Ky de ma bouche. Pas de la bouche d'une Officielle dans un espace vert, un jour ou l'autre.

Je prends une profonde inspiration en contemplant la mare. L'eau n'est pas bleue contrairement à celle de la piscine. Elle est marron-vert sous sa surface irisée, fourmillante de vie.

– Xander…

Je parle à voix basse, comme si nous étions cachés sur la Colline.

– … j'ai quelque chose à te dire.

– Je t'écoute, répond-il en soutenant mon regard.

Un ton calme, posé. Xander est toujours égal à lui-même.

Il faut que je me lance tout de suite, sinon j'en serai incapable.

– Je crois que je suis amoureuse de Ky Markham.

Ma voix est à peine audible. Mais il a compris.

J'ai à peine fini qu'il secoue la tête en disant : « Non » et en levant la main pour m'arrêter. Cependant, ce n'est pas ce mot ni son geste qui me font taire. C'est la peine que je lis dans son regard, qui me demande : « Pourquoi ? »

– Non, répète-t-il en me tournant le dos.

Je ne le supporte pas. Je me poste devant lui, je veux le voir. Mais il refuse de croiser mon regard pendant un long moment. Je ne sais pas quoi dire. Je n'ose pas le toucher. Je reste plantée là, à attendre qu'il relève les yeux.

Quand il le fait, j'y vois toujours autant de tristesse.

Et autre chose, également. Pas de surprise. On dirait plutôt qu'il s'y attendait. Se doutait-il de ce qui se passait ? Est-ce pour ça qu'il avait défié Ky à la salle de jeux ?

Les mots se bousculent dans ma bouche :

– Je suis désolée. Tu es mon meilleur ami. Je t'aime aussi.

C'est la première fois que je le lui dis, mais ça sonne creux. Ma déclaration perd tout son poids à cause de mon ton pressé, stressé.

– *Tu m'aimes aussi* ? répète-t-il d'une voix glaciale. Quel jeu joues-tu ?

– Je ne joue pas. Je t'aime. Pas de la même façon.

Xander ne répond rien. Je suis prise d'un fou rire nerveux. Comme la dernière fois que nous nous sommes disputés et qu'il ne m'a pas adressé la parole pendant des jours. C'était il y a des années, quand je me suis rendu compte que je n'aimais plus tellement la salle de jeux. Il était furieux.

– Mais tu joues tellement bien !

Comme je ne cédais pas, il a décidé de ne plus me parler. Mais ça ne m'a pas fait changer d'avis.

Ça a duré deux semaines. Jusqu'au jour où il m'a vue sauter du plongeoir à la suite de mon grand-père. Lorsque j'ai refait surface, à la fois terrifiée et ravie, Xander est venu me féliciter. Dans l'excitation du moment, notre brouille était oubliée.

Que penserait grand-père du plongeon que je m'apprête à faire ? Me conseillerait-il de me cramponner de toutes mes forces pour ne pas tomber ? De m'agripper au rebord de la piscine même si j'ai les doigts en sang ? Ou affirmerait-il que j'ai raison de faire le grand saut ?

– Xander. Les Officiels ont joué à un petit jeu avec moi. Le lendemain du Banquet de couplage, lorsque j'ai glissé la microcarte dans le port, ton visage s'est affiché, avant de s'effacer.

Je déglutis.

– Et quelqu'un d'autre est apparu à ta place. C'était Ky.

– Ky Markham ?

– Oui.

– Mais Ky n'est pas ton Promis, c'est impossible, parce que…

– Parce que quoi ?

Comment Xander pourrait-il être au courant du statut de Ky ?

– Parce que ton Promis, c'est moi.

Nous nous taisons durant un long moment. Xander ne détourne pas les yeux. C'est plus que je n'en peux supporter. Si j'avais une pilule verte dans la bouche, je l'avalerais. Pour sentir l'amertume précédant l'apaisement. Je repense au jour où il m'a dit que Ky était digne de confiance. Il le croyait. Et il croyait pouvoir me faire confiance également.

Que pense-t-il de nous maintenant ?

Il se penche vers moi. Ses yeux bleus dans les miens, sa main frôlant la mienne. Je ferme les paupières pour échapper à son regard blessé et éviter d'entrecroiser mes doigts avec les siens, de me pencher vers lui, de poser mes lèvres sur les siennes.

Puis je rouvre les yeux. Il reprend d'un ton calme :

– Moi aussi, je suis apparu sur ton écran, Cassia. Mais c'est lui que tu as choisi de voir.

Puis, comme un joueur qui abat sa dernière carte, il tourne les talons et pousse la porte. En me plantant sur place.

Ce n'est pas vrai ! Pas au début ! ai-je envie de lui crier. *Je n'ai jamais cessé de te voir !*

Un par un, les gens à qui je pouvais me confier m'abandonnent. Grand-père. Ma mère. Et maintenant, Xander.

« Tu es assez forte pour t'en passer », avait affirmé mon grand-père au sujet de la pilule verte.

Mais, grand-père, suis-je assez forte pour me passer de toi ? De Xander ?

Un rayon de soleil tombe droit sur moi. Pas d'arbres, pas d'ombre, pas de hauteur où grimper pour contempler ce que je viens de faire. De toute façon, les larmes m'aveuglent, je n'y vois rien.

28

Ce soir-là, à la maison, je ressors la pilule verte. Je connais ses effets, j'ai bien vu ce que ça avait fait à Em. Ça me calmera. Calme. Ce mot est d'une incroyable beauté, d'une simplicité majestueuse. Un mot qui coule comme de l'eau, adoucit la violence de la peur, la lisse, la polit. Calme. Apaisée.

Je remets le comprimé dans son étui que je referme sèchement, et me consacre à un autre objet vert tout près de moi. L'échantillon de ma robe dans son cadre. J'enfile une main dans ma chaussette pour appuyer très fort sur le verre. Un léger craquement se produit. Je relâche la pression.

Casser quelque chose est plus difficile qu'on ne l'imagine. Je me demande si c'est également ce que la Société pense de moi. Je replace ma main sur le cadre et pèse dessus de tout mon poids.

Ce serait plus facile si personne ne pouvait m'entendre, me voir. Si ces murs n'étaient pas aussi fins et si j'avais ne serait-ce qu'un peu d'intimité. Je pourrais lancer le cadre contre le mur, l'écrabouiller à grands coups, mettre toute mon énergie à le détruire, sans me retenir. J'aimerais que le verre crépite en se rompant, qu'il se brise en mille morceaux qui émailleraient le sol d'éclats brillants. Au lieu de ça, je dois rester prudente.

Une autre fêlure sillonne la vitre. En dessous, le tissu vert d'eau, bien lisse, est toujours en place. J'ôte avec précaution le plus gros morceau de verre pour retirer mon échantillon du cadre.

Puis j'enlève la chaussette afin d'examiner ma main. Pas une égratignure, ni une goutte de sang.

Comparée à la laine râpeuse de ma chaussette, la soie me caresse la main, fraîche et douce comme l'eau qui coule.

L'averse de tous mes jours... Je souris intérieurement en pliant le tissu.

Je le glisse avec l'étui à pilules dans la poche de ma tenue de demain, puis je me couche en me concentrant sur cette image. L'eau. Cette nuit, dans mes rêves, je vais me laisser porter par les flots. Les capteurs n'enregistreront rien d'autre qu'une Cassia dérivant au gré du courant.

Aujourd'hui, au stage de randonnée, l'Officier est absent.

Un jeune Officiel le remplace. Il parle tellement vite qu'il avale la moitié de ses mots ; il doit croire que ça lui donne l'air d'un Officier. Il nous toise, se délectant du pouvoir de nous surveiller, de nous diriger.

– Il a été décidé d'écourter les activités de loisir cet été. C'est donc votre dernier jour de randonnée. Récupérez autant de chiffons rouges que possible et détruisez les cairns.

Je jette un coup d'œil à Ky, qui n'a pas l'air surpris. Je ne m'attarde pas sur son visage, j'évite de chercher des réponses dans ses yeux. Ce matin, lors de notre trajet en aérotrain jusqu'à l'arboretum, nous nous sommes salués en jeunes gens normaux et bien élevés. Nous savons donner le change quand nous sommes surveillés. Je me demande ce qu'il a pensé de moi hier lorsque je me suis enfuie en courant. Comment il me considérera lorsqu'il saura pour le classement. S'il voudra bien accepter le cadeau que je compte lui offrir aujourd'hui.

Ou s'il m'infligera ce que j'ai fait subir à Xander et me repoussera.

– Mais pourquoi ? gémit Lon. On a passé la moitié de l'été à marquer ces sentiers !

L'esquisse d'un sourire se dessine sur les lèvres de Ky ; je me rends compte alors qu'il apprécie Lon. Lon qui ose poser des questions, même en sachant qu'il n'obtiendra aucune réponse. Ky a raison : c'est un acte de bravoure. Bravoure inutile et usante, certes, mais bravoure tout de même.

– On ne pose pas de questions, lui rétorque sèchement l'Officiel. Vous pouvez y aller.

Et c'est ainsi que, pour la dernière fois, Ky et moi gravissons la Colline.

Une fois suffisamment enfoncés dans les bois, où plus personne ne risque de nous voir, je m'apprête à dénouer un chiffon lorsque Ky me prend la main.

– Laisse, on va grimper au sommet.

Nous nous regardons dans les yeux. Jamais je ne l'ai senti aussi téméraire. J'ouvre la bouche pour protester mais il me coupe :

– À moins que tu n'en aies pas envie ?

Cette note de défi dans sa voix me surprend. Son ton n'est pas cassant, mais pour lui, ce n'est pas une simple question rhétorique. Il veut vraiment connaître ma réponse. Savoir de quoi je suis capable. Il ne reparle pas d'hier. Il sourit, les yeux brillants, tous les muscles de son corps semblent annoncer que le moment est venu, maintenant.

– Je veux bien essayer.

Comme gage de bonne foi, j'ouvre la marche sur le sentier que nous avons marqué tous les deux. Bientôt, je sens sa main frôler la mienne et nos doigts s'entrecroisent. Notre objectif est le même : parvenir au sommet.

Je tiens bon, sans me retourner.

Lorsque nous arrivons dans la partie de la forêt que nous n'avons pas explorée, je marque une pause.

– Attends !

Puisque c'est notre dernière marche sur cette Colline, je veux éclaircir les derniers malentendus, afin de profiter du sommet en toute quiétude.

Ky est patient avec moi, mais je vois l'inquiétude poindre sur son visage, la crainte que nous n'arrivions pas à temps. D'ailleurs, si le sifflet retentissait maintenant, je ne l'entendrais pas tant nos cœurs battent fort, tant notre respiration est bruyante.

– J'ai eu très peur hier.

– De quoi ?

– Qu'on ne soit tombés amoureux qu'à cause des Officiels. Ils t'ont parlé de moi. Et ils m'ont parlé de toi le lendemain de mon banquet, lorsque ton visage est apparu par erreur sur ma microcarte. On se connaissait déjà un peu mais jamais nous ne nous serions intéressés l'un à l'autre si…

Bien que je ne termine pas ma phrase, Ky comprend où je veux en venir.

– Ce n'est pas parce qu'ils ont prévu quelque chose que tu dois t'y opposer, proteste-t-il.

– Je refuse que ce soit leurs décisions qui déterminent ma vie !

– Mais ce n'est pas le cas, il n'y a aucune raison que tu sois une marionnette.

Tout à coup, je m'exclame :

– Sisyphe et son rocher !

Grand-père aurait bien aimé cette histoire. Il poussait son rocher, se conformait au mode de vie que la Société lui imposait, mais il a quand même réussi à conserver sa liberté de penser.

Ky sourit.

– Exactement. Sauf que, nous, dit-il en me prenant doucement la main, nous allons parvenir au sommet. Et peut-être même pouvoir y rester une minute. Viens.

– J'ai autre chose à te dire.

– Au sujet de ton test de classement ?

– Oui…

Il m'interrompt :

– Ils nous en ont parlé. Je fais partie du groupe qui va être affecté à un nouveau poste de travail. Je suis au courant.

Oui, mais au courant de quoi ? Que s'il continue à travailler là où il est, sa vie sera nettement abrégée ? Qu'il était juste à la limite, entre ceux qui seraient réaffectés et les autres ? Est-il au courant de ce que j'ai fait ?

Il lit la question dans mes yeux.

– Je sais que tu devais nous répartir en deux groupes. Et que je devais être pile au milieu.

– Tu veux savoir ce que j'ai fait ?

– Je m'en doute. Ils t'ont parlé de l'espérance

de vie et des produits toxiques, n'est-ce pas ? C'est pour ça que tu as réagi ainsi.

Je confirme.

– Tu étais au courant, pour le poison ?

– Évidemment. La plupart d'entre nous finissent par le découvrir, mais personne ne peut se plaindre. De toute façon, on vit plus longtemps ici que dans les Provinces lointaines.

– Ky…

Je crains sa réponse, mais je dois lui demander.

– Tu vas partir ?

Il lève les yeux. Au-dessus de nous, un soleil brûlant et doré monte dans le ciel.

– Je l'ignore. Ils ne nous ont encore rien dit. Mais je sais qu'on n'a plus beaucoup de temps.

Au sommet de la Colline, tout est complètement différent. Il y a toujours Cassia, toujours Ky. Sauf que nous n'étions encore jamais parvenus jusqu'ici.

Autour de nous, le même monde gris, bleu, vert et doré que j'ai connu toute ma vie. Le monde que j'ai contemplé par la fenêtre de chez grand-père et de la petite colline. Mais je suis bien plus haut, maintenant. Si j'avais des ailes, je les déploierais pour planer au-dessus de la Ville.

– Je voulais te donner ça, fait Ky en me tendant sa relique.

– Je ne sais pas m'en servir, dis-je pour masquer le fait que je meurs d'envie d'accepter.

Que je rêve d'avoir un objet bien à lui, qui fasse partie de son histoire.

– Je pense que Xander pourra te montrer, répond-il d'une voix douce.

J'en ai le souffle coupé. Est-il en train de me faire ses adieux ? De me dire de m'en remettre à Xander ? De rester avec lui ?

Sans me laisser le temps de poser la question, Ky m'attire contre lui, me chuchotant à l'oreille :

– Ça s'appelle une boussole. Ça t'aidera à me retrouver, si jamais je dois partir.

Mon visage se cale parfaitement au creux de son épaule, à la base de son cou ; j'entends battre son cœur, je respire l'odeur de sa peau. Ça me rassure. Je me sens plus en sécurité avec Ky que n'importe où au monde.

Il me glisse un papier au creux de la main.

– La fin de mon histoire. Tu la conserveras, celle-là ? Ne la lis pas tout de suite.

– Pourquoi ?

– Attends, insiste-t-il d'une voix forte et posée. Attends un peu.

– Moi aussi, j'ai quelque chose pour toi, dis-je en m'écartant légèrement de lui pour glisser la main dans ma poche.

Je lui tends l'échantillon de soie verte de ma robe.

Il l'approche de mon visage pour voir ce que cela donnait le soir du banquet.

– Tu devais être superbe.

Il me serre dans ses bras, là, au sommet de la Colline. De là-haut, je vois les nuages, les arbres, le Dôme municipal et les minuscules maisons des quartiers, au loin. L'espace d'un instant, mon regard embrasse tout mon petit monde. Puis je me retourne vers Ky.

– Cassia, murmure-t-il en fermant les yeux.

Je ferme les paupières aussi pour le retrouver dans l'obscurité. Je sens ses bras forts autour de moi, la douceur de la soie tandis qu'il pose sa main au creux de mon dos pour m'attirer plus près, tout contre lui.

– Cassia, répète-t-il encore une fois, doucement, si près que ses lèvres se posent enfin sur les miennes.

Enfin.

Je crois qu'il voulait dire autre chose mais, maintenant que nos lèvres sont jointes, ce n'est plus la peine. Les mots sont inutiles.

29

Des cris retentissent à nouveau dans notre quartier et, cette fois, ils sont humains.

J'ouvre les yeux. Il est si tôt que le ciel est encore plus noir que bleu, la lueur de l'aube à l'horizon est plus une promesse qu'une réalité.

Ma porte s'ouvre brutalement. Je vois la silhouette de ma mère se découper sur le rectangle de lumière.

– Cassia, soupire-t-elle, soulagée, avant de se tourner pour avertir mon père. Elle va bien !

– Bram aussi ! répond-il.

Puis tous ensemble, nous nous ruons dans l'entrée. Quelqu'un dans notre rue est en train de hurler, et c'est tellement étrange que cela nous bouleverse. On entend rarement des cris de douleur résonner dans le quartier des Érables. Malgré tout, l'instinct naturel de porter secours est toujours ancré en nous, ils n'ont pas réussi à nous l'ôter.

Mon père ouvre la porte, nous regardons dehors.

Sous la faible lueur des lampadaires, le manteau des Officiels est d'un gris terne. Ils sont deux à marcher d'un pas vif, encadrant une troisième personne. Un petit groupe les talonne. Des Officiers.

Et quelqu'un derrière qui hurle. Même dans la pénombre, je la reconnais. Aida Markham. Elle sait ce que c'est de souffrir, et elle souffre à nouveau, suivant la silhouette cernée d'Officiels et d'Officiers.

Ky.

– Ky !

Pour la première fois de ma vie, je cours aussi vite que j'en suis capable en public. Pas de pisteur pour me ralentir, pas de branches pour m'arrêter. Mes pieds volent au-dessus de l'herbe, au-dessus du ciment. Je traverse les pelouses des voisins, leurs parterres de fleurs pour tenter de rattraper le peloton avant qu'il n'atteigne la station d'aérotrain. Un Officier se détache du groupe pour rejoindre Aida. Elle attire trop l'attention. Les portes s'ouvrent, les gens regardent ce qui se passe, perchés sur leur perron.

J'accélère. Mes pieds s'enfoncent dans l'herbe fraîche du jardin d'Em. *Plus que quelques maisons.*

– Cassia ! me hèle mon amie. Où tu vas ?

Ky ne m'a pas entendue, les cris d'Aida ont couvert ma voix. Ils sont presque arrivés à l'escalier d'accès au quai. Lorsqu'ils passent sous l'éclairage vif de la station, je vois qu'ils l'ont menotté.

Comme sur son dessin.

– Ky !

Il redresse la tête, se retourne vers moi, mais je suis trop loin pour voir ses yeux. Je veux voir ses yeux.

Un Officier fond sur moi. J'aurais dû attendre d'être plus près pour crier, mais je suis rapide. J'y suis presque.

Une partie de mon cerveau essaie de comprendre ce qui se passe. « Sont-ils venus l'emmener à son nouveau poste de travail ? Mais dans ce cas, pourquoi si tôt le matin ? Pourquoi Aida serait-elle bouleversée à ce point ? Elle devrait être heureuse qu'il prenne un nouveau départ, au lieu de passer sa vie à nettoyer des barquettes en alu. Pourquoi l'ont-ils attaché ? A-t-il tenté de se débattre ? Nous ont-ils vus nous embrasser ? Est-ce cela, la vraie raison ? »

Je vois l'aérotrain glisser sur les rails, mais ce n'est pas celui de d'habitude, le blanc argenté. C'est une rame gris charbon, un train longue distance, qui part en principe de la Gare centrale. Je l'entends approcher, il est plus lourd, plus bruyant que le blanc.

Il y a quelque chose qui cloche.

Et le cri de Ky lorsqu'ils le poussent à grimper l'escalier confirme mes doutes. Parce que là, devant tout le monde, soudain son instinct de survie lui fait défaut et c'est un autre instinct qui parle.

Il crie mon nom :

– *Cassia !*

Un seul mot et je comprends tout. Qu'il m'aime. Qu'il a peur. Qu'il a essayé de me faire ses adieux hier sur la Colline. Il savait. Ce n'est pas un simple changement de poste, il part quelque part et il craint de ne jamais revenir.

J'entends des pas venir derrière moi, étouffés par la pelouse ; des pas au-dessus, résonnant sur le métal. Un Officier me poursuit, un Officiel dévale l'escalier. Aida ne crie plus. Ils ont l'intention de me faire taire de la même manière.

Je ne peux pas le rejoindre. Pas comme ça. Pas maintenant. Je ne peux pas franchir la barrière d'Officiers qui se dresse sur l'escalier. Je ne suis pas assez forte pour les affronter, ni assez rapide pour les semer…

N'entre pas sans violence.

J'ignore si c'est la voix de Ky qui résonne dans ma tête ou si grand-père est caché dans la pénombre, me soufflant ces mots dans la brise, des mots ailés comme des anges.

J'oblique vers le côté du quai, bondissant sur le ciment. Voyant ce que je fais, Ky se retourne vivement, un mouvement rapide qui lui permet de gagner deux secondes avant que leurs mains ne se referment à nouveau sur lui.

Mais ça suffit.

Il se penche de la plateforme juste un instant et je vois ce que je voulais voir. Je vois ses yeux, étincelants de vie, de rage, je sais qu'il n'abandonnera pas le combat. Même si c'est un combat silencieux qu'on ne voit pas forcément du dehors. Je n'abandonnerai pas non plus.

Les cris des Officiels, le grincement de l'aérotrain qui s'arrête couvriraient mes mots. Ky n'entendrait pas ce que je dis.

Alors, au milieu de tout ce vacarme, je désigne le ciel. J'espère qu'il comprend. Cela signifie tellement de choses. Que mon cœur emportera son nom. Que je n'entrerai pas sans violence dans la nuit. Que je trouverai un moyen de planer comme les anges pour le rejoindre.

Je sais qu'il a compris lorsqu'il plante son regard dans le mien. Ses lèvres remuent sans bruit. Je sais ce qu'il dit : il récite un poème que seules deux personnes au monde connaissent.

Les larmes me montent aux yeux, mais je les chasse. Car, s'il y a un moment dans ma vie où je veux voir clair, c'est bien celui-ci.

C'est l'Officier qui m'atteint en premier. Il m'attrape par le bras et me tire en arrière.

– Lâchez-la, lance mon père.

Je n'aurais jamais cru qu'il courait si vite.

– Elle n'a rien fait.

Ma mère et Bram traversent la pelouse à toute allure.

Xander et ses parents sont juste derrière.

– Elle trouble l'ordre public, décrète sévèrement l'Officier.

– Évidemment, rétorque mon père. Elle voit un de ses amis d'enfance se faire arrêter aux aurores, après avoir été réveillée par les hurlements de sa mère. Que se passe-t-il ?

Mon père ose poser cette question d'un ton ferme et assuré. Je jette un coup d'œil à ma mère par-dessus mon épaule pour voir sa réaction. Elle le regarde, les yeux brillants de fierté.

À ma grande surprise, le père de Xander prend la parole :

– Pourquoi ont-ils emmené ce garçon ?

Un Officiel en manteau blanc intervient alors d'une voix si forte que tous ceux qui sont attroupés l'entendent. Il s'exprime d'une façon très formelle en détachant bien ses mots :

– Nous sommes désolés d'avoir perturbé votre matinée. Ce jeune homme a changé d'affectation, nous sommes venus le conduire à son nouveau poste. Mais comme ce travail impliquait de quitter la Province d'Oria, sa mère l'a mal accepté.

« Mais alors pourquoi tant d'Officiers ? Tant d'Officiels ? Pourquoi les menottes ? » Bien que son explication ne soit pas valable, au bout de quelques minutes, tout le monde acquiesce. Sauf Xander. Il ouvre la bouche, s'apprêtant à dire quelque chose, mais, après m'avoir jeté un coup d'œil, il se ravise.

Maintenant que toute l'énergie que j'ai déployée pour rattraper Ky m'a quittée, je réalise avec effroi ce que tout cela signifie. « Où qu'il parte, c'est ma faute. Que ce soit à cause du classement ou à cause du baiser, c'est ma faute. »

– Mensonges ! s'écrie soudain Patrick Markham.

Tout le monde se retourne vers lui. Même en tenue de nuit, le visage ravagé et amaigri par ce qu'il a enduré, il garde sa dignité, que rien ne semble pouvoir atteindre. Il n'y a qu'une autre personne chez qui j'ai vu ça. Même si Ky et Patrick n'ont pas de lien de sang, ils possèdent le même genre de force.

En me fixant, il explique :

– Les Officiels ont dit à Ky et à ses collègues qu'on leur attribuait une meilleure affectation. Alors qu'en réalité on les envoie se battre dans les Provinces lointaines. Au front.

Je titube comme si j'avais reçu un coup. Ma mère tend la main pour me retenir.

Patrick continue :

– La guerre contre l'ennemi tourne mal. Ils ont besoin de davantage de personnes pour se battre. Tous les habitants sont morts. Tous.

Il s'interrompt, pour reprendre comme s'il se parlait à lui-même :

– J'aurais dû me douter qu'ils sacrifieraient d'abord les Aberrations. J'aurais dû me douter que Ky serait sur la liste… Mais on avait déjà traversé tant d'épreuves que j'ai pensé…

Sa voix tremble.

Aida se tourne vers lui, au désespoir.

– Nous, on oubliait, parfois. Mais lui, jamais. Il savait que ça allait arriver. Vous l'avez vu se débattre ? Vous avez vu son regard quand ils l'ont emmené ?

Elle prend son mari dans ses bras, il la serre fort tandis que ses sanglots résonnent dans l'aube glacée.

– Il va mourir. C'est une condamnation à mort de l'envoyer là-bas.

Elle s'écarte de Patrick pour faire un pas vers les Officiels en hurlant :

– Il va mourir !

Deux Officiers s'interposent aussitôt pour les immobiliser, les bras dans le dos, tous les deux, et tentent de les emmener. Patrick se débat tandis qu'ils le bâillonnent pour l'empêcher de parler. Ils font pareil à Aida afin d'étouffer ses cris. Je n'avais jamais vu un tel déploiement de force de leur part. Ne réalisent-ils pas qu'en agissant ainsi, ils donnent raison à Patrick et Aida ?

Une aérovoiture s'arrête près de nous, des renforts en descendent. Les Officiers poussent les Markham à l'intérieur. Aida tend la main vers son mari. Leurs doigts se manquent de quelques millimètres. Elle ne peut pas le toucher, alors que c'est la seule chose au monde qui aurait pu la réconforter en cet instant.

Je ferme les yeux. J'aimerais arrêter d'entendre ses cris résonner dans ma tête, oublier ses mots qui sont gravés à jamais dans ma mémoire : « Il va mourir. » J'aimerais que ma mère me ramène à l'intérieur de la maison, et qu'elle me borde dans mon lit comme quand j'étais petite, quand je regardais la nuit tomber sans la moindre inquiétude, avant que je sache ce que c'est de vouloir sa liberté.

– Excusez-moi…

Je connais cette voix. C'est mon Officielle, celle de l'espace vert. Celui qui se tient à ses côtés porte l'insigne du plus haut niveau de la hiérarchie gouvernementale : trois étoiles dorées qui étincellent sous le lampadaire. Nous nous taisons soudain.

– S'il vous plaît, veuillez tous ouvrir vos étuis à pilules, nous demande-t-il poliment. Vous en sortirez le comprimé rouge.

Nous obéissons. Je prends dans ma poche le petit étui contenant les trois pilules. Bleue, rouge, verte. La vie, la mort, l'oubli à portée de main.

– Maintenant, gardez la pilule rouge au creux de votre paume et veuillez remettre votre étui à l'Officielle Standler.

Il désigne mon Officielle qui nous tend un bac en plastique.

– Vous recevrez bientôt de nouveaux étuis ainsi que de nouvelles pilules.

Une fois encore, nous obéissons. Je dépose mon petit cylindre de métal avec les autres, en évitant de croiser le regard de l'Officielle.

– Il faut maintenant que vous preniez la pilule rouge. L'Officielle Standler et moi-même nous allons nous en assurer. N'ayez aucune inquiétude.

Les Officiers semblent se multiplier dans les parages. Ils arpentent la rue, empêchant les gens qui sont encore chez eux de sortir afin de leur éviter d'entrer en contact avec notre petit groupe – avec ceux qui savent ce qui vient de se passer dans le quartier des Érables, qui savent ce qui se passe dans tout le pays. J'imagine que, pour les autres recrues, le départ a dû se dérouler plus calmement. Il doit exister peu d'Aberrations avec des parents assez haut placés pour comprendre ce qui arrive vraiment. De toute façon, même Patrick Markham n'a rien pu faire pour sauver son fils.

Et tout ça, c'est ma faute. Je n'ai pas joué à Dieu ni à l'ange. J'ai joué à l'Officielle. J'ai cru pouvoir décider ce qui était mieux pour quelqu'un et j'ai agi sur sa vie en conséquence. Peu importe que les informations dont je disposais m'aient donné raison ou pas. Au final, c'est moi qui ai pris la décision. Quant au baiser...

Je ne veux pas y penser.

Je contemple la pilule rouge, minuscule, au creux de ma paume. Finalement, si elle me tue, la mort serait la bienvenue en ce moment précis.

Non. J'ai fait une promesse à Ky. Je lui ai montré le ciel et j'ai promis. Et à peine un quart d'heure plus tard, je suis déjà prête à abandonner ?

Je laisse tomber discrètement la pilule. Je l'aperçois, petit point rouge dans l'herbe. Selon Ky, le rouge est la couleur de la naissance et du renouveau.

Je déplace alors très légèrement mon pied pour l'écraser en pensant : « À ce nouveau départ. » Elle saigne sous mon pied. Ça me rappelle le jour où, en apercevant Ky à l'autre bout de la salle de jeux, j'avais marché sur les pilules égarées.

Sauf qu'aujourd'hui, quand je relève la tête, il n'est pas là.

Personne n'a encore obtempéré. Tant de rumeurs circulent à propos de cette pilule, il y a de quoi hésiter, même si l'ordre émane d'un Officiel de haut rang.

– Quelqu'un veut commencer ?

– Oui, moi, dit ma mère en avançant d'un pas.

Je vais protester mais un regard de mon père me retient. Je sais ce qu'il veut me dire. « Elle le fait pour nous, pour toi. » Et, visiblement, il sait qu'elle ne risque rien.

– Moi aussi, enchaîne-t-il en se postant à côté d'elle.

Sous nos yeux, ils avalent tous les deux la pilule en même temps. L'Officiel leur fait ouvrir la bouche pour vérifier, puis acquiesce.

– Elle se dissout presque instantanément. Pas le temps d'essayer de la recracher. De toute façon, ce n'est pas utile. Cela ne vous fera aucun mal. C'est juste pour vous aider à clarifier vos idées.

Clarifier nos idées. Évidemment. Je comprends pourquoi ils nous forcent à la prendre. Pour qu'on oublie ce qui est arrivé à Ky. Que l'ennemi est en train de remporter la bataille dans les Provinces lointaines, que tous les habitants sont morts. Je comprends également pourquoi ils ne nous l'ont pas fait prendre après ce qui est arrivé au vrai fils des Markham : pour qu'on se rappelle à quel point les individus classés Anomalies sont dangereux, à quel point nous serions vulnérables si la Société les laissait en liberté.

Avaient-ils laissé échapper celui-là exprès ? En guise d'avertissement ?

Comment expliqueront-ils le départ de Ky ensuite ? Que nous feront-ils croire en lieu et place de la vérité ? Devrons-nous ensuite prendre une pilule verte, l'apaisement après l'oubli ?

Je ne veux plus être en paix. Je ne veux pas oublier.

Si pénible que ce soit, je veux connaître toute son histoire, même les passages les plus affreux.

Ma mère se retourne vers moi. Je crains de croiser un regard vide, un visage mou, sans expression. Mais elle a l'air normale, et mon père également.

Les autres s'alignent, la pilule rouge au creux de la main, pressés d'en finir pour reprendre au plus vite le cours de leur vie. Que vais-je faire lorsqu'ils s'apercevront que je n'ai plus la mienne ? Je jette un coup d'œil à mes pieds, scrutant le sol à la recherche d'une petite trace de poudre rouge, mais il n'y a rien. Je l'ai complètement écrasée.

Bram est partagé entre l'excitation et la peur. Comme il est trop jeune pour avoir la pilule rouge dans son étui, mon père la lui tend.

Mon Officielle vérifie que chacun l'avale bien. Elle se rapproche de plus en plus de moi. Je regarde, fascinée, Bram, puis Em prendre le comprimé. Soudain, mon rêve me revient en mémoire, une vague de panique me submerge. Mais elle va bien. Rien ne se produit. Rien de visible, en tout cas.

Puis vient le tour de Xander. Il remarque mes yeux fixés sur lui. Il a toujours l'air blessé. Je résiste à l'envie de détourner la tête. Il lève la pilule vers moi, comme s'il portait un toast.

Mais je ne le vois pas l'avaler car mon Officielle se plante devant moi, m'isolant des autres.

– Montrez-moi votre pilule, s'il vous plaît.

– Je l'ai, dis-je sans desserrer le poing.

Je crois deviner l'ombre d'un sourire sur ses lèvres. Elle a sûrement des pilules de réserve sur elle, mais elle ne m'en donne pas.

Elle baisse les yeux vers le sol, avant de me dévisager à nouveau. Je porte la main à mes lèvres, comme si je glissais quelque chose dans ma bouche, puis je déglutis. Avec application.

Elle passe au suivant.

Même si c'est ce que je voulais, je la hais. Elle tient à ce que je me souvienne de ce qui s'est passé. De ce que j'ai fait.

30

Quand le soleil finit par se lever, c'est une matinée grisâtre. Sa chaleur écrasante semble tout aplatir, plus rien n'a ni dimension ni profondeur. Les maisons autour de nous ont l'air de décors de film. J'ai l'impression que si je vais trop loin, je risque de traverser la toile de fond pour sombrer dans le néant.

Bizarrement, je suis au-delà de la peur ; à la place, je suis léthargique, c'est presque pire. Pourquoi s'en faire pour une planète plate peuplée de gens complètement plats ? Pourquoi s'en faire maintenant pour un monde sans Ky ?

C'est une des raisons pour lesquelles j'ai besoin de lui. Parce que, quand je suis avec lui, j'éprouve des sensations.

Mais il est parti, je l'ai vu de mes yeux.

Et c'est ma faute.

« Est-ce que Sisyphe a vécu ça, lui aussi ? Avant même de songer à remonter la pente, être obligé de s'arrêter, de se concentrer de toutes ses forces pour éviter que le rocher ne lui roule dessus et ne l'écrase ? »

La pilule rouge fait effet presque instantanément. Le temps que les Officiels nous raccompagnent bien gentiment chez nous, les événements des douze dernières heures ont été effacés de l'esprit de toute ma famille. Dans la journée, on nous livre de nouveaux étuis, contenant de nouvelles pilules, assortis d'une lettre expliquant que les précédents ont été repris dans la matinée à cause d'un défaut de fabrication. Mes parents et mon frère acceptent cette explication sans broncher car ils ont d'autres sujets de préoccupation.

Ma mère est perplexe : où a-t-elle bien pu ranger son infopod hier soir après avoir travaillé dessus ?

Bram, lui, ne se rappelle plus s'il avait fini de faire ses devoirs sur le scripteur.

– On va l'allumer pour vérifier, mon chéri, propose ma mère, très perturbée.

Mon père a l'air un peu perdu, mais pas autant qu'elle. Je devine qu'il a déjà vécu cette expérience, sans doute plusieurs fois, pour son travail. Il semble moins dérangé par la légère impression de désorientation qu'entraîne la pilule.

Et tant mieux car les Officiels n'en ont pas encore terminé avec notre famille.

– Message privé pour Molly Reyes, annonce la voix synthétique du port.

Ma mère lève la tête, surprise.

– Je vais être en retard au travail, proteste-t-elle faiblement, bien que l'auteur du message ne soit pas en mesure de l'entendre.

Il ne peut pas non plus la voir redresser les épaules avant de s'approcher du port et de mettre ses écouteurs. L'écran s'assombrit de façon que l'image ne soit visible que de l'endroit où elle se tient.

– Qu'est-ce que je fais, moi, alors ? s'inquiète Bram. Je l'attends ?

– Non, vas-y, lui dit mon père. Il ne manquerait plus que tu sois en retard.

En tirant la porte, mon frère râle :

– Je rate toujours tout !

J'aimerais pouvoir lui dire que c'est faux, mais sincèrement aurais-je vraiment voulu qu'il se rappelle ce qui est arrivé ce matin ?

Subitement, en le regardant partir pour l'école, un déclic se fait dans mon esprit. Tout redevient réel. Bram est bien réel. Je suis réelle. Ky est réel, il faut que j'essaie de le retrouver. Et que je m'y mette dès maintenant.

– Je vais au centre-ville, ce matin, papa.

– Tu n'as pas randonnée ? s'étonne-t-il.

Puis il secoue la tête comme pour s'éclaircir les idées.

– Pardon, je m'en souviens. Ils ont écourté

les activités de loisir, cet été, n'est-ce pas ? C'est pour ça que Bram est parti à l'école et non à la piscine. J'ai l'esprit un peu embrumé, ce matin.

Ce fait n'a pas l'air de le surprendre outre mesure. Je pense vraiment que ça lui est déjà arrivé. Il a laissé ma mère prendre la pilule rouge la première car il savait que ça ne lui ferait aucun mal.

– J'ai le temps de faire un saut en Ville avant les cours. Car ils n'ont encore rien programmé à la place de la randonnée.

Encore un petit grain de sable dans la machine bien huilée de notre Société qui prouve qu'il y a quelque chose qui cloche.

Mon père ne répond pas, il regarde ma mère. Elle est livide, complètement décomposée, les yeux rivés sur le port.

– Molly ?

En principe, on n'a pas le droit d'interrompre un message privé, mais il s'approche. De quelques pas, puis plus près encore. Finalement, il lui pose la main sur l'épaule. Elle se détourne de l'écran.

– C'est ma faute, murmure-t-elle.

Son regard traverse mon père sans le voir, fixé sur un point lointain, dans le vide.

– Nous allons être relogés dans les Campagnes, décision à effet immédiat.

– Quoi ? s'écrie mon père.

Il secoue la tête, jette un regard vers le port de communication.

– C'est impossible. Tu as pourtant rendu ton rapport. Tu as dit la vérité.

– Ils ne doivent pas vouloir que ceux qui ont constaté l'existence de ces cultures interdites occupent des postes à responsabilités, suppose ma mère. On en sait trop. On pourrait être tentés de faire pareil. C'est pour ça qu'ils nous envoient dans les Campagnes, où nous n'aurons aucune responsabilité. Où ils pourront nous surveiller, nous exploiter.

Pour essayer de la consoler, j'interviens :

– Comme ça, on sera plus près de grand-père et grand-mère.

– Non, ils ne nous relogent pas dans les Campagnes d'Oria, mais dans celles d'une autre Province. Nous partons demain.

Son regard abasourdi, hébété, se pose alors sur mon père et elle sort de sa transe. Différentes émotions se peignent sur son visage tandis qu'elle réalise ce qu'elle vient d'apprendre. En voyant cette transformation s'effectuer sous mes yeux, je panique. « Il faut que je découvre où ils ont envoyé Ky avant qu'on parte. »

– J'ai toujours eu envie d'aller vivre dans les Campagnes, dit mon père.

Ma mère pose sa tête sur son épaule, trop lasse pour pleurer, trop ébranlée pour faire comme si de rien n'était.

– Pourtant, j'ai fait mon devoir, chuchote-t-elle. J'ai fait exactement ce qu'ils me demandaient.

– Ça va aller, nous assure-t-il.

Si j'avais pris la pilule rouge, j'arriverais peut-être à le croire.

Dans la rue, une aérovoiture officielle est garée devant chez les Markham. Notre quartier s'est largement trop fait remarquer ces derniers temps.

Em dévale le perron de sa maison sans arbre.

– Tu es au courant ? me demande-t-elle, surexcitée. Les Officiels sont en train de rassembler les affaires des Markham. Patrick a été réaffecté au Gouvernement central. Quel honneur ! Et dire qu'il vient de chez nous !

Elle fronce les sourcils.

– Dommage qu'on n'ait pas pu dire au revoir à Ky. Il va me manquer.

– Oui, à moi aussi, dis-je, le cœur serré.

Je suis une fois de plus obligée d'arrêter de pousser ma pierre, écrasée par le poids du savoir. Je suis la seule à me souvenir de ce qui s'est passé ce matin.

En dehors de quelques rares Officiels. Et même eux ne connaissent pas toute la vérité. Seules deux personnes savent que je n'ai pas pris la pilule rouge. Moi. Et mon Officielle.

– Il faut que j'y aille, Em.

Je file vers la station d'aérotrain en évitant de regarder la maison des Markham. Patrick et Aida ont disparu également. Ont-ils été classés Aberrations ? Ou relogés loin d'ici ? Découvrent-ils les lieux, stupéfaits, en se demandant où est passé leur second fils ?

Il faudra que j'essaie de les retrouver, eux aussi, pour Ky ; mais pour l'instant, c'est sur lui que je dois me concentrer.

Je ne vois qu'un endroit où je pourrais dénicher quelque information sur l'endroit où ils l'ont envoyé.

Dans l'aérotrain, je garde la tête basse. Il y a tant de choses que je ne veux pas voir : les sièges où Ky s'asseyait habituellement, le sol où il posait les pieds bien à plat, gardant toujours son équilibre sans avoir besoin de se tenir. Je ne veux pas regarder par la fenêtre, sachant que je risque d'apercevoir la Colline où nous étions encore hier. Tous les deux. Ensemble. Lorsque la rame s'arrête pour laisser monter les passagers, un courant d'air s'engouffre à l'intérieur. Je me demande si les chiffons rouges que nous avons noués là-bas flottent toujours au vent, annonçant un nouveau départ – hélas ! pas celui qu'on espérait.

Enfin, j'entends le haut-parleur annoncer ma station.

Dôme-Municipal.

Ce n'est pas une bonne idée. Je m'en rends compte en gravissant les marches du dôme pour la deuxième fois de ma vie. Ce n'est pas l'endroit qui m'avait accueillie avec ses lumières scintillantes et ses portes grandes ouvertes, pour m'inviter à découvrir ce que l'avenir me réservait. Dans la journée, le dôme est surveillé par des gardes armés, c'est un centre administratif où le passé et le présent sont mis sous clef. Ils ne me laisseront pas entrer, et de toute façon, ils ne me diraient rien.

Ils ne sauraient sans doute pas de quoi je parle. Les Officiels doivent également prendre la pilule rouge parfois. Patrick et Aida, dans leur maison toute neuve, se réjouissent peut-être que Ky soit resté dans notre quartier pour son nouveau travail. Même s'il leur manque, même s'ils ignorent quand ils le reverront.

Et moi, quand te reverrai-je, Ky ?

Je tourne les talons et, juste en face, j'aperçois une autre solution. Mon cœur s'emballe.

Évidemment. Pourquoi n'y ai-je pas pensé plus tôt ? Le Musée.

C'est un bâtiment blanc, bas, tout en longueur, aveugle. Les vitres sont en verre dépoli pour protéger les objets exposés de la lumière. Le Dôme municipal, de l'autre côté de la rue, exhibe d'immenses fenêtres claires. Le dôme voit tout. Mais, derrière ses paupières closes, le Musée abrite peut-être un secret qui me sera utile.

Cet espoir fou me donne des ailes pour traverser la rue à toute allure, me donne la force de pousser les lourdes portes blanches.

– Bonjour, fait un conservateur assis derrière un grand bureau circulaire. Puis-je vous aider ?

– Je me promène, dis-je d'un ton détaché. J'ai un peu de temps libre aujourd'hui.

– Alors vous êtes venue ici ? s'étonne-t-il, aussi ravi que surpris. Merveilleux. Je vous conseille le deuxième étage, où sont exposées nos plus belles collections.

Pour ne pas attirer l'attention, j'acquiesce et monte les marches, leur écho métallique m'évoque la pénible scène de ce matin.

« Ne pense pas à ça maintenant. Reste calme. Rappelle-toi plutôt le jour où tu es venue ici avec l'école primaire, avant l'arrivée de Ky dans le quartier. À l'époque, on prenait encore le temps de s'intéresser au passé, alors qu'à l'école secondaire, tout est tourné vers l'avenir. Tu te souviens du repas au réfectoire du musée ? Toute la classe était surexcitée. Et Xander, qui faisait mine d'écouter le conservateur en te glissant des blagues à l'oreille ? »

Xander. Si je le laisse ici pour rejoindre Ky, aurai-je à nouveau le cœur brisé ?

Oui, évidemment.

Un panneau indique la salle des reliques. Je tourne à droite, soudain curieuse de voir où ils ont mis tout ce qu'ils nous ont confisqué. Je vais peut-être reconnaître mon poudrier, les boutons de manchette de Xander ou la montre de Bram. Je pourrais l'emmener ici avant qu'on parte pour les Campagnes.

Je m'arrête au beau milieu de la salle en m'apercevant brusquement que nos reliques ne sont pas là. Il y a plein d'objets poussiéreux, entassés là depuis des années, mais la nouvelle vitrine n'est rien d'autre qu'un long bloc de verre vide. Une affichette en lettres d'imprimerie, si différentes de l'écriture ronde de Ky, précise : EN COURS DE RÉALISATION. Une rampe lumineuse éclaire cet écriteau dans son immense vitrine déserte. Il pourrait demeurer des siècles, conservé dans son environnement protégé. Comme l'échantillon de ma robe de banquet.

Mais moi, j'ai brisé le verre, j'ai donné le bout de soie verte, j'ai fait mon choix. Je sens déjà que je meurs sans Ky auprès de moi, il faut que je survive pour le retrouver.

Nos reliques ne seront sans doute jamais exposées dans cette vitrine. Il n'y aura certainement rien d'autre à voir que cet écriteau. J'ignore ce qu'ils en ont fait. Peut-être les ont-ils vendues pour financer la guerre où ils ont envoyé Ky.

En tout cas, il n'en reste plus rien.

Je redescends au rez-de-chaussée. Voir la vitrine sur la Glorieuse Histoire de la Province d'Oria, là où je me rendais avant que l'espoir d'entr'apercevoir ce que j'avais perdu ne me détourne de la recherche de ce que je dois retrouver. Postée devant la vitrine, je contemple la carte de notre Province, avec sa Ville, ses Campagnes, ses rivières. Dans mon dos, j'entends des pas résonner sur le marbre. Un petit homme en uniforme s'approche de moi.

– Voulez-vous en savoir plus sur l'histoire d'Oria ? me demande-t-il.

Nos regards se croisent – le mien interrogateur, le sien étincelant.

En l'observant, je réalise que je ne veux pas vendre mon poème. Je suis égoïste. En dehors de mon échantillon de soie, c'est tout ce que j'avais à donner à Ky. Nous sommes les deux seuls au monde à le connaître en entier. C'est sans issue. Je suis venue ici pour rien. De toute façon, même en vendant le poème, je n'obtiendrai rien. Ce que je cherche ne s'achète pas. Il faut que j'agisse.

Je réponds :

– Non, merci.

J'aimerais pourtant vraiment connaître la véritable histoire de l'endroit où je vis mais, à mon avis, personne ne la connaît plus aujourd'hui.

Avant de partir, je jette un coup d'œil à la carte de notre Société. Au beau milieu, bien dodue et repue, trône la silhouette rondouillarde des Provinces, entourée par les Provinces lointaines, divisées en sections anonymes, sans le moindre nom.

Finalement, je rappelle l'homme en uniforme :

– Attendez !

Il se retourne, plein d'espoir.

– Oui ?

– Est-ce que quelqu'un sait comment s'appellent les Provinces lointaines ?

Il agite vaguement la main. Maintenant qu'il sait que je ne veux pas faire affaire avec lui, je ne l'intéresse plus. Il ne peut pas vendre la réponse à cette question.

– C'est leur nom, les Provinces lointaines.

Ce patchwork anonyme m'intrigue. Il y a tellement d'inscriptions sur cette carte qu'elles sont difficiles à déchiffrer. Je les survole, sans savoir vraiment ce que je cherche.

Soudain, quelque chose attire mon regard : la rivière Sisyphe. Elle prend source dans les Provinces de l'Ouest, avant de traverser deux des Provinces lointaines et de se perdre dans le grand vide des Autres Pays.

Ky doit être originaire de l'une de ces deux Provinces. Et puisqu'il y avait déjà des conflits dans cette zone quand il était petit, il est probable que le combat y fasse rage encore aujourd'hui. Je me penche tout près de la carte pour mémoriser leur emplacement.

Entendant à nouveau des pas dans mon dos, je fais volte-face.

– Vous êtes sûre que je ne peux pas vous aider ? insiste le petit homme.

Je n'ai rien à vendre ! ai-je envie de crier. Mais je m'aperçois qu'il a l'air sincère.

Désignant la rivière Sisyphe sur la carte, mince fil d'espoir sur le papier, je demande :

– Vous avez déjà entendu parler de ce cours d'eau ?

Il baisse la voix :

– Oui, quand j'étais jeune, on racontait qu'autrefois une portion de la rivière avait été polluée par des produits toxiques, rendant impossible la vie sur ses berges. C'est tout.

– Merci.

Ça me donne une idée, maintenant que je sais comment meurent les personnes âgées. La Société aurait-elle pu empoisonner les eaux qui coulaient vers le pays de l'ennemi ? Pourtant, Ky et ses parents n'ont pas été empoisonnés. Ils vivaient peut-être en amont, avant la portion contaminée, dans la Province la plus éloignée de la frontière.

– Il ne s'agit que d'une vieille histoire, m'avertit l'homme, qui a dû voir l'espoir illuminer mon visage.

– C'est toujours un peu le cas, non ?

Sur ces mots, je pars sans me retourner.

Mon Officielle m'attend dans l'espace vert, devant le Musée. Vêtue de blanc, assise sur un banc blanc, sur fond de soleil blanc. C'est trop, ça m'éblouit. Je dois rêver.

En plissant légèrement les yeux, j'arrive à imaginer que c'est l'espace vert de la salle de jeux, où je l'ai rencontrée pour la première fois. Qu'elle va m'annoncer qu'il y a eu une erreur dans mon processus de couplage. Mais cette fois, les choses pourraient se dérouler autrement, trouver une autre issue, avoir une fin heureuse, pour Ky et pour moi.

Sauf que cette issue n'existe pas. Pas ici, à Oria.

Elle me fait signe de venir m'asseoir à côté d'elle. C'est étrange qu'elle ait choisi de me parler ici, juste devant le Musée. Mais c'est un endroit tranquille et désert. Ky avait raison, personne ne s'intéresse au passé.

Le banc de pierre est agréable et frais, toujours dans l'ombre du musée. Je pose la main à plat sur la pierre, en me demandant d'où elle vient, et qui a dû la pousser.

Cette fois, c'est moi qui engage la conversation :

– J'ai commis une erreur. Il faut le rapatrier.

– Nous avons déjà fait une exception pour Ky Markham. La plupart des Aberrations n'ont pas cette chance. C'est à cause de vous qu'il est parti. Que ça vous serve de leçon. Quand on laisse les circonstances interférer, les émotions s'en mêler, rien de bon n'en sort jamais.

Je proteste :

– C'est vous, les responsables. C'est vous qui avez organisé ce classement.

– Oui, mais c'est vous qui l'avez effectué. Et avec un grand talent, oserais-je ajouter. Vous êtes bouleversée, sa famille anéantie, mais si l'on s'en tient à ses capacités, vous avez pris la bonne décision. Vous saviez qu'il était plus doué qu'il ne le prétendait.

– C'est lui qui aurait dû décider de partir ou de rester. Pas vous ni moi. Vous auriez dû lui laisser le choix.

– Si cela se passait ainsi, le système s'écroulerait, répond-elle patiemment. Comment pensez-vous que l'on puisse garantir une si longue espérance de vie ? Que l'on ait éradiqué le cancer ? Nous contrôlons tout, y compris les gènes.

– Vous offrez, certes, une longue vie, mais vous tuez les gens à la fin. Je suis au courant que vous empoisonnez les personnes âgées, comme mon grand-père.

– Afin de garantir la meilleure qualité de vie jusqu'au dernier souffle. Savez-vous combien de miséreux dans les plus miteuses sociétés de l'histoire auraient tout donné pour avoir cette chance ? Quant à la méthode d'administration du…

– Poison.

– Poison, reprend-elle sans ciller, elle est on ne peut plus humaine : à petites doses dans les plats préférés de la personne âgée.

– Se nourrir pour mourir, étonnant…

Elle ignore ma remarque.

– Si l'on va par là, tout le monde se nourrit pour mourir à la fin. Le problème, c'est que vous n'avez aucun respect pour le système et ce qu'il vous offre.

J'aurais presque envie d'en rire. En voyant un sourire se dessiner sur mes lèvres, l'Officielle se lance dans l'énumération de toutes les fois où j'ai rompu avec la tradition dans les deux derniers mois – et encore, elle ignore le pire –, mais elle ne cite aucun exemple de toutes ces années où j'ai docilement suivi le mouvement. Elle ne peut pas m'ouvrir le crâne pour mettre mon esprit à nu mais, si elle en était capable, elle verrait que j'étais sincère. Je voulais vraiment de cette vie, je voulais être couplée, et tout bien faire. J'y croyais.

Et j'y crois encore en partie.

– Cette petite expérience a assez duré, conclut-elle à regret. Nous n'avons plus les effectifs nécessaires pour nous y consacrer. De plus, la situation étant ce qu'elle est…

– Quelle expérience ?

– Eh bien, Ky et vous.

– Je suis déjà au courant. Je sais que vous lui avez dit. Et qu'il ne s'agissait pas d'une simple erreur sur ma microcarte, comme vous l'avez prétendu la première fois. Ky avait été accidentellement intégré au panel de couplage.

– Cela n'avait rien d'un accident, précise-t-elle.

Alors que je croyais avoir touché le fond, voilà que je tombe plus bas encore.

– Nous avons volontairement introduit Ky dans le panel de couplage. Nous y insérons régulièrement une Aberration pour nos recherches. La population n'est pas au courant, il n'y a aucune raison pour que cela soit rendu public. Je tenais juste à ce que vous sachiez que nous avons tiré les ficelles de cette expérience du début à la fin.

– Mais les probabilités pour qu'il soit couplé avec moi…

– … sont virtuellement nulles, complète l'officielle. Vous comprenez pourquoi cela nous a intrigués. Pourquoi nous vous avons montré la photo de Ky afin que vous soyez intriguée à votre tour. Pourquoi nous avons fait en sorte que vous soyez dans le même groupe de randonnée, puis que vous fassiez équipe. Pourquoi nous avons tenu à poursuivre l'expérience, du moins, pendant un moment.

Elle sourit.

– C'était passionnant de pouvoir agir sur tant de variables. Nous avons même diminué vos rations de nourriture pour voir si cela augmenterait votre stress, si cela vous inciterait à laisser tomber. Mais au contraire. Bien évidemment, nous n'avons fait preuve d'aucune maltraitance. Vous receviez un apport calorique suffisant. Et puis, vous êtes forte. Vous n'avez jamais eu recours à la pilule verte.

– Quel est le rapport ?

– C'est encore plus captivant, affirme-t-elle. Vous êtes un sujet d'étude vraiment étonnant. Très prévisible en définitive, mais tout de même assez hors norme pour mériter d'être observée. Il aurait été intéressant de poursuivre l'expérience jusqu'à son issue probable.

Elle soupire, un vrai soupir de mélancolie.

– Je pensais écrire un article, réservé, bien sûr, à quelques Officiels. J'en aurais tiré une justification sans équivoque de notre système de couplage. C'est pour cela que je ne voulais pas effacer de votre mémoire les événements de ce matin. Sinon, tout mon travail aurait été vain. Au moins, comme ça, je peux vous voir prendre votre décision en ayant tous les éléments en main.

La colère me submerge. Je ne peux plus penser ni parler. Je ne suis plus que fureur.

Il aurait été intéressant de poursuivre l'expérience jusqu'à son issue probable.

Donc tout était prévu depuis le début. *Tout.*

– Hélas ! on a besoin de mes compétences ailleurs, désormais.

Elle pianote sur son infopod.

– N'ayant plus de temps à consacrer à cette expérience, nous nous voyons contraints d'y mettre un terme.

– Pourquoi me racontez-vous tout ça ? Pourquoi voulez-vous me mettre au courant du moindre détail ?

Elle paraît surprise.

– Parce que nous tenons à vous, Cassia. Nous tenons à vous comme à tous nos citoyens. En tant que sujet d'expérience, vous avez le droit de savoir ce qui vous est arrivé. Le droit de prendre la décision que nous avons prévu que vous prendriez dès maintenant au lieu d'attendre plus longtemps.

C'est tellement comique, cette façon d'employer le mot « décision », et elle ne s'en rend même pas compte. Si je n'avais pas peur de fondre en larmes, je rirais.

– Vous avez averti Xander ?

Ma question la choque.

– Bien sûr que non. C'est toujours votre Promis. Afin que l'expérience demeure contrôlable, il doit rester dans l'ignorance. Il ne sait rien.

Sauf ce que je lui ai dit. Je réalise subitement qu'elle n'est pas au courant.

Elle n'est pas au courant de tout. Le simple fait de m'apercevoir de ça me rend un certain pouvoir sur ma vie. Cette pensée s'infiltre dans la masse noire de ma colère pour la dissoudre petit à petit. Mon esprit s'éclaircit.

Et s'il y a une chose dont elle ignore tout, c'est l'amour.

– Pour Ky, c'était différent, reprend-elle. Nous lui avons dit. Nous avons fait mine de lui donner un avertissement, tout en espérant que ça l'encouragerait encore davantage à se rapprocher de vous. Et ça a parfaitement fonctionné.

Elle sourit, très satisfaite d'elle-même, car elle s'imagine que je ne connaissais pas cette partie de l'histoire. Mais elle se trompe.

– Vous nous avez surveillés en permanence ?

– Non, pas tout le temps, répond-elle. Suffisamment pour recueillir un échantillon représentatif de vos interactions. Nous ne pouvions pas assister à tous vos échanges sur la Colline, par exemple, pas même sur la petite. L'Officier Carter, qui a la juridiction de cette zone, ne voyait pas notre présence d'un bon œil.

J'attends qu'elle me pose la question. Je sens que ça va venir. Même si elle estime avoir « recueilli un échantillon représentatif », au fond, elle veut en savoir plus.

– Alors, que s'est-il passé entre Ky et vous ?

Elle n'est pas au courant qu'on s'est embrassés. Ce n'est donc pas pour ça qu'ils l'ont envoyé au front. Cet instant sur la Colline n'appartient qu'à nous. Lui et moi. Personne ne peut le gâcher.

C'est à ça qu'il faut que je me raccroche pour la suite. Notre baiser et le poème.

– Si vous me racontez ce qui s'est passé, je pourrai vous aider. Je suis en mesure de vous obtenir un poste en Ville. Vous ne seriez pas obligée de suivre votre famille dans les Campagnes.

Elle se penche vers moi.

– Racontez-moi.

Je détourne les yeux. C'est tentant, malgré tout. J'ai un peu peur de partir, je n'ai pas envie de quitter Xander ni Em, de quitter cet endroit où j'ai tant de souvenirs de grand-père. Et surtout, je ne veux pas quitter ma Ville, mon quartier, parce que c'est là que j'ai connu et aimé Ky.

Mais il n'est plus là. Il faut que je le retrouve.

Le dilemme du prisonnier. Quelque part, Ky tient ses engagements envers moi et je peux faire de même pour lui. Je n'abandonnerai pas.

– Non, dis-je d'une voix claire et posée.

– Je savais que vous diriez ça, réplique-t-elle ; pourtant sa déception est palpable.

J'ai envie de rire. De lui demander si ce n'est pas lassant d'avoir raison tout le temps. Mais je sais ce qu'elle dirait. À la place, je dis :

– Alors, quelle est l'issue probable de tout ça ?

– Quelle importance ? répond-elle en souriant. De toute façon, c'est ce qui va se produire. C'est ce que vous allez faire. Mais je peux vous le révéler, si vous voulez.

Je m'aperçois alors que je m'en moque. Je n'ai pas besoin de ses prétendues prédictions. Ils ignorent que Xander a caché la relique, que Ky sait écrire, que grand-père m'a donné le poème.

Qu'ignore-t-elle encore ?

– Vous dites que vous aviez tout prévu, dis-je, prise d'une soudaine intuition. Que vous avez intégré Ky dans le panel de couplage volontairement ?

– Oui, tout à fait, répond-elle.

Cette fois, je la regarde droit dans les yeux au moment où elle prononce ces mots. Et je vois. Un léger frémissement de la paupière, une tension dans les muscles de la mâchoire, ce ton légèrement appuyé. Elle n'est pas fréquemment amenée à mentir. Elle n'a jamais été classée Aberration. Elle manque d'entraînement. Elle n'arrive pas à conserver un visage parfaitement impassible, comme Ky lorsqu'il joue et qu'il décide s'il vaut mieux perdre ou gagner.

On a beau lui avoir expliqué les règles, elle ne sait pas vraiment quelles cartes elle a en main.

Elle ignore qui a intégré Ky au panel de couplage. Si ce n'est pas l'œuvre d'un Officiel, qui a bien pu faire ça ?

Je l'observe à nouveau. Elle ne sait pas et elle ne croit pas à ce qu'elle dit.

Si l'impossible s'est déjà produit – que je sois promise à deux garçons que je connaissais –, alors, l'impossible peut arriver à nouveau.

Je vais le retrouver.

Je me lève. J'ai l'impression qu'il y a de la pluie dans l'air, malgré le ciel sans nuages. Soudain, ça me revient. Je n'ai pas encore lu la suite de l'histoire de Ky.

31

Xander est assis sur mon perron.

Je l'ai souvent vu assis là, l'été. Sa pose est familière, les jambes allongées, les coudes en appui sur la marche. L'ombre qu'il projette est plus petite que lui, une version plus compacte et plus sombre du vrai Xander.

Il me regarde remonter l'allée et, quand j'arrive près de lui, je distingue encore la peine dans son regard, une ombre dans le ciel bleu.

J'aimerais presque que la pilule rouge ait effacé davantage que les douze dernières heures pour lui. Qu'il ait oublié ce que je lui ai dit, le mal que je lui ai fait. Presque, mais pas vraiment. Toute pénible que soit la vérité pour nous deux, je ne vois pas comment j'aurais pu faire autrement. Je n'avais que la vérité à lui donner et il méritait de la connaître.

– Je t'attendais, dit-il. J'ai appris la nouvelle pour ta famille.

– J'étais en Ville.

– Viens t'asseoir à côté de moi.

J'hésite. A-t-il vraiment envie que je m'asseye à côté de lui ou fait-il semblant pour ceux qui pourraient nous surveiller ?

Il garde les yeux rivés sur moi.

– S'il te plaît.

– Tu es sûr ?

– Oui.

Je sais qu'il est sincère. Il a mal. Moi aussi. C'est peut-être tout simplement ça le choix que nous aimerions avoir : de quel mal nous voulons souffrir.

Il ne s'est pas écoulé beaucoup de temps depuis le banquet, et pourtant, nous avons changé. On nous a repris nos belles tenues, nos reliques, notre foi dans le système de couplage. Je reste plantée là, à réfléchir. Tant de choses ont changé. Nous étions si naïfs.

– Il faut toujours que j'engage la conversation avec toi, hein ? dit-il en souriant. Et c'est toujours toi qui as le dernier mot à la fin.

– Xander…

Je m'assieds près de lui. Il me prend par le cou, je pose ma tête sur son épaule. Je soupire, je tressaille presque de soulagement. C'est tellement bon d'être comme ça, l'un contre l'autre. On ne fait pas ça pour ceux qui nous surveillent, non. C'est bien réel. Il me manque tellement.

Nous gardons le silence un moment, en contemplant notre rue ensemble pour la dernière fois. Je reviendrai peut-être, mais je n'habiterai plus jamais ici. Quand on est relogé, on ne repasse qu'en visite. Mieux vaut une coupure franche, d'après eux. Quand je vais partir rejoindre Ky, on ne pourra pas faire coupure plus franche. C'est le genre d'Infraction qui ne passera pas inaperçue.

– Il paraît que vous partez demain, dit-il.

J'acquiesce, mes cheveux frôlent sa joue.

– J'ai quelque chose à te dire.

– Quoi ?

Je sens son épaule remuer sous sa chemise tandis qu'il change de position, mais je ne bouge pas. Qu'a-t-il à me dire ? Qu'il n'arrive pas à croire que je l'aie trahi ? Qu'il aurait voulu être couplé à une autre ? Je le mériterais, mais je ne le vois pas dire ça. Pas Xander.

– Je me souviens de ce qui s'est passé ce matin, chuchote-t-il. Je sais ce qui est réellement arrivé à Ky.

– Comment ça se fait ?

Je me redresse pour le dévisager.

– La pilule rouge n'a aucun effet sur moi, me glisse-t-il à l'oreille pour que personne ne puisse l'entendre.

Il se tourne vers la maison des Markham.

– Elle n'a pas marché sur Ky non plus.

– Non !

Comment se fait-il que deux garçons aussi différents puissent avoir des points communs aussi étonnants ?

– Raconte !

Xander fixe toujours la petite maison aux volets jaunes où vivait Ky il y a quelques heures encore. Où il a appris à observer les autres pour survivre. Xander lui a enseigné certaines choses, sans le savoir. Et peut-être que Ky lui a appris d'autres choses en retour également.

– Une fois, je lui ai lancé un défi, il y a longtemps, me confie Xander. Il venait d'arriver. Je faisais semblant d'être sympa avec lui, alors qu'au fond j'étais jaloux. J'avais remarqué comment tu le regardais.

– C'est vrai ?

Je ne me le rappelle pas, mais subitement j'espère qu'il a raison. J'espère que je suis tombée amoureuse de Ky avant que quiconque me le dicte.

– Ce n'est pas un souvenir dont je suis fier. En allant à la piscine avec lui, je lui ai révélé que j'étais au courant pour sa relique. Je l'avais surpris en train de l'utiliser pour retrouver son chemin, un soir, en revenant de chez un copain. Il était pourtant très prudent. Je pense que c'est la seule fois où il l'a sortie, mais c'est tombé au mauvais moment. Je l'ai vu.

Ça me brise le cœur d'imaginer la scène. Voilà une facette de Ky que je découvre, un Ky perdu. Qui prend des risques. J'ai beau bien le connaître et être amoureuse de lui, il y a encore des aspects de lui que j'ignore. Et c'est pareil pour Xander, que je n'aurais jamais cru capable d'une telle cruauté.

– Je l'ai mis au défi de trouver et de voler deux pilules rouges, pensant que ce serait impossible. Je lui ai dit que s'il ne les apportait pas à la piscine le lendemain, je parlerais à tout le monde de sa boussole et que ça attirerait des ennuis à Patrick…

– Qu'est-ce qu'il a fait ?

– Tu connais Ky. Il n'aurait jamais risqué de mettre son oncle en danger.

Puis Xander se met à rire. Scandalisée, je serre les poings de rage.

Il trouve ça drôle ? Je ne vois pas ce qu'il y a d'amusant dans son histoire !

– Ky a déniché les pilules. Et devine à qui il les a volées ? me questionne-t-il en pouffant toujours. Devine !

– Aucune idée. Dis-le-moi.

– À mes parents.

Il retrouve son sérieux.

– Bien sûr, sur lc coup, ça ne m'a pas fait rire. Ce soir-là, mes parents se sont affolés en découvrant que leurs comprimés avaient disparu. J'ai tout de suite compris ce qui s'était passé. Mais, évidemment, je ne pouvais rien dire.

Xander baisse les yeux. Je remarque alors qu'il a une grande enveloppe en papier kraft à la main. Ça me fait penser à l'histoire de Ky. Je viens juste d'en entendre un nouveau chapitre.

– Quel bazar ! Les Officiels sont venus à la maison, et tout. Tu te rappelles ?

Je secoue la tête. Non, je ne m'en souviens pas.

– Je ne sais pas comment, mais ils ont vérifié qu'on ne les avait pas prises. Mes parents étaient assez convaincants : complètement paniqués, ils répétaient qu'ils ignoraient ce qui s'était passé. Finalement, les Officiels en ont conclu qu'ils devaient les avoir perdues à la piscine quelques jours plus tôt et qu'ils avaient été négligents de ne pas s'en apercevoir avant. Comme ils n'avaient jamais eu de problème avant, ils ont échappé à l'Infraction et s'en sont tirés avec une simple Citation.

– Ky a fait ça ? Il a volé les pilules à tes parents ?

– Eh oui.

Xander prend une profonde inspiration.

– Je suis allé chez lui le lendemain, prêt à l'étriper. Il m'attendait sur le perron. Et en me voyant arriver, il a tendu la main avec les deux pilules dans sa paume. Au vu et au su de tout le monde. Évidemment, terrifié, je les ai vite prises en lui demandant ce qu'il fabriquait. C'est là qu'il m'a dit qu'on ne jouait pas avec la vie des autres.

Xander rougit de honte à ce seul souvenir.

– Et que tous les deux, on pouvait remettre les compteurs à zéro, si je voulais. Il nous suffisait de prendre les pilules rouges. Il m'a promis que ça ne nous ferait aucun mal.

– Il a été aussi cruel que toi, dis-je, sous le choc.

Mais à ma grande surprise, Xander n'est pas d'accord.

– Il savait que les comprimés n'avaient pas d'effet sur lui. Il s'attendait en revanche à ce qu'ils fonctionnent sur moi. Il espérait que j'oublierais mon comportement minable et qu'on pourrait repartir sur de bonnes bases tous les deux.

– À ton avis, il y a combien de personnes qui jouent le jeu alors que ces pilules ne leur font rien ?

– Tous ceux qui ne veulent pas avoir d'ennuis. Mais visiblement, elles ne marchent pas sur toi non plus, remarque-t-il.

– Ce n'est pas tout à fait ça.

Je ne tiens pas à lui raconter, je lui ai déjà confié assez de secrets.

Xander me dévisage un moment puis, voyant que je n'ajoute rien, il reprend :

– En parlant de pilules, j'ai quelque chose pour toi. Un cadeau d'adieu.

Il me tend l'enveloppe en murmurant :

– Ne l'ouvre pas tout de suite. J'y ai rassemblé quelques souvenirs du quartier. Et surtout une plaquette de comprimés bleus. Au cas où tu aurais un long voyage à faire…

Il sait donc que je vais partir à la recherche de Ky. Et il veut m'aider. Malgré ce qui s'est passé, Xander ne m'a pas trahie. Je me rends soudain compte que, lorsque je me suis élancée dans la rue pour rattraper Ky ce matin, je n'ai pas un instant envisagé que Xander soit à l'origine de tout ça. Je n'avais aucun doute. Il a toujours respecté ses engagements envers moi. C'est le dilemme du prisonnier. Ce jeu dangereux que je dois jouer avec Ky, et maintenant avec Xander. Mais ce dont je suis sûre, et que les Officiels ignorent, c'est que nous nous efforcerons de nous protéger les uns les autres.

– Oh, Xander, où tu les as eues ?

– On en a en réserve dans la pharmacie du Centre médical, m'explique-t-il. On les avait mises de côté pour les jeter car elles seront bientôt périmées, mais je pense qu'elles sont encore efficaces quelques mois après la date d'expiration.

– Les Officiels vont quand même remarquer leur disparition.

Il hausse les épaules.

– Sans doute. Mais je ferai attention. Toi aussi, sois prudente. Désolé de ne pas avoir pu t'apporter de la vraie nourriture.

– Je n'en reviens pas que tu fasses tout ça pour moi.

Xander avale sa salive.

– Ce n'est pas seulement pour toi. C'est pour nous tous.

Il a raison. Si nous arrivons à faire bouger les choses, petit à petit, alors peut-être… peut-être qu'un jour nous aurons tous le choix.

– Merci, Xander.

Avec la boussole et les pilules, j'ai peut-être une chance de retrouver Ky, désormais. En réalité, par certains côtés, c'est un peu grâce à Xander que je peux aimer Ky.

– Maintenant je sais pourquoi Ky m'a dit que tu pourrais m'apprendre à me servir de la boussole. Le jour où je te l'ai confiée, tu as su de quoi il s'agissait ?

– Je n'étais pas sûr. Ça faisait tellement longtemps… et puis j'ai tenu ma promesse, je n'ai pas ouvert l'enveloppe.

– Mais tu sais t'en servir.

– J'avais compris le principe en le voyant l'utiliser. Et je lui ai posé quelques questions ensuite.

– Ça pourrait m'aider à le retrouver.

– Même si je savais comment ça marche, pourquoi devrais-je t'apprendre ?

Brusquement, Xander ne peut plus se retenir, il laisse éclater son amertume, sa colère et sa douleur.

– Pour que tu ailles faire ta vie avec lui ? Et moi, alors ? Qu'est-ce que je deviens ?

– Ne dis pas ça. Tu m'as donné les pilules bleues pour que je puisse partir à sa recherche, non ? Une fois que je serai partie, si on arrive à faire bouger les choses, tu pourras choisir quelqu'un que tu aimes, toi aussi.

– C'est déjà fait, m'annonce-t-il en me regardant dans les yeux.

Je ne sais pas quoi répondre.

– Donc, je n'ai plus qu'à attendre la fin du monde, reprend-il avec une note d'ironie dans la voix.

– Pas la fin du monde, la naissance d'un monde meilleur..., dis-je, un peu affolée par la portée de ce que j'affirme.

Est-ce vraiment ce que nous souhaitons tous ?

– ... Un monde où Ky serait de nouveau des nôtres.

– Ky..., répète Xander avec mélancolie. Parfois, j'ai l'impression que tout ce que j'ai vécu avec toi, c'était pour te préparer à en aimer un autre.

Je ne sais pas quoi dire, je ne sais pas comment lui expliquer que, moi aussi, j'ai eu la même impression, mais que je me trompais. Parce que oui, Xander nous a aidés à plusieurs reprises, Ky et moi. Mais comment lui faire comprendre que c'est pour lui aussi que j'espère un monde nouveau. Que, lui aussi, il compte pour moi ? Que, lui aussi, je l'aime ?

– Je vais t'expliquer pour la boussole,

lâche-t-il finalement. Je t'enverrai le mode d'emploi sur le port.

Je proteste :

– N'importe qui pourrait tomber dessus.

– Je rédigerai ça sous forme de lettre d'amour. Nous sommes toujours promis, après tout. Et assez doués pour faire semblant, tous les deux.

D'une voix chargée de chagrin, il murmure :

– Cassia… si on avait le choix, tu crois que, au début, tu m'aurais choisi ?

Je suis surprise qu'il se pose la question. Mais après tout, il ne sait pas que, au début, c'est lui que j'avais choisi. Quand j'ai vu son visage sur l'écran, puis celui de Ky, j'ai opté pour la sécurité, pour le connu face à l'inconnu, l'attendu contre l'inattendu. Pour sa générosité, sa gentillesse, sa beauté. Je voulais Xander.

– Évidemment.

Nous nous regardons avant d'éclater de rire. Un rire irrépressible. Qui fait couler les larmes sur nos joues. Plié en deux, Xander est obligé de se pencher en avant pour reprendre son souffle.

– Alors, on finira peut-être ensemble, après toute cette histoire.

– Peut-être.

– Mais dans ce cas, à quoi bon ?

Je reprends mon sérieux. Il m'a fallu tout ce temps pour comprendre ce que voulait dire grand-père. Pourquoi il ne voulait pas qu'on conserve son prélèvement, pourquoi il ne voulait pas que quelqu'un puisse décider de le ramener à la vie.

– Parce que c'est à nous de faire nos propres choix. C'est ça, l'important, non ? Il ne s'agit pas juste de notre histoire, ça nous dépasse.

Il relève la tête.

– Je sais.

Peut-être qu'il a compris ça depuis longtemps, qu'il a vu plus loin, qu'il en sait plus parce qu'il a assisté à davantage de choses. C'est le cas pour Ky.

À voix basse, je lui demande :

– Combien de fois ?

Il fronce les sourcils, perplexe.

– Combien de fois nous ont-ils fait prendre la pilule rouge afin qu'on ne se rappelle rien ?

– Une fois, pour autant que je sache, répond Xander. Ils ne l'utilisent pas souvent pour les simples citoyens. Je pensais qu'on y aurait droit après la mort du fils des Markham, mais j'avais tort. En revanche, il y a un jour où je suis pratiquement sûr que tout le quartier a dû la prendre.

– Moi aussi ?

– Je n'en suis pas certain. Je ne t'ai pas vue le faire.

– Qu'est-ce qui s'était passé ?

Il secoue la tête.

– Je ne veux pas te le dire, murmure-t-il.

Je n'insiste pas. Je ne lui ai pas tout raconté non plus – ni le baiser sur la Colline, ni le poème –, je ne peux pas exiger de lui ce que je ne fais pas moi-même.

C'est un équilibre délicat à trouver, la vérité : entre ce qu'on doit avouer et ce qu'on doit garder pour soi ; la révélation qui sera douloureuse, mais supportable, et celle qui causera des dommages irréparables.

Je désigne l'enveloppe.

– Et à part les pilules, qu'est-ce que tu as mis dedans ?

Il hausse les épaules.

– Pas grand-chose. C'était surtout pour cacher les comprimés. Quelques boutons de néoroses, comme celles qu'on a plantées devant l'école. Ils ne tiendront pas longtemps. J'ai imprimé l'un des Cent Tableaux sur le port, celui sur lequel tu avais fait un exposé, tu t'en souviens ? Il ne durera pas longtemps non plus.

Il a raison. Le papier de nos imprimantes se désagrège rapidement.

Il me dévisage d'un air navré.

– C'est comme les pilules, tu n'as qu'un ou deux mois pour les prendre.

– Merci. Moi, je n'ai pas de cadeau pour toi. C'est arrivé si subitement…

Je me tais. Parce que le peu de temps que j'avais, je l'ai consacré à Ky. Une fois de plus, c'est lui que j'ai choisi.

– Ce n'est pas grave, m'assure-t-il. Mais peut-être que tu pourrais…

Il plonge ses yeux dans les miens. Je comprends ce qu'il veut. Que je l'embrasse. Même s'il est au courant pour Ky. Xander et moi, nous sommes toujours liés. Et c'est un baiser d'adieu. Je sais déjà qu'il serait doux et bon. Que je pourrais m'y raccrocher, comme je me raccroche à celui de Ky.

Pourtant, je ne me sens pas capable de l'embrasser.

– Xander…

– C'est bon, dit-il en se relevant.

Je l'imite. Il m'attire contre lui et me serre fort. Je suis au chaud dans ses bras, bien en sécurité, comme toujours.

Nous restons enlacés un moment.

Puis il desserre son étreinte et s'éloigne sans un mot. Sans se retourner. Moi, je le suis du regard. Je ne le quitte pas des yeux jusqu'à chez lui.

Le trajet jusqu'à notre nouvelle maison est assez direct : aérotrain jusqu'à la Gare centrale, puis changement pour un train longue distance qui nous mènera dans les Campagnes de la Province de Keya. Nous n'avons qu'une petite valise chacun et presque toutes nos affaires y tiennent. Le peu qui reste nous sera expédié plus tard.

Sur le chemin de la station d'aérotrain, des voisins, des amis viennent nous dire au revoir, nous souhaiter bonne chance. Ils savent que nous allons être relogés, mais ils ignorent pour quelle raison. Arrivés au bout de la rue, nous constatons qu'un nouveau panneau a remplacé l'ancien : quartier des Jardins. Privé de ses arbres et de son nom, c'est comme si notre ancien quartier avait disparu. Comme s'il n'avait jamais existé. Les Markham sont partis. Nous partons. Les autres poursuivront leur vie dans le quartier des Jardins. Ils ont déjà rajouté des néoroses dans tous les parterres de fleurs.

La vitesse à laquelle Ky a disparu, à laquelle les Markham ont disparu, à laquelle nous allons disparaître me fait froid dans le dos. Comme si nous n'avions jamais existé.

Un souvenir me revient brutalement en mémoire : quand j'étais petite, je descendais à la station Faubourg-des-Ardoises. Et une allée de pierres plates menait à notre perron.

C'est déjà arrivé avant. Ce quartier ne cesse de changer de nom. Quels autres secrets sinistres cache notre quartier ? Quelles autres histoires sordides sont enterrées sous nos pierres, nos fleurs et nos maisons ? Ce fameux jour que Xander a refusé de me raconter, où nous avons dû prendre la pilule rouge, que s'était-il passé ? Et chaque fois que des voisins partaient, où allaient-ils vraiment ?

Ils ne savaient pas écrire leur nom, alors que je sais écrire le mien. Je le graverai quelque part où il pourra demeurer longtemps, très longtemps. Quand j'aurai retrouvé Ky, je choisirai le bon endroit.

À peine installés dans le train longue distance, ma mère et mon frère s'endorment aussitôt, épuisés par les émotions de ces derniers jours.

Quelle ironie que, après tout ce qui s'est passé, ce soit l'obéissance sans faille de ma mère qui ait abouti à ce que nous soyons relogés. Elle en savait trop, elle l'a reconnu dans son rapport. Elle ne pouvait pas faire autrement.

Le trajet est long et le train bondé. Autour de nous, ce ne sont pas des soldats, comme Ky – ils voyagent dans des convois spéciaux –, mais des familles fatiguées, à l'image de la nôtre, une bande de Célibataires qui rigolent et parlent de leur travail et, dans le fond, quelques jeunes filles de mon âge envoyées en mission de travail temporaire pour quelques mois. Je les observe, intriguée, ces filles qui n'ont pas été affectées à un poste définitif et qui vont de-ci de-là, où l'on a besoin d'elles. Certaines ont le visage marqué par la lassitude et la déception. D'autres regardent par la fenêtre avec curiosité.

Je leur ai témoigné plus d'attention que je n'aurais dû. Chacun est censé s'occuper de ses affaires. Et puis, je dois me concentrer sur mon but : retrouver Ky. Désormais, je suis équipée : pilules bleues et boussole dans ma poche, tracé de la rivière Sisyphe en tête, et surtout, en mémoire, les souvenirs d'un grand-père qui refusait d'entrer sans violence dans cette bonne nuit.

Mon intérêt pour ces filles n'a pas échappé à mon père. Pendant que ma mère et mon frère dorment, il me confie à voix basse :

– Je ne me souviens pas de ce qui s'est passé hier. Mais je sais que les Markham ont dû quitter le quartier et je sens que cela t'a bouleversée.

J'essaie de changer de sujet. En désignant ma mère assoupie, je remarque :

– Ils auraient pu lui faire prendre une pilule rouge, cela aurait été plus simple que de nous reloger.

– Une pilule rouge ? s'étonne mon père. On n'y a recours que dans des circonstances exceptionnelles, et ce n'est pas le cas.

Et à ma grande surprise, il poursuit. Il me parle comme à une adulte, d'égal à égal.

– En tant que professionnel du classement, j'ai un esprit logique. Toutes les données indiquent qu'il y a un problème : la façon dont ils ont confisqué les reliques, les déplacements de ta mère dans d'autres arboretums, mon trou de mémoire concernant la matinée d'hier. Il y a quelque chose qui cloche. Ils sont en train de perdre la bataille, j'ignore contre qui – des gens de chez nous ou de l'extérieur. Mais il y a des signes qui ne trompent pas : la Société se fissure.

J'acquiesce. Ky m'a dit pratiquement la même chose.

Mon père continue :

– Ce n'est pas tout ce que j'ai remarqué : je pense que tu es amoureuse de Ky Markham. Et que tu veux partir à sa recherche.

Il avale sa salive.

Je jette un coup d'œil à ma mère. Elle a ouvert les yeux. Elle me fixe d'un regard compréhensif et plein d'amour. Je comprends alors qu'elle sait ce que mon père a fait. Elle sait ce que je veux. Elle sait et même si, jamais, au grand jamais, elle n'accepterait de lire un poème interdit, de détruire un prélèvement, ou de tomber amoureuse d'un autre que son partenaire, elle nous aime quand même, nous qui l'avons fait.

Mon père a toujours enfreint les règles pour protéger ceux qu'il aime. Ma mère les a toujours suivies scrupuleusement pour les mêmes raisons. C'est peut-être également pour ça qu'ils forment un couple parfait. Je suis sûre que mes parents s'aiment. Et c'est énorme d'avoir cette certitude, d'en avoir bénéficié jour après jour, quoi qu'il arrive.

– Nous ne pouvons pas t'offrir la vie que tu souhaites, reprend mon père, ému aux larmes.

Il consulte ma mère, elle lui fait signe de poursuivre.

– Nous le regrettons, mais nous pouvons t'aider à avoir peut-être un jour la possibilité de choisir la vie que tu veux mener.

Je ferme les paupières en priant les anges, et Ky, et grand-père de me donner la force. Puis je les rouvre pour regarder mon père droit dans les yeux en demandant :

– Comment ?

32

J'ai les mains dans la terre. Mon corps est perclus de fatigue, mais je ne laisserai pas ce labeur me voler mes pensées. Parce que c'est ce que veulent les Officiels : des travailleurs efficaces qui n'ont plus la force de penser.

« N'entre pas sans violence. »

Alors je résiste. Je me bats de la seule façon que je connaisse, en pensant à lui, même s'il me manque tellement que c'en est à peine supportable. Je plante les graines avant de les recouvrir de terre. Vont-elles pousser vers la lumière ? Ou vont-elles rester à pourrir dans le sol, sans jamais rien donner de bon ? Je pense à lui, je pense à lui, je pense à lui.

Je pense à ma famille. Bram. Mes parents. Cette expérience m'a appris beaucoup au sujet de l'amour – mon amour pour Ky, mon amour pour Xander, l'amour que mes parents, Bram et moi, nous nous portons mutuellement.

En arrivant dans notre nouvelle maison, mes parents ont demandé que je sois envoyée trois mois en mission temporaire de travail parce que je présentais des signes de rébellion. Les Officiels de notre nouveau village ont consulté mon dossier, qui corroborait leurs observations. Mon père a précisé le type de mission qu'il avait en tête : un dur labeur, dans les champs, à cultiver la terre dans l'une des Provinces de l'Ouest traversée par la rivière Sisyphe.

Mes parents et Xander me tiennent au courant des moindres informations qu'ils pourraient avoir sur l'endroit où Ky se trouve. Je suis plus près de lui ici, je le sens.

Je pense parfois à Xander. On aurait pu être heureux, je le sais, et c'est bien le pire. J'aurais pu avancer en lui tenant la main, sa main ferme et chaude, on aurait connu le même bonheur que mes parents, ç'aurait été beau. Ç'aurait été beau.

Nous ne sommes pas enchaînés. De toute façon, il n'y a nulle part où aller. Pas besoin de nous frapper, ils nous abrutissent par le travail. Ils veulent juste nous épuiser.

Et je suis épuisée.

Quand je suis sur le point de laisser tomber, je pense à la dernière partie de l'histoire que Ky m'a donnée. Je l'ai lue juste avant de quitter notre ancienne maison.

En haut de la page, en grandes lettres assurées, rondes et douces, il a écrit : « Cassia ». Il a fait de mon nom plus qu'un simple mot, quelque chose de beau, une déclaration, une chanson, une œuvre d'art façonnée par ses mains.

Il n'y avait qu'un seul Ky dessiné en dessous. Le sourire aux lèvres. Et dans ce sourire, je voyais à la fois celui qu'il avait été et celui qu'il était devenu. Ses mains étaient à nouveau vides, ouvertes, tendues… vers moi.

Cassia,

Désormais, je sais qui est le vrai moi, quoi qu'il arrive. C'est celui qui est avec toi.

Bizarrement, le simple fait que quelqu'un d'autre connaisse mon histoire change complètement la donne. C'est peut-être comme dans le poème. C'est peut-être ma façon à moi de ne pas entrer sans violence dans cette bonne nuit.

Je t'aime.

J'ai dû également détruire cette serviette, mais avant j'ai serré ce « je t'aime » contre moi, pour qu'il me réchauffe le cœur.

Si je ne connaissais pas l'histoire de Ky, si je n'avais pas en tête les vers des poèmes, je risquerais d'abandonner. Mais il me suffit de me remémorer tous ces mots, de penser à mon stock de pilules bleues, à ma boussole, à ma famille et à Xander qui m'envoient des messages sur le port du camp de travail. Ils m'aident, ils n'abandonnent pas.

Parfois, lorsque je regarde les graines pâles que je sème dans la terre noire, ça me rappelle le jour de mon banquet. Quand je m'imaginais pouvoir voler. L'obscurité qui se referme derrière moi ne m'effraie pas, pas plus que les étoiles qui brillent au loin. Je me dis que, pour voler, il faudrait avoir les mains pleines de terre, afin de ne jamais oublier d'où l'on vient.

Puis je regarde mes mains, qui prennent une forme de mon invention, qui peuvent tracer des mots de mon invention. C'est dur et je ne suis pas très douée encore. Mais j'écris mes mots dans la terre avant de les piétiner, d'y creuser un trou, d'y planter une graine, voir si elle poussera. Quand on brûle des broussailles, je vole parfois un morceau de bois calciné pour écrire sur une serviette en papier. Au feu de broussailles suivant, je passe la main au-dessus des flammes et les mots meurent. Se changent en cendres. En rien.

Mes mots ne durent jamais longtemps. Je dois les détruire avant que quiconque puisse les lire.

Mais je ne les oublie jamais. Le simple fait de les écrire les grave dans ma mémoire. Difficile de trouver les bons mots. Chaque fois que j'écris, je m'en approche. Et quand je retrouverai Ky, ce qui arrivera, j'en suis sûre, je lui murmurerai mes mots à l'oreille, contre ses lèvres. Et de cendres, de rien, ils redeviendront chair et sang.

Cassia enfreindra-t-elle
les règles de la Société pour partir
à la recherche de Ky ?
Découvrez un extrait de la suite de *Promise* :

Extrait

Insoumise

Je vois trop de choses. Depuis toujours. Mots et images forment d'étranges associations dans ma tête. Je suis attentif aux moindres détails de ce qui m'entoure. Comme en ce moment. Vick n'est pas un lâche, mais le masque de la peur fige son visage. Les bras du mort pendent mollement, le bout de ses manches est effiloché et les franges trempent dans l'eau. À la demande de l'Officier, nous lui avons déjà ôté ses chaussures. Ses chevilles fines et ses pieds nus, si blancs, luisent entre les mains de Vick tandis qu'il s'approche du bord. Tenant les bottines par les lacets, l'Officier les balance à bout de bras, comme un pendule. De son autre main, il me braque le faisceau rond de sa torche dans les yeux.

Je lui lance la veste. Il est obligé de laisser tomber les chaussures pour l'attraper. Puis je me tourne vers Vick.

– Tu peux le lâcher. Il n'est pas lourd, je m'en occupe.

Mais Vick entre dans l'eau, immergeant les jambes du cadavre. Ses vêtements noirs sont trempés.

– Tu parles d'un Banquet final, remarque Vick, refrénant mal sa fureur. Ne me dis pas qu'il avait choisi la pâtée infecte qu'on a mangée hier soir !

Sinon, il mérite la mort.

— — — — — — — — — — — — — —

Il y a si longtemps que je ne m'autorise plus à exprimer ma colère que j'ai presque oublié ce que ça fait. Quand elle me monte dans la gorge, je la ravale, elle me laisse un goût métallique et amer, comme du papier d'aluminium. Ce garçon est mort par la faute des Officiers. Ils ne lui ont pas donné assez à boire, et il est mort prématurément.

Maintenant, il faut qu'on cache le corps, parce qu'on n'est pas censés mourir dans ce camp de transit. On doit attendre qu'ils nous envoient en mission dans des villages où l'Ennemi se charge de notre cas. Parfois, il y a des ratés.

La Société tient à ce qu'on craigne la mort. Moi, je n'ai pas peur.

J'aimerais seulement mourir comme il faut.

– Normal, c'est une Aberration, réplique l'Officier, agacé. Vous le savez bien. Pas de Banquet final, pas de prélèvement. Allez, lâchez-le et sortez de là.

Normal, c'est une Aberration.

En baissant les yeux, je constate que l'eau est devenue noire, comme le ciel. Je n'ai pas envie de le lâcher.

Les citoyens ont droit à un banquet. Ils choisissent le menu de leur dernier repas. On est attentif à leurs derniers mots. On conserve un échantillon de leurs tissus pour leur donner une chance d'accéder à l'immortalité.

– – – – – – – – – – – – – –

ALLY CONDIE est américaine. Ancien professeur d'anglais, elle se consacre aujourd'hui à l'écriture et vit avec son mari et leurs trois garçons près de Salt Lake City.

Retrouvez Ally Condie sur son site :
www.allycondie.com

Dans la collection
Pôle fiction

M. T. Anderson
Interface

Bernard Beckett
Genesis

Terence Blacker
Garçon ou fille

Judy Blundell
Ce que j'ai vu et pourquoi j'ai menti

Ann Brashares
Quatre filles et un jean
- Quatre filles et un jean
- Le deuxième été
- Le troisième été
- Le dernier été
- Quatre filles et un jean, pour toujours

L'amour dure plus qu'une vie
Toi et moi à jamais
Ici et maintenant

Sarah Cohen-Scali
Max

Eoin Colfer
W.A.R.P.
- L'Assassin malgré lui

Ally Condie
Insoumise

Andrea Cremer
Nightshade
- 1. Lune de Sang
- 2. L'enfer des loups
- 3. Le duel des Alphas

Grace Dent

LBD

- 1. Une affaire de filles
- 2. En route, les filles !
- 3. Toutes pour une

Victor Dixen

Le Cas Jack Spark

- Saison 1. Été mutant
- Saison 2. Automne traqué
- Saison 3. Hiver nucléaire

Animale

- 1. La Malédiction de Boucle d'or

Berlie Doherty

Cher inconnu

Alison Goodman

Eon et le douzième dragon
Eona et le Collier des Dieux

Michael Grant

BZRK

- BZRK
- Révolution
- Apocalypse

John Green

Qui es-tu Alaska ?

Maureen Johnson

13 petites enveloppes bleues
La dernière petite enveloppe bleue
Suite Scarlett
Au secours, Scarlett !

Sophie Jordan

Lueur de feu

- Lueur de feu
- Sœurs rivales

Justine Larbalestier

Menteuse

David Levithan
A comme aujourd'hui

Sue Limb
15 ans, Welcome to England !
15 ans, charmante mais cinglée
16 ans ou presque, torture absolue

Federico Moccia
Trois mètres au-dessus du ciel

Jean Molla
Felicidad

Jean-Claude Mourlevat
Le Combat d'hiver
Le Chagrin du Roi mort
Terrienne

Jandy Nelson
Le ciel est partout

Patrick Ness
Le Chaos en marche
• 1. La Voix du couteau
• 2. Le Cercle et la Flèche
• 3. La Guerre du Bruit

William Nicholson
L'amour, mode d'emploi

Han Nolan
La vie blues

Tyne O'Connell
Les confidences de Calypso
• 1. Romance royale
• 2. Trahison royale
• 3. Duel princier
• 4. Rupture princière

Leonardo Patrignani
Multiversum
Memoria

Mary E. Pearson
Jenna Fox, pour toujours
L'héritage Jenna Fox

François Place
La douane volante

Louise Rennison
Le journal intime de Georgia Nicolson
• 1. Mon nez, mon chat, l'amour et moi
• 2. Le bonheur est au bout de l'élastique
• 3. Entre mes nungas-nungas mon cœur balance
• 4. À plus, Choupi-Trognon...
• 5. Syndrome allumage taille cosmos
• 6. Escale au Pays-du-Nougat-en-Folie
• 7. Retour à la case égouttoir de l'amour
• 8. Un gus vaut mieux que deux tu l'auras
• 9. Le coup passa si près que le félidé fit un écart
• 10. Bouquet final en forme d'hilaritude

Carrie Ryan
La Forêt des Damnés
Rivage mortel

Robyn Schneider
Cœurs brisés, têtes coupées

Ruta Sepetys
Ce qu'ils n'ont pas pu nous prendre

L.A. Weatherly
Angel
Angel Fire

Scott Westerfeld
Code Cool

Moira Young
Les chemins de poussière
• 1. Saba, Ange de la mort
• 2. Sombre Eden

Le papier de cet ouvrage est composé de fibres naturelles, renouvelables, recyclables et fabriquées à partir de bois provenant de forêts plantées et cultivées expressément pour la fabrication de la pâte à papier.

Maquette : Nord Compo

ISBN : 978-2-07-063439-2
Loi n° 49-956 du 16 juillet 1949
sur les publications destinées à la jeunesse
Premier dépôt légal : mai 2014
Dépôt légal : novembre 2016
N° d'édition : 312697 – N° d'impresssion : 213183
Imprimé en France par Maury Imprimeur - 45330 Malesherbes